W9-AYA-453

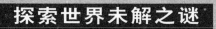

探索世界未解之谜

军事战争之谜

京华出版社

图书在版缩目（CIP）数据

军事战争之谜／齐春元,任晔编著. −北京：京华出版社，2006
（探索世界未解之谜）
ISBN 7−80724−013−x

Ⅰ．军… Ⅱ．①齐…②任… Ⅲ．战争史−世界−科普及读物
Ⅳ．E19−49

中国版本图书馆 CIP 数据核字(2006)第 088059 号

军事战争之谜

著　　者	：	齐春元　任晔编著
出版发行	：	京华出版社
		（北京市朝阳区安华西里一区 13 楼 2 层　　100011）
		（010）64258473　64255036　84241642（发行部）
		（010）64259577（邮购、零售）
		（010）64251790　64258472　64255606（编辑部）
		E−mail：jinghuafaxing@sina.com
印　　刷	：	北京科普瑞印刷有限责任公司
开　　本	：	16 开　1010mm × 710mm
字　　数	：	350 千字
印　　张	：	20
印　　数	：	0001−8000
版　　次	：	2006 年 9 月第 1 版
印　　次	：	2006 年 9 月第 1 次印刷
书　　号	：	ISBN　7−80724−013−x
定　　价	：	30.00 元

目 录

古代战争之谜

近代战争之谜

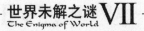

古代战争之谜

五千多年前的核战争之谜

有一部著名的古印度史诗《摩诃波罗多》(Mahabarata，一译《玛哈帕腊达》，印度古代梵文叙事诗，意译为"伟大的波罗多王后裔"，描写班度和俱卢两族争夺王位的斗争，与《罗摩衍那》并称为印度两大史诗），写成于公元前1500年，距今约有三千五百多年了。据说书中记载的史实比成书时间早了两千年，就是说书中的事情发生在距今约五千多年前。此书记载了居住在印度恒河上游的科拉瓦人和潘达瓦人、弗里希尼人和安哈卡人两次激烈的战争。书中的第一次战争是这样描述的："英勇的阿特瓦坦，稳坐在维马纳（类似飞机的飞行器）内降落在水中，发射了'阿格尼亚'，一种类似飞弹武器，能在敌方上空产生并放射出密集的光焰之箭，如同一阵暴雨，包围了敌人，威力无穷。刹那间，一个浓厚的阴影迅速在潘达瓦上空形成，上空黑了下来，黑暗中所有的罗盘都失去作用，接着开始刮起猛烈的狂风，呼啸而起，带起灰尘、砂砾，鸟儿发疯地叫……似乎天崩地裂。"

史前遗迹——古老的核反应堆

"太阳似乎在空中摇曳，这种武器发出可怕的灼热，使地动山摇，在广大地域内，动物灼毙变形，河水沸腾，鱼虾等全部烫死。火箭爆发时声如雷鸣，把敌兵烧得如焚焦的树干。"第二次战争的描写更令人毛骨悚然，胆颤心惊："古尔卡乘着快速的维马纳，向敌方三个城市发射了一枚飞弹。此飞弹似有整个宇宙力，其亮度犹如万个太阳，烟火柱滚升入天空，壮观无比。""尸体被烧得无可辨认，毛发和指甲脱落了，陶瓷器爆裂，飞翔的鸟类被高温灼焦。为了逃脱死亡，战士们跳入河流清洗自己和武器。"

相信每个读到这段文字的人都会产生同样的感受，如此惨酷的战争以及如

此巨大的破坏程度让人情不自禁地想起第二次世界大战时，美国在日本广岛和长崎投下原子弹后的场面。这段文字几乎就是核战争的生动写照。

难道在距今五千多年前，地球上就爆发过核大战吗？根据人类现有的史料表明，公元前5000年，人类还过着刀耕火种的生活，怎么可能拥有核武器、发动核战争呢，所以，历史学者一致认为这部古印度史诗不过是带有诗意的夸张罢了，认为五千年前发生核大战简直是天方夜谭。然而，也有许多人提出质疑。他们指出《摩诃婆罗多》对这次战争描述得绘声绘色，犹如身临其境，如果不是确有其事的话，单凭想象是绝对不会有如此细致的描述的。

与此同时，一些考古学家的发现也开始倾向于证实核战争确曾爆发过。1922年，一个关于古代城市的震惊世界的考古大发现诞生了，这就是印度信德地区的"马享佐·达摩"。

印度河是世界上最长的河流之一，也是人类文明的一个发源地。从19世纪开始，人们在印度河畔的旁遮普郡一带，发现了一个东西长1600公里、南北长1400公里属同一文明的大量遗址，其涵盖范围之广在世界上是独一无二的，这就是"印度文明"。其中最著名的是两座古城遗址，即哈拉巴和马享佐·达摩（印度语为死亡之谷）。据最保守的估计，它们距今最少有五千多年，但在印度的早期神话中没有这两座古城的记载，所以更多的人认为，它们的历史也许比猜想的要久远得多。在城市建筑的挖掘中，考古学家根本找不到神殿和宫殿，这与世界上目前所探掘的古城遗迹都不相同，似乎这些城市根本没有统治者。马亨佐·达摩城的居民住宅建筑更证实了这点，所有住房都是由砖木建成，从格局规模来看基本差不多，好像贫富分化没有出现在这里，更没有发现任何一件艺术品。是原来就没有，还是被岁月销毁了？在这里出土了大量遗骨，有的在街道上，更多的是在居室里。在一个比较大的废墟里发现了成排倒地死去的人，有些用双手盖住脸，好像在保护自己，又好像看见了什么害怕的事情。可以肯定，所有人都是在突然状态下死去的。这座古城当时一定发生了件很巨大的异常事变，是什么呢？火山爆发？可在这一带几千公里范围内人们并没有发现遗留的火山口；是突然爆发的流行病、瘟疫？可医学证明瘟

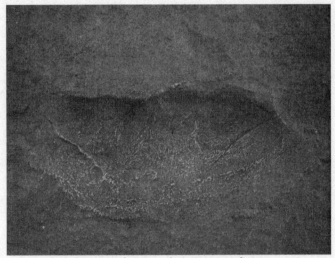

在许多坍塌的建筑物上有某种高温的痕迹

疫和各种流行病不可能突然毁灭一座城池。印度的考古学家卡哈对出土的人骨进行了详细的化学分析后说："我在9具白骨中，发现均有高温加热的痕迹。"这说明马亨佐·达摩的毁灭和人民死亡与突然出现的高温有关。马亨佐·达摩和《圣经》里索多姆的毁灭有极相似之处，都是突然被与高温有关的东西摧毁的。人们在马亨佐·达摩还发现在许多坍塌的建筑物上有某种高温的痕迹，人们甚至发现一些"玻璃建筑"——托立提尼物质。这种物质的形成是由于瞬间高温熔化了物体表面然后又迅速冷却造成的。至今人们只在热核武器爆炸现场发现过这些人为的物质。一切证据都在说明，这里曾发生过核爆炸。

无独有偶，在离耶路撒冷不远的土耳其格亨里默谷地，我们惊奇地发现这里的地表和月球表面极其相似。同样，在蒙古的戈壁和撒哈拉沙漠都发现了类似的废墟。另外，考古学家在世界上许多地方都发现了修建在地下的城市。这

些地下城市在设计上极为科学，有通气口、排列整齐的地道，整个城市的用途似乎是要为人们提供避难所。那么人们是要躲避什么呢？是什么东西让人们非要躲在地下不可呢？

　　一切的疑问都似乎在暗示史前曾发生过核大战。如果数学对于时间有某种说明，不知落在广岛的原子弹能否"后来居上"？尽管不少的文献和考古发掘为此提供了线索，然而，五千年前的人类是否具备掌握核武器的技术，当时的文明社会是否发生过核战争以及核战争是否毁灭这些文明，仍是一个千古不解之谜。

卡叠什大战之谜

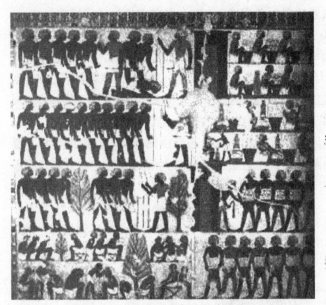

赫梯是小亚细亚出现的印欧语系民族

公元前14世纪至13世纪，以叙利亚和巴勒斯坦地区为舞台，当时近东的两个强大国家埃及和赫梯进行了多次激烈的争夺，发生了多次战争。这场战争中的关键性战役——卡叠什大战是西方文明史上有文字记载的最早的会战，战后缔结的和约则是迄今为止最古老的国际军事条约文书。

古埃及是世界上历史最悠久的文明古国之一，位于非洲东北部的尼罗河谷地，其疆域向西扩展到西亚的巴勒斯坦和叙利亚一带。当时埃及从古王国时代起就发动过对叙利亚和巴勒斯坦的侵略战争，从那里掠夺了许多人民充当他们的奴隶。进入新王国时期，埃及的对外扩张达到了空前的规模。

赫梯是公元前2000年左右在小亚细亚出现的印欧语系民族，大体来自黑海以北地区。这是一个骁勇善战的古代民族，他们最早发明了铁制武器，常常攻掠周边国家和民族。公元前16世纪，赫梯人打垮了强大的古巴比伦帝国，攻陷了其首都巴比伦；公元前15世纪，进入鼎盛时期的赫梯帝国又占领了腓尼基，入侵了叙利亚和巴勒斯坦。为了建立在西亚的霸权，赫梯人步步紧逼驻扎于西亚的埃及军队。

公元前1290年，刚刚即位的埃及第19王朝法老拉美西斯二世再也无法容忍赫梯人的挑衅了，决心与赫梯人决一雌雄。经过五年的精心准备，拉美西斯二世积蓄了丰厚的财力物力，组建了4个军团，均以神命名，即阿蒙、拉、普塔

赫、塞特，每个军团约5000人，其核心是战车手、弓箭手和投枪手，目标直接对赫梯人。

几乎与拉美西斯二世同时，赫梯王穆瓦塔里也在紧锣密鼓地实施进攻埃及的计划。赫梯王穆瓦塔里派出了探子到处打听埃及的进军情况，并且派遣了奸细给埃及人提供假情报。这天，穆瓦塔里正与臣下商议进攻方案的时候，接到边境守军的报告。埃及法老拉美西斯率领10万大军向埃及发动了进攻。

拉美西斯的兵马有10万之众，而穆瓦塔里手中只有4万精兵，以4万人的力量抵挡10万人的进攻，赫梯王的心里也难免少了点儿底气。

穆瓦塔里冷静下来，大声问道："谁有退敌妙计！"他焦急地看着下边的大臣们，一个叫纳丁的将军站起来说道："臣倒有一计。"接着，他就在国王的耳边详细地说了自己的计划，穆瓦塔里听了频频点头，当即同意了纳丁的作战方案。

依据纳丁的作战方案，赫梯王率领部队火速赶往赫梯帝国的南部要塞卡叠什城。卡叠什城建在半山腰，山脚左边是一条通向大海的大道，右边则是深不可测的茫茫山谷。穆瓦塔里

很快制定了以卡叠什为中心的扼守要点，以逸待劳，诱敌深入，粉碎埃军北进企图的作战计划。为此，赫梯集结了包括2500－3500辆双马战车在内的2万余人的兵力，隐蔽配置于卡叠什城堡内外，拟诱敌进入伏击圈后，将其一举歼灭。

埃及的阿蒙神军团、拉神军团、普塔赫神军团、塞特神军团在拉美西斯二世的率领下一路势如破竹，未遇到赫梯军的任何抵抗，并浩浩荡荡直奔卡叠什而来。拉美西斯二世乘坐一辆十分华丽的战车，四周镶嵌着黄金和宝石，在晨曦中光彩夺目。

这时一个卫兵报告抓到了两个间谍。这是两个赫梯骑兵，奉命借机被俘，向埃及人提供假情报。他们说，赫梯王为了避免冲突，已经命令军队退出卡叠什城了。当时毫无战争经验的拉美西斯二世闻之大喜，立即下令全军加速向卡叠什进发。途中，他嫌部队行进太慢，便抛开大队，带着身边的阿蒙神军团，向卡叠什冲去。这时拉神军团尚在前往卡叠什的途中，其他两个军团仍在萨不图

![叠什城遗址]

叠什城遗址

纳以南按兵不动。

穆瓦塔里见埃及人已经上当，便命令 2500 辆战车迅速包抄到埃及军团后方，突击正在行进中的埃及拉神军团。拉神军团被打了个措手不及，很快被赫梯人击溃，随后，赫梯战车调转车头，又抄了拉美西斯二世所带领的阿蒙神军团的后路。

拉美西斯二世正在和部下商议如何进攻卡叠什城，万没想到赫梯人居然会从自己的后方杀来，顿时乱了阵脚。赫梯人潮水般涌进了埃及军营。

拉美西斯二世一看不好，带着大臣们上马便逃。这时有一队赫梯的骑兵追了过来。拉美西斯大叫："快把我的护狮放出来！"原来，拉美西斯二世养了一群护身的狮子，到了生死关头，他便把他救命的最后一招使了出来。果然，赫梯骑兵一见狮子冲了过来，回头便逃，拉美西斯二世总算为自己赢得了喘息的时间。

赫梯王下令发动新的进攻，他把剩下的战车和士兵全部投入了战斗。埃及人殊死抵抗，卡叠什城郊到处是双方士兵的尸体。埃及部队人数愈来愈少了，到太阳落山的时候，赫梯军队眼看就要胜利了，突然，他们的后方出现了骚乱。

原来，埃及的普塔军团、苏太哈军团赶来了。拉美西斯二世和埃及士兵见援军赶到，顿时勇气倍增，一阵前后夹击，终于杀出了重围。赫梯人因为兵力

不济，也无力再战，只好收兵退入卡叠什城堡。

卡叠什大战中，胜利到底属于谁，说法不一。埃及的铭文说胜利属于拉美西斯二世，赫梯的铭文则说这场战役是埃及的巨大失败。也有人说这场战役的结局，并无一方取得决定性的胜利。尽管在埃及阿蒙神庙废墟的的墙壁上，绘有拉美西斯二世巨大的胜利浮雕，但在赫梯人的编年史和楔形文字泥板中也记载着赫梯国王穆瓦塔里是最终的胜利者，并说因为卡叠什大战巩固了赫梯在叙利亚的统治地位。在卡叠什大战后，埃及人与赫梯人之间的仇恨愈来愈深，双方展开了连绵不断的拉锯战，战争整整打了16年，双方都损失惨重、精疲力竭。

公元前1269年，老态龙钟的赫梯国王穆瓦塔里一病不起。一年后，他的弟

弟、新任国王哈图西里斯派使者带着一块银板去了埃及。此时，满头白发的拉美西斯二世正欲向赫梯发动第28次进攻，卫兵向他报告赫梯人来了。当拉美西斯二世远远看见赫梯使者手中闪闪发光像磨盘一样的东西时，心里犯起了嘀咕："难道赫梯人又造出什么新的武器？"

等赫梯的使者恭敬地向拉美西斯二世呈上那闪闪发光的银板时，拉美西斯二世震惊了。这是赫梯人刻在银板上的战争和约。银板的开头刻有："伟大而勇敢的赫梯人领袖哈图西里斯"、"伟大而勇敢的埃及统治者拉美西斯"，下面则是和约的详文："确立两国间的和平；互相信任，永不交战；一国若受到其他国家的欺凌，另一国应出兵支援。"条约还规定了任何一方都不许接纳对方的逃亡者，彼此保证互有引渡逃亡者的义务等条款。拉美西斯二世深受感动地接过了这块银制字板，表示接受赫梯人提出的和平条约。条约签订后，赫梯王还将长女嫁给了拉美西斯二世，进一步巩固了双方的同盟关系。

　　那份刻在银板上的条约使埃及和赫梯两国之间的和平维持了好几百年，也为此后人类历史上的一切战争找到了一种和平解决的形式，那就是缔结合约。这使得人们免于遭受无休止的战争带来的更大的伤害和破坏，也能够更好地享受现代文明带给我们的丰厚成果。直到今天，仍然没变。

特洛伊战争在历史上是否真曾上演

　　特洛伊，这个神奇的名字，它如有一种魔力，顷刻间便把人的思绪带进了一个如梦如幻的神话世界。而这座因一场战争而名垂千古的古城，其遗址就是在今天的土耳其境内被发现的。1870 年，探险家谢里曼怀着儿时的梦想，在土耳其的一座小山西沙里克中挖掘出了一层层堆叠的废墟，其中的第七层，正是神话中记载的特洛伊。那个神话般的城市如今只留下了触人眼目的残迹，向人们默默诉说着往昔的辉煌。神话般的故事，神话般的城市，让人在特洛伊遗址前不禁叹息仰止，感叹着曾经最惨烈的战斗和最美丽的容颜，特洛伊古城也因此而成为了全世界追悼缅怀古代文明的一处梦幻之地。

　　特洛伊国王的次子帕里斯将"送给最美的人"的金苹果献给了许诺让他得到天下最美的女人的爱神阿佛洛狄忒；遭到天后赫拉和智慧女神的憎恨——从而埋下了祸根。公元前 1193 年，帕里斯率队来到希腊斯巴达，碰巧国王墨涅拉俄斯不在王宫，帕里斯初见王后海伦惊为天人！于是带领士兵冲进王宫，把希腊国王的财富掳掠一空，拐走了墨涅拉俄斯美貌的妻子海伦。视为奇耻大辱的希腊人组成盟军在墨涅拉俄斯的哥哥阿伽门农的统帅下，由天下第一英雄——

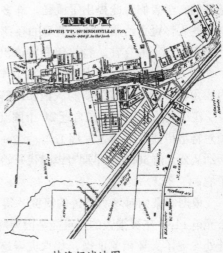

特洛伊城遗址

阿耳戈英雄珀琉斯和海洋女神忒提斯的儿子——阿喀琉斯为先锋，远征特洛伊。长达十年的特洛伊战争开始了……

由特洛伊战争引出的两大史诗——《伊利亚特》与《奥德赛》，它们既是珍贵的史料，又是不可多得的文学精品，并在后来成为西方文学的源头。而在《荷马史诗》的滋养下，当代艺术家通过电影再现的火爆的"特洛伊战争"，令考古学家备感疑惑，因为那次木马屠城的惨烈尚未在考古发掘中得到证实。

在所谓的古典时代（公元前5世纪—公元前4世纪上半叶），人们对《荷马史诗》深信不疑，认为那是希腊人早期的一段历史。后来的罗马人

特洛伊城地图

对《荷马史诗》真实性的信念也依然没有动摇，他们称特洛伊为伊尔昂，并在小亚细亚北部兴建了一座名叫新伊尔昂（新特洛伊）的城市。但是，自从18世纪开始，学者们对此提出了质疑。许多人怀疑特洛伊曾经发生过战争，甚至更有一些人怀疑古希腊盲诗人荷马的存在，至少怀疑荷马作为一个单独的个人而非一系列诗人的存在。特洛伊和特洛伊战争被看成是模糊不清的神话或传奇。

19世纪中叶以来，伴随着考古工作的重大突破，人们对包括特洛伊战争在内的古特洛伊文明有了新的认识和理解。

在过去的几年中，来自近20个国家的350多位科学家和技术专家参与了一项对特洛伊遗址的考古发掘工作。这一遗址位于今天土耳其的西北部，其文明活动从公元前3000年早期青铜时代开始，直到拜占廷定居者于公元1350年放弃了它。

根据专家们对考古遗迹的研究，得出结论：大致可断定特洛伊城大约是在公元前1180年被摧毁的，可能是因为这座城市输掉了一场战争。考古人员在遗址处发现了大量相关证据，如火灾残迹、骨骼以及大量散置的投石器弹丸。

考古专家们说："当年荷马必是想当然地认为他的听众们知道特洛伊战争，所以这位行吟诗人才会浓墨重彩地刻画阿基利斯的愤怒及其后果。荷马把这座城市和这场战争搭建成一个诗意的舞台，上演了一场伟大的人神冲突。然而，在考古学家看来，《荷马史诗》还可以在一种完全不同的、世俗的意义上得到证实：荷马和那些向荷马提供"诗料"的人，应该在公元前 8 世纪末"见证"过特洛伊城及那片区域，这个时期正是大多数学者所认可的《荷马史诗》的形成年代。"

关于特洛伊城的考古工作和特洛伊战争的研究工作仍然在继续。几十年前，那些坚持特洛伊战争真实性的学者们曾是少数派，他们的学说曾被主流学术界嗤之以鼻。然而，随着近十几年来相关考古活动的突飞猛进，当年的少数派如今成了多数派。而今天的少数派，那些坚决否认特洛伊战争真实性的学者只能用一句"特洛伊没有任何战略意义"的说法支撑他们的观点。现在大多数学者已达成共识：特洛伊决不仅仅是一个古希腊神话中的著名城市，它也是一座确实存在过的"失落之城"。作为远古时期的强国，特洛伊坐落于小亚细亚西北部地区，俯视欧亚之间的贸易通道，由此而富裕强盛，但也因此被卷入战争的漩涡。青铜时代后期的特洛伊曾经发生数次冲突，这种类型的冲突可能为数世纪的人所记忆，并代代相传，从而为荷马的传奇故事提供了素材。

然而，我们还不能确定荷马颂吟的"特洛伊战争"是不是对这几次冲突的"记忆蒸馏"，究竟是特洛伊战争成就了《荷马史诗》，还是《荷马史诗》成就了特洛伊战争，是不是的确发生了一场值得后人永远追忆的大战争，这一切都湮没在漫漫的历史长河之中了。

马拉松会战之谜

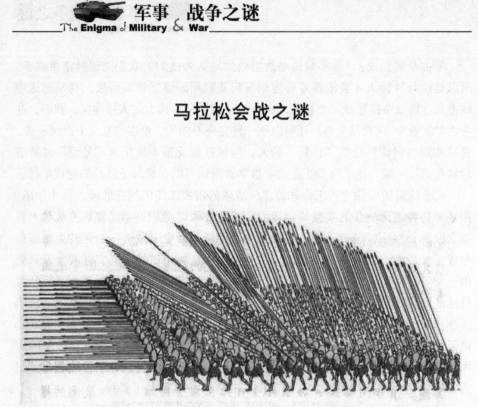

著名的希腊方阵采取以重甲兵为主力的方阵队形

现代奥林匹克运动会竞赛项目中有一项是马拉松赛跑，比赛距离是42公里195米。为什么叫马拉松？为什么不多不少要跑这么远？这两个问题的答案是和希腊历史上一场著名的战争联系在一起的。

公元前500年，在波斯帝国占领下的米利都爆发了由希腊人支持的爱奥尼亚人的起义。那时候，统治波斯的是国王大流士一世。他早就对繁荣富庶的希腊城邦垂涎三尺，于是就借口希腊人参加了起义，要向希腊发动战争。大流士一世派遣许多使者到希腊各城邦去，威胁他们向波斯敬献泥土和水，意思是要这些城邦表示臣服，否则就要毁灭整个希腊。许多小的城邦不敢违抗，但是雅典人和斯巴达人把使者扔进井里，对他们说："井里有泥又有水，请自便吧！"这两个城邦决心和大流士决一死战。

这样，大流士在公元前490年向雅典发动了进攻。这是一场力量悬殊的战斗。波斯是个强大的帝国。雅典和斯巴达不过是小小的城邦，而且斯巴达同雅典也因为以往的宿怨而不够团结。当雅典向斯巴达请求援兵的时候，斯巴达人却说，要等满月才能出兵，月儿不圆对打仗不利。可是等不到满月波斯人大军就已经近在眼前了。

波斯骑兵

不过，雅典人的有利条件在于其著名的兵役制度，根据公元前600年左右著名政治家梭伦制定的法律，分成四等：第一等是最有钱的人，担任军队中的领导职位。第二等从乡村贵族中选拔，组成骑兵。第三等是富有的农民和手工业作坊主。他们自费购买兵器和甲胄，充当重甲兵，使用的武器是一根2米长的沉重标枪、一把希腊短刀和一面金属盾牌，全副甲胄和武器重30多公斤。第四等包括贫穷的手工业者、小土地所有者。他们有的成为陆军中的轻甲兵，武器是普通的标枪和弓箭；有的充当战船上的划桨手。雅典的军队就是由这四部分人组成，他们都决心为保卫自己的家乡而战。波斯兵主要是由奴隶和用钱雇来的外国人（大部分是被征服的希腊人）仓促组成的，纪律松弛，士气低落。从质量上讲，雅典军队无论是士气、武器装备和作战能力，都比波斯军队要强得多。

雅典军队的战术也比波斯先进。雅典采取以重甲兵为主力的方阵队形。战斗时，手执长矛、盾牌的步兵组成密集行列向前冲锋，两翼由轻甲兵和骑兵掩护。这种队形的攻击力很强。波斯人的编队是千人、百人、十人一股，不是一个整体。步兵、骑兵没有统一指挥，各自为战。波斯的精锐部队仅仅是国王的御林军，包括号称"百战百胜"的步兵1万人，长枪步兵1000人，长枪骑兵1000人。

波斯人把战场选择在离雅典不远的马拉松海岸边，这儿是三面有山、一面临海的平原。波斯人想和雅典人在平原上进行骑兵决战。他们从海路运去马匹和骑手，登陆的步兵、骑兵各有1.5万人。其实，这个战场并不利于波斯军队

纪念斐迪辟的马拉松壁画

的进攻,反倒有利于雅典人的防守。雅典人控制了各个山头,就封锁了波斯军队到雅典去的道路。

波斯人完全低估了希腊方阵的攻击威力,他们布置了传统的阵势,步兵在中央,骑兵在两翼。指挥雅典军队的是米太亚得。他年轻的时候曾经在波斯军队中服役,熟悉他们的战术。米太亚得在两翼布置重兵,中间用方阵重甲兵挡住波斯骑兵的进攻,然后从两翼包抄过去,迫使波斯全军后退了1.5公里。雅典军队乘势袭击了波斯的军营和在岸边抛锚的战船。波斯军队猝不及防,兵力损失了三分之一。剩下的仓惶登船逃走,许多来不及逃跑的当了俘虏。这次战斗中,重甲方阵战术代替了过去单枪匹马的作战方式,是古代作战战术的一次重大变化。

战斗结束以后,斯巴达的2000士兵才赶到,他们已经没有仗可打了,只能向雅典人表示祝贺。雅典统帅米太亚得急着要让雅典城内的人得到胜利的喜讯,就派了士兵中著名的"飞毛腿"斐迪辟去报信。这位"飞毛腿"在战争开始以前,曾经奉命去斯巴达求援。据说150多公里的路程,他只用了两天两夜就赶到了。这次他为了更快地让他的同胞们听到胜利的消息，一个劲儿地加快奔跑速度。斐迪辟从斯巴达送信回来没能得到充分休息，紧接着又进行了这次长跑，使身体受到了损伤。当他跑到雅典城的时候，已经上气不接下气，只喊了声"高兴吧，我们胜利了！"就倒地而死了。

雅典人民的儿子斐迪辟永远地合上了双眼。为了纪念这次著名战役和斐迪辟，1896 年的奥林匹克运动会规定了一个新的竞赛项目：运动员从马拉松平原出发，沿当年斐迪辟跑过的路线行进，到达终点雅典城。经过精确的测量，两地之间的距离为 42195 米。这也就是现代马拉松长跑的由来。

马拉松战役早已落幕，但关于马拉松战役具体发生于什么时间这个问题上，科学界的争论一直持续到今天。

几千年来，人们普遍接受的观点是：大多数科学家根据 19 世纪德国学者奥古斯特－巴克的推算法，确定马拉松战役就发生在公元前 490 年 9 月 12 日。同现代天文学家一样，巴克是根据希腊历史学家希罗多德的著作推算出马拉松之战的日期的，因为希罗多德描写了马拉松战役发生时的月相状况。

但最近美国得克萨斯州立大学天文学家于公布了一项研究报告称，信使斐迪辟从马拉松平原奔往雅典这件事情可能发生在希腊赤日炎炎的 8 月，而不是相对较为凉爽的 9 月。

美国得克萨斯州立大学天文学家拉塞尔·杜彻等认为，巴克忽略了一个地方：他没有把雅典历法与斯巴达历法的不同之处考虑在内。也就是说，在当时，这两个历法正好相差一个月。他们由此推算出马拉松之战、以及第一次马拉松长跑这些事件发生的日期应当是 8 月 12 日。

那份标题为《月亮和马拉松》、刊登在《天空和望远镜》杂志的报告指出，尽管两个历法都是基于太阴太阳周期，但是，二者起始的时间不同：雅典人是把夏至日作为一年的开始，而斯巴达人则把秋分日作为一年的开始。"具体说到那一年，从公元前 491 年到公元前 490 年一共有 10 个新月(或者 10 个月)。"他说，"通常来讲，从公元前 491 秋分到公元前 490 年夏至共有 9 个新月……雅典历法与斯巴达历法之间整整相差了一个月。"

据撰写《月亮和马拉松》报告的三位天文学家之一的杜彻称，这个研究结果也可以解释第一位马拉松长跑者斐迪辟为什么只说出那句 "高兴吧！我们胜利了！"，马上就倒地死去的原因。

上述观点那个正确？我想，历史的真相还有待于科学家们的进一步研究和推敲。

伯罗奔尼撒战争之谜

希腊是世界四大文明古国这一，它不仅以灿烂的文化艺术闻名于世，而且还以其军事和战争生成之早与发展之快而闻名全球。公元前400多年前，古希腊两个最强大的城市国家同盟——以斯巴达为首的伯罗奔尼撒同盟与以雅典为首的提洛同盟都想打败对方，称霸希腊。雅典成为海上强国以后，一直威胁着斯巴达。它企图控制从东方到西方所有的贸易通路，还想把盛产粮食的西西里岛夺到手。斯巴达也不肯让步，早就把伯罗奔尼撒半岛上的大多数城邦组成同盟，要和雅典见个高低。雅典的民主派憎恨斯巴达的军事贵族独裁统治，支持斯巴达国内反抗贵族的势力。

斯巴达的贵族讨厌雅典的民主制度，也帮助雅典贵族派进行反对民主派的斗争。这样，两个城邦的冲突越来越厉害，一场争夺希腊霸权的战争终于爆发了。这场战争从公元前431年开始，到公元前404年

结束，打了27年。因为是以斯巴达为首的伯罗奔尼撒同盟首先进攻，这场战争被称为伯罗奔尼撒战争。

伯罗奔尼撒战争最后以雅典的失败而告终。但是，受到战争危害的是整个希腊。古希腊历史学家修昔底德说，这次战争"给希腊带来了空前的祸害和痛苦。从来没有这么多的城市被攻陷，被破坏，从来没有过这么多的流亡者，从来没有丧失这么多的生命！"战争给希腊世界带来前所未有的破坏，促使小农经济与手工业者破产，不少城邦丧失了大批劳动力，土地荒芜，工商业停滞倒闭。大奴隶主、大土地所有者、投机商人和高利贷者乘机而入，大肆兼并土地、聚敛财富和奴隶，中小奴隶制经济逐渐被吞没，代之而起的是在大地产、大手工业作坊主为代表的大奴隶主经济。大批公民破产，兵源减少，城邦的统治基础动摇了。贫民过着衣不蔽体，食不果腹的生活，不满富人和豪强的统治。柏拉图曾经写道："每个城邦，不管分别如何的小，都分成了两个敌对部分，一个是穷人的城邦，一个是富人的城邦。"因此，在斯巴达、科林斯等城邦，都曾先后发生贫民起义，打死了许多奴隶主，瓜分了他们的财产。风起云涌的起义打击了奴隶主的统治，进一步加速了希腊城邦的衰落。伯罗奔尼撒战争不仅结束了雅典的霸权，而且使整个希腊奴隶制城邦制度逐渐退出了历史舞台。

伯罗奔尼撒战争在古代军事史上占有相当地位。对抗双方对海上通路的争

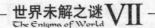

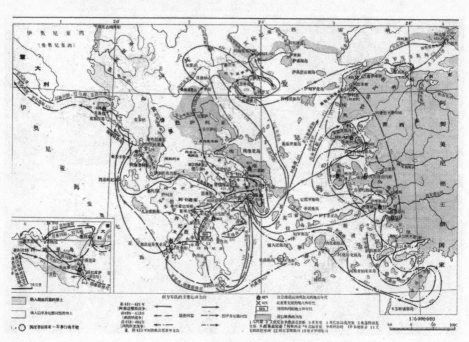

伯罗奔尼撒战争地形图

夺，从海上对敌的封锁和侵入都达到了很大规模；夺取要塞创造了许多新方法，如使用水淹、火焚和挖掘地道等；方阵虽还是战斗队形的基础，但步兵能以密集队形和散开队形在起伏地机动行动；职业军人开始出现。这些都对希腊以及西欧军事产生了深远影响。

虽然伯罗奔尼撒战争已过去近2400多年，但专家学者们对这场战争的看法和评价分歧仍然很大。尤其是对伯罗奔尼撒战争的起因问题，有多种分析。有认为是社会的原因，有的人认为是经济的原因，也有的人认为是政治原因。还有人认为伯罗奔尼撒战争一样起因于女人，有几个年轻人喝醉酒，性急了，抢了个麦加拉人西买塔的女人解决问题。麦加拉人得知消息后，气愤不已，就去抢了阿斯帕西亚的两个女人作为报复。于是，为了这三个女人，全希腊打了起来。这个说法似乎最不可信。

公元前5世纪古希腊历史学家修昔底德著的《伯罗奔尼撒战争史》中认为：斯巴达在崛起过程中，与伯罗奔尼撒半岛大部分城邦结成伯罗奔尼撒同盟。而雅典势力的扩张，引起了斯巴达人的恐惧，斯巴达的同盟者科林斯与雅典的矛盾，在导致战争爆发的过程中发挥了重要作用。学术界也曾普遍认为，战争主要源于科林斯与雅典的商业竞争，源于科林斯惧怕雅典向西方进行商业扩张。也有学者指出，考察伯罗奔尼撒战争的起因，不能忽视对斯巴达和雅典政治体制的剖析，因为"民主"的雅典与"专制"的斯巴达，在政治理念和体制上都是不能相容、不可调和的。

有人从战争的直接起因分析，认为，雅典人比斯巴达人更不想要战争，可是，这是因为他们可以通过和平的方式来实现自己的目的，即和平地通过提洛同盟的方式来更好地追求自己国家的利益。但从长远和深层的观点来观察伯罗奔尼撒战争的起因，就会发现雅典人可能要负有更多的责任。战前数十年，雅典人一直在取一种咄咄逼人的进攻态势，而斯巴达人是处于守势。伯罗奔尼撒战争前，希腊各城邦间的战争确实是规模相当小。而波斯的威胁还保持了希腊人的某种团结，雅典人的帝国主义和扩张倾向渐渐把希腊城邦引向了一场大战。

纵使伯罗奔尼撒战争有这样或那样的原因，但是，许多人还是不禁要问：雅典人与伯罗奔尼撒人的战争是必然要发生的吗？它是不是国家体制的冲突？或者只是国家利益的冲突？责任更多地在哪一方？是在雅典还是在斯巴达一方？究竟哪一方更具有扩张性？是混合寡头政制的斯巴达还是民主制的雅典？

总而言之，雅典在这场战争中战败了。虽然后来还有一些英勇的试图复兴的努力，但雅典还是无可挽回地衰落了。它的精神逐渐凝结为历史。而这也可以说是整个希腊世界的衰落，是希腊人所无比珍视的城邦制度和生活方式的衰落。

布匿战争之谜

　　纵观世界军事史，在诸多著名的军事家中，我们不能不提到一个人——汉尼拔。汉尼拔（约公元前247年—前183年或前182年），迦太基统帅，军事家，迦太基将领哈米尔卡·巴卡之子。

　　罗马于公元前273年征服整个意大利半岛后，就开始了向地中海周边区域扩张。它首先遇到的劲敌是西部地中海霸国——北非的迦太基。迦太基是公元前9世纪腓尼基人在北非建立的殖民地。到公元前6世纪时，它已成为一个囊括北非西部沿岸、西班牙南部、巴利阿里群岛、撒丁岛、科西嘉岛和西西里岛的帝国。当罗马兵锋指向西部地中海时，一场酷烈的战争不可避免地爆发了。因为罗马人称

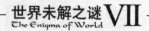

汉尼拔

迦太基人为"布匿",故把它们之间的战争称为布匿战争。战争前后进行了三次。第一、二次布匿战争是作战双方为争夺西部地中海霸权而进行的扩张战争，第三次布匿战争则是罗马以强凌弱的侵略战争。汉尼拔则是"布匿战争"期间迦太基人的主将。

战争最终以迦太基的灭亡而告结束。但为什么在第二次布匿战争的最后几年，罗马已经到了崩溃的边缘的时候，罗马人却神奇地转败为胜，汉尼拔最终败北了。是什么力量让罗马人力挽狂澜的呢？难道在汉尼拔身上发生什么意想不到的事情了吗？

关于这个问题，几千年来，史学界一直存在较多分歧。

后世史学家总结这段历史，认为迦太基最主要的败因在于其国民意志力的薄弱。

汉尼拔在越过波河时拥有强大的战象部队

第一次布匿战争就是因为迦太基人无法忍受战争带来的困苦和负担，主动向罗马求和，殊不知罗马人在战争中遭受的苦难要远远超过他们。由于生活富裕舒适，迦太基人普遍贪生怕死，他们但凡能够出钱收买雇佣军，就决不愿意去吃军旅生活的苦，白白浪费赚钱的时间。法国历史学家米切雷对迦太基人这个特性有一段精彩的描绘："迦太基人工于算计，他们可以把各个民族一条人命的价值精确计算到个位数，总之希腊人比罗马人值钱，而罗马人又比西班牙人和高卢人值钱。他们认为一个成功的迦太基商人的性命太贵重，不值得去牺牲，打仗这种事只要找西班牙人高卢人代替就行了。对迦太基人来讲，战争如同商业投机，开战的目的无非是为打开新的市场。打仗的关键是钱，钱越多，能收买的雇佣军就越多，胜算就越大，如此而已。"布匿战争中的迦太基军队，一直是以

汉尼拔大军翻越阿尔卑斯山

北非和西班牙各地的雇佣军为主体的。这些乌合之众所操的语言多种多样，所信仰的宗教千奇百怪，所惯用的战术也是五花八门，惟一的共同点就是唯利是图。在布匿战争中这些雇佣军曾经几次哗变，每次都几乎将迦太基推到灭亡的边缘。

反观罗马军队，都是从朴实的罗马农民和城市平民中招募，大家同文同种，接收严酷的训练。罗马军团组织严谨，战术统一，由强烈的爱国心驱动，单位战斗力要远远强于迦太基军队，迦太基国民和军队的诸多弊病更衬托出汉尼拔无与伦比的领导才能。他把这支东拼西凑的军队组织起来，灌输以严格的纪律和对统帅的忠诚。经汉尼拔精心调教的这支军队体现出来的战斗力令人叹为观止，使曾经不可一世的罗马军团屡战屡败。在十五年的征战中，汉尼拔的军队无论面对怎样的逆境都没有哗变过一次，他们追随着汉尼拔一直到生命的最后一刻。和迦太基人形成鲜明对比的，是罗马人在整个布匿战争中体现出的坚韧不拔，愈挫愈勇的精神。十年战火使罗马人口锐减，国库空虚，从前的盟友也都纷纷倒戈，在这内忧外困的情况下，罗马人的斗志没有丝毫削减，举国上下争先恐后为战争做贡献。有钱的人捐献出自己的财产，所有的成年男人都等待着国家的召唤。虽然十年的战争使罗马丧失十余万人，此时罗马仍然在意大利半岛保持十五个军团共七万兵力，另外在西班牙，西西里岛和撒丁岛还有三万军队。这样罗马军团几囊括了全国所有的青壮年男子，罗马真的是全民皆兵了。

对于汉尼拔最终未能征服罗马的另一种说法，是强调汉尼拔的个人问题。尽管他有着杰出的军事才能，但是他却无法避免战略上致命的错误，他没有适时地将打击重点放在攻占罗马城上。罗马城一直以来是罗马人的"心脏"，如果当时汉尼拔能直接进攻罗马城，那么取得战争最后胜利的机会极大。因为那时

的罗马城已经是一座孤城，而汉尼拔军正是士气最旺之时。但是汉尼拔并没有那样做，这便给了罗马人重建军备基地的机会，而其它还没被占领的罗马城市也有了精神寄托，保住罗马就等于保住了意大利，整个战争的天平便偏向了罗马军。因此，汉尼拔和他带领的精锐部队难逃失败的下场。有人认为这场悲剧的根源完全在于汉尼拔个人高傲自满情绪的膨胀和极端复仇思想。就是由于他的狭隘思想，使罗马军队由弱变强，从而导致了他的失败。

但是，上述任何一种看法都没有能够被人们所普遍接受。事实上，决定战争胜负的因素有许多，按照中国兵家的说法，要掌握"天时、地利、人和"。汉尼拔善于利用天时和地利，也善于利用罗马人与其同盟者城邦之间的矛盾坐收渔人之利。但是，他的祖国却没有给他以最基本的支持。因此，汉尼拔的失败似乎是因为他在进行"无根"的战争，其失败也的确是不可避免的。

尽管如此，布匿战争在古代军事学术史上写下了重要的一篇。陆上强国罗马为战胜海上强国迦太基而建立了海军；迦太基统帅汉尼拔在不拥有制海权的情况下，从陆上翻越天险阿尔卑斯山深入罗马腹地；汉尼拔以劣势兵力围歼优势之敌和罗马海军所采取的接舷战，都是战术史上的杰作，这些对欧洲陆战和海战产生了深远的影响。罗马在征服迦太基之后，继续向地中海东部扩张，接

连征服了马其顿王国和小亚细亚的西部和中部。到公元前44年，即至恺撒死，罗马殖民地已扩张到西自西班牙，北到瑞士和法国，东迄叙利亚，南至埃及。到公元117年，北到英国，东到波斯湾，以地中海为中心，包括了欧洲几乎全部，非洲和亚洲很大一部分。布匿战争使得罗马打开了通向并称霸世界的大门。

罗马在长期的掠夺战争中，获得了大批的奴隶。横行于地中海各地的海盗，也经常把掳掠而来的人口出卖于罗马，大大促进了罗马工业的发展。罗马为方便商品流通和战争，开辟了许多对外通路。有句谚语叫"条条道路通罗马"，就表明了这个时期罗马的情况。

古罗马军团纵横驰骋欧亚之谜

古罗马军团和蒙古铁骑，一前一后，是古代人类战争史早期和中期出现的两股强大势力。公元 6 世纪末起，罗马人赶走了伊鲁特人，成立罗马人自己的国家，后来，欧洲以至西亚和北非地区的格局都因罗马帝国的崛起而发生了变化。

长达 2000 年的罗马帝国史先后经历了古罗马王国、古罗马共和国和古罗马帝国三个时期。在其走向崛起、强盛的过程中，先后经历了多年的战争。这一影响当时世界格局的帝国拥有一支十分强大的部队，这支军队在吸取多年的作战经验和教训的基础上，对其军队的组织体制和战术不断进行改进和完善，形成了军团作战体制。

古罗马军队士兵

传说古罗马军团是从失败中诞生的，这支军队在最初仍然继续使用他们的统治者伊特鲁里亚人曾经用过希腊方阵。希腊方阵是由用圆形盾牌和投矛武装起来的重甲步兵组成。公元前 216 年，在康奈，按古希腊方阵队形作战的古罗马重武装步兵，被迦太基的军事统帅采用包抄战术所打败。古罗马人从这次惨败中汲取了教训，对古希腊方阵进行改造，创建了古罗马军团，灵活的军事组织——军团逐渐取代了方阵，而成为新的战争方式。

古罗马军队的基本战术组织是小队，相当于现代军队中的连。每个小队由两个百人队组成，相当于现在的两个排。百人队原先为一百人，后来改为 60 至 80 人，这是由于一名军官（百人队长）来指挥一百人的队伍常显得力不从心，但百人队这个名称仍然保留了下来。大队相当于现在的营，由 450 至 570 人组成，其中有 120 至 160 名少年兵，还有相同数量的青年兵和壮年兵，60 至 80 名成年兵，另加一队 30 人的骑兵。大队里的骑兵很少跟大队一同作战，而是自己合起来组成较大的骑兵队伍。

　　古罗马军团相当于现代军队的一个师，它由10个大队组成，约4500至5000士兵，其中包括300名骑兵。每个古罗马军团配有一个联合军团，这相当于现代的一个军，约9000至10000人，其中约有骑兵900人。两个古罗马军团加上两个联合军团组成一个野战军，称为执政官统率的集团军，由两个罗马执政官当中的一名指挥。每个执政官统率的集团军通常有1.8至2万人，其正面战线宽约2500百米；整个集团军战斗编队占地约60万平方米，大约三倍于同样规模的古希腊方阵队形。

　　军团的机动性取决于每个大队与各分队之间的战术关系，也取决于重步兵的各个作战横队之间的相互关系。每个小队就像一个古希腊小方阵，它的每个横列约20人，纵深6人，士兵间隔略大于古希腊方阵的士兵间隔。每个士兵所占位置约1.5平方米，横队的各个小队之间有一个相当于小队正面宽度的间隔，约30米。各小队交错排列，形成棋盘状的纵横交错队形。这种棋盘方格状的作战队形较之古希腊方阵有许多优点。它的队形灵活多变，可根据地形或战斗情况随时变为轻武装步兵战斗队形或重武装步兵战斗队形，并能四面出击，既可集中打，又能化整为零，各自为战。这种队形比较容易在地形崎岖的乡村实施机动，不用担心部队前后失去紧密的联系，也不必担心横队中出现前后脱节的现象。

古罗马军团的这种优化组合，使其在战争中占据了优势。马其顿方阵和古罗马军团曾经有过两次重大的交战。一次是第二次马其顿战争中的西诺塞法拉战役，一次是第三次马其顿战争中的皮德那战役。两次战役均由古罗马军团获胜。

古罗马军团的武器装备还不断改进，最初，古罗马的骑兵和步兵主要使用长矛和弓进行作战，剑是次要武器。到公元前三世纪末，古罗马军队淘汰了用于砍杀的剑，改用一种稍短的剑，称为短剑。这种短剑很重，剑头十分尖锐，用起来比梭标灵便，用途更广，可作为劈刺式兵器，其作用十分重要。

由于短剑的作用距离较近，不能像梭标那样能距敌于较远的距离，对士兵的保护功能相对差一些。为弥补这一缺陷，古罗马人对矛作了较大改进，将盾改成了结实的长圆形凸面体，高约4英尺，宽2英尺，可以将身体的大部分遮盖住，其形状有些像琵琶桶的平面，用木头做成，上面蒙有兽皮，并用窄金属条加固，是古罗马军团的机动性大大增强。

古罗马人对兵器的一项重大发展是重标枪。它是标枪的一种，出现于公元前三世纪。这种标枪容易投掷，穿透力大，它一半是金属杆，一半是木杆，即将一根4.5英尺的铁杆插入一根4.5英尺的木杆,中间用两个销钉连接起来，总长度约为7英尺，在金属杆的一端加有一个坚硬的铁枪尖。重标枪用单手投掷，最大投射距离约60英尺。作战时，军团士兵可一齐投出，可以取得最大的心理威慑效果。起初，重标枪只是剑的辅助兵器，到了公元前一世纪，它的作用就变得跟剑一样重要了。古罗马军团的士兵通常都携带着这一轻一重两种兵器。

古罗马军团先后经历了许多次重大的战役，前面已经叙述过，其中与马其顿方阵曾经有过两次重大的交战。一次是第二次马其顿战争中的西诺塞法拉战役，另一次是第三次马其顿战争中的皮德那战役。两次战役军事古罗马军团获胜。从而显示出了一种新的迹象：一个以新的方式指导战争的、新的大帝国正

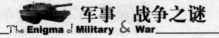
在崛起。

战术结构的优越性，是必须在实战中才能得以验证的。正因为古罗马军队进行了这一系列变动，才能在高明的军事将领的指挥下，实现从单兵装备到军团作战，并不断创造战争奇迹。从现在的角度看，在当时军队的作战方式受希腊方阵影响较大的情况下，古罗马军团的战术结构的发明者是谁？他又以怎样的军事理论或政治手段使古罗马朝廷接受了新的作战方式？由于古罗马时代距今时间久远，又缺乏翔实的资料记载。所以至今都是一个未解之谜。

查理大帝的加冕称帝之谜

在法国巴黎卢浮宫有一座 9 世纪制作的英雄骑马的青铜塑像。而马上的英雄正身端坐，身材魁梧挺拔，左手捧象征权威的金球，右手举象征力量的宝剑，炯炯有神的双眼直视前方，透露出庄重威严的帝王气概。这位英雄就是法兰克王国历史上最伟大的统治者查理大帝。查理大帝（742 年—814 年），法兰克王国加洛林王朝国王。

4 世纪末，欧洲进入又一个动荡的年代，各蛮族部落纷纷侵入衰落的罗马帝国。日耳曼的一支蛮族法兰克人也趁机闯入罗马，盘踞在高卢，不久他们便控制了大部分的高卢地区，建立了法兰克王国，巩固了他们在高卢的根基。751 年，信奉基督教的法兰克人在教皇的帮助下，废除了莫洛温王朝皇帝，颇具雄心的宫相"矮子"丕平当上了皇帝，建立加洛林王朝。771 年，具有伟大战略思想的查理成为法兰克王国的统治者，他就是查理大帝。为了使所有西方民族都包罗在一个巨大的基督教帝国内，查理大帝开始了他的征战。

774 年查理借罗马教皇求援之机，攻占意大利北部的伦巴德王国，自兼伦巴德国王，并进军罗马，控制意大利半岛大部分地区。公元 778 年，查理率大军顺利地翻越高峻的比利牛斯山脉，南侵西班牙。当时，那里是由一支从北非来的阿拉伯人建立的哥尔多瓦王国。哥尔多瓦的军队遭到了重创，而查理的大军也损失惨重。哥尔多瓦国王提议讲和，查理军中一些将官也主张和解撤军。查理的侄子罗兰侯爵表示反对，更不同意派主和派人物盖内隆去进行和谈。但是，鉴于形势并不十分有利，查理最终没有接受罗兰的意见，派盖内隆前去同哥尔多瓦人议和。心怀怨恨的盖内隆，谈妥了议和条件，也和敌方订下密谋，暗害罗兰。查理看到议和成功，就率大军回国，罗兰担任后卫。得悉盖内隆送来的情报，哥尔多瓦国王集结起了一支强大的部队，埋伏在险要的比利牛斯山朗塞瓦尔峡谷两侧。夜幕降临，当罗兰的后卫部队排成长列通过隘口时，哥尔多瓦

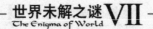

人借着夜色的掩护，居高临下，冲下山谷，包围了罗兰的部队。最后，查理听到了那微弱的求援号音，率大军赶回峡谷。他发现，罗兰和所有的同伴都已英勇战死。这次战事，后来被文学家加工成为一部著名的史诗，即法兰西最早的民族史诗《罗兰之歌》。它以悲壮的情节，感动了中世纪的欧洲人。23年后，查理又一次越过比利牛斯山远征西班牙，终于吞并了山南广大地域，并任命一个儿子为该地总督。查理一生发动侵略战争时间最长的一次，是对北方撒克逊人的征服。他以传播基督教为借口，从公元772年起，先后发动8次进攻，时间长达33年，最终征服了撒克逊人，使之成为法兰克国的臣民。

查理统治期间对外进行了50多次战争，使法兰克王国成为控制西欧大部分地区的大帝国，疆域西临大西洋，东至易北河及波希米亚，北达北海，南抵埃布罗河及意大利中部，相当于今天的法国、瑞士、荷兰、比利时、奥地利以及德国、意大利的大部分地区。据记载，公元800年，查理在罗马逗留了几天，教皇利奥三世召集附近地方所有愿意来的人，当着他们的面，也当着不可战胜的查理的全体骑士的面，宣布查理为皇帝和罗马教会的保护人。查理成为"罗马人皇帝"，史称查理大帝。法兰克王国遂称为查理帝国，以亚琛为统治中心。

关于查理加冕称帝的问题，历史上存在着不同的说法，有人认为查理根本无意被加冕，那只是教皇的一厢情愿。在《查理大帝传》中详细记述了加冕的全过程：800年12月25日，教皇召集了附近地区所有愿意参加弥撒的人们来到圣彼得大教堂，当晚一切显得格外隆重，教堂内灯火通明，音乐悠扬地回荡着。弥撒仪式开始了，查理望着基督像，全心地沉浸在仪式的庄严之中。突然，教皇利奥三世大踏步地走到查理面前，将一顶西罗马皇帝的皇冠戴到他头上，并高声宣布："上帝为查理加冕，这位伟大的带来和平的罗马皇帝，万寿无疆，永远胜利！"参加仪式的教徒也齐声高呼："上帝以西罗马皇帝的金冠授予查理，查理就是伟大、和平的罗马皇帝和罗马教皇的保护人！"

教皇利奥三世本想用这样的方式给查理一个意外的惊喜，但他的做法并没有得到预期的效果，反而使查理感到突然和无所适从。查理觉得，"皇帝"这样的称号太令人反感了，自己并不需要被授予这些所谓的荣誉。他更担忧这个加冕背后的无穷隐患：拜占庭的罗马人对于他的皇帝称号肯定会万分仇恨，这甚至会对法兰克王国产生不可估量的后果。查理事后后悔地说："如果知道教皇的策谋，就不会在那天去教堂，尽管那是一个伟大的节日。"

这是爱因哈德在自己的书中记录的情况，依此看，查理大帝是不愿意被加冕称帝的。很多学者采取这一说法，是因为爱因哈德从20岁起便被查理聘请到宫中掌管秘书，参与机要，一生中大部分时间都跟随在查理左右，深得查理的宠信，他的记载应该是比较可信的。

如果说爱因哈德说的是真的，查理不愿意称帝，除了顾忌拜占庭的罗马人的仇恨，还会不会有别的原因？普遍认为他忌讳的是教皇利奥三世。教皇主动给他加冕目的是趁机夺回一些权力。查理虽然是个纯粹的基督徒，但他也并不希望教会干预政权，为此，他曾刻意保持了"法兰克及伦巴德国家"的称号，当立他的儿子为王时，查理亲自主持了这一神圣仪式。

现代许多西方史学家对查理不愿意加冕称帝的说法表示怀疑，他们认为当时的查理拥有至高无上的权力，完全能够控制当时的局势。如果他不愿意，教皇利奥三世决不敢做出冒犯他的事情。

但还有一种观点认为：利奥三世在公元795年当选为教皇。教廷内一些贵族反对新教皇，肆意诽谤和攻击他，说他对法兰克人软弱无能。公元799年4月25日，反对派贵族竟然将新教皇逮捕，在监禁中对他进行折磨和虐待，扬言要刺伤其眼睛，割掉其舌头。于是利奥急忙邀请查理来罗马，查理立即派使臣去罗马把他救了出来。公元800年12月，查理亲自带兵护送利奥复位。刚复位的利奥自然对查理感激涕零，视同再生父母，不惜抓住一切机会报效查理。于是在圣诞节那天，查理及全体骑士来到圣彼得教堂做弥撒，弥撒完毕，尚未站起来，利奥就急忙把事先准备好的一顶金冠戴在了查理头上。查理却有些无动于衷，他并不希望教会对政权的干预，因此他始终保留着"法兰克及伦巴德国家"的称号，并亲自主持了自己的儿子的即位仪式。

事实上，不管查理是否愿意罗马教皇为他加冕，他在实质上已经成为古罗

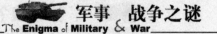
马帝国的合法继承人和基督教世界的保护者，这次加冕是中世纪历史上的一件大事，影响极其深远，奠定了教廷和王廷对西欧进行双重统治的政治思想基础，开创了中世纪教皇为皇帝加冕的先例。它象征着皇帝的权力来自于上帝，受之于教皇，暗含着教皇权力依然高于皇帝的意思，为日后的教权与王权之争埋下了祸根。

查理曼帝国虽强盛一时，但境内各地区和各部族之间缺乏经济和文化上的联系，在连年征战中地方封建主的割据势力逐渐强大，而广大自由农民日益破产并向农奴地位转化，因而帝国统治基础遭到破坏。814年1月28日查理卒于亚琛。他死后不久，帝国即告分裂。

十字军东征之谜

11世纪末至13世纪末，西欧教俗封建主和大商人在罗马主教会的发动下，打着从"异教徒"手中夺回"圣地"耶路撒冷的旗号，对东部地中海沿岸各国进行了持续近200年（1096年—1270年）的侵略性远征。前后共八次。

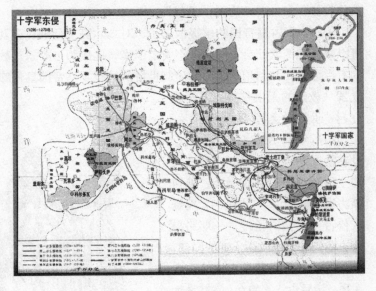

公元1089年—1095年，西欧连续七年旱灾，哀鸿遍野。当时该地区广泛实行长子世袭制，这使得人数众多的非长子的贵族不能继承父辈的遗产，只能成为骑士。他们有的凭军功能够挣得一点狭小的领地，有的则一无所有，成为"光蛋骑士"，穷困潦倒，部分人甚至干上打家劫舍的勾当。他们热切盼望着能有一场掠夺性的战争，以便发家致富。

日渐沦为农奴的农民也不甘心受封建主和教会的压迫和奴役，他们中的许多人走上了打劫封建领主和教会的道路，更多人则幻想着去外面的世界寻找土地与自由。

恰在此时，由东方而来的塞尔柱突厥人于1071年攻占拜占庭帝国的心脏——君士坦丁堡（今伊斯坦布尔），拜占庭帝国位于亚洲的半壁江山几乎全部失去。拜占庭帝国无力抵抗突厥人，皇帝亚历克塞一世只好向信奉同一宗教的罗马教皇及西欧各国求援，这正好为野心勃勃的罗马教皇乌尔班二世所利用。

1054年，基督教分裂成两大教派：西面是以罗马教廷为中心的天主教，东面是以君士坦丁堡为中心的东正教。历任罗马教皇都计划着有朝一日能够实现

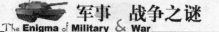
以罗马教皇为首领，重新统一两派。1073 年，教皇格列高利七世曾给拜占庭帝国皇帝米歇尔七世写信，要求恢复罗马教会与君士坦丁堡教会的联合，并以罗马教会为基督教的首领。格列高利七世的这一要求被拜占庭帝国及东正教教会断然拒绝。格列高利七世对此耿耿于怀，于是积极筹划让西欧国家的所有"圣彼得信徒"参加对东方的"圣战"。

现在，拜占庭帝国的求援信来了，对乌尔班二世来说，真是天赐良机。他可以乘机把西欧社会上的各种不安定因素转化成为击败东正教，夺取东方财富的有生力量，并利用这个力量压制世俗的神圣罗马帝国皇帝的势力，巩固和确立罗马教廷的无上权威，乃至建立起"世界教会"。

Templer.

1095 年 11 月 27 日，乌尔班二世在法国的克勒芒召开声势浩大的全欧范围内的宗教大会。他声嘶力竭地鼓动说："市民们！突厥人侵占了我们的圣地——耶路撒冷，他们在大肆蹂躏上帝的国度，毁坏基督教堂，掳杀虔诚的上帝子民，污辱贞洁的妇女，贪婪地饮着受洗儿童的鲜血。主亲自勉励你们，一切有封爵等级之人都必须迅速给东方基督教徒以援助，把凶恶的民族赶出我们的领土。""让我们投入一场神圣的战争——一场为主而重获圣地的伟大的十字军远征吧！""耶路撒冷，如同《圣经》所言，是上帝赐与以色列后代的，遍地流着奶和蜜。耶路撒冷是大地的中心，其肥沃和丰富超过世界上的一切土地，是另一个充满欢乐的天堂。我们这里到处都是贫困、饥饿和忧愁，老人几乎死光了，木匠们不停地钉着棺材，母亲们抱着孩子的尸体，悲痛欲绝。东方是那么的富有，金子、香料、胡椒俯拾皆是，我们为什么还要在这里坐以待毙呢？"乌尔班二世还承诺，参加远征者如死在途中或战场上，其生前罪愆可获赦免。会后，他们纷纷从教皇随从那里领取一块红布做成的十字，缝在手臂上或者胸前，以表示愿意参加夺回"圣地"的远征。"十字军"也因此而得名。

　　克勒芒演讲成为第一次（1096年—1099年）东侵的号角，西欧每个角落的人都组织起来，浩浩荡荡地向东方进发，去"讨伐异教徒，解放圣城耶路撒冷"，实现自己的淘金梦。

　　这次前锋为农民十字军，约六七万人，主力是骑士十字军。农民发财心切，急如星火，廉价卖掉一切可卖的不动产，高价购买路上所需物品，不等骑士十字军，提前数月于1096年春从法国出发，沿莱茵河、多瑙河一线前进。这些农民，他们以牛羊当马用，拖着双轮小车，车上堆着破碎的行李和他们的孩子们。每经过一个城市，一个堡垒，孩子们便伸出他们的小手问道，这是耶路撒冷吗？当农民十字军没有钱购买食品时，沿途便开始抢劫，饥饿、疾病、斗殴，到君士坦丁堡便死伤大半。对这支光会抢劫的破烂军队，拜占廷皇帝阿历克塞一世赶快把他们送过博斯普鲁斯海峡，结果，剩下的在小亚细亚被突厥人全部歼灭。主力骑士十字军1096年秋才出发，领导人是西西里的诺曼骑士。1097年占领小亚西亚的尼西亚城，1099年在地中海东岸的巴勒斯坦、叙利亚建立了耶路撒冷王国，安条克公国，爱德萨伯国，特利波里伯国，控制了地中海东岸。

　　第一次十字军东侵使成千上万的农民惨死他乡。但是，封建贵族却战果辉煌。一些参加"圣战"的骑士回到家乡，受到英雄凯旋般的欢迎，并带回大量抢

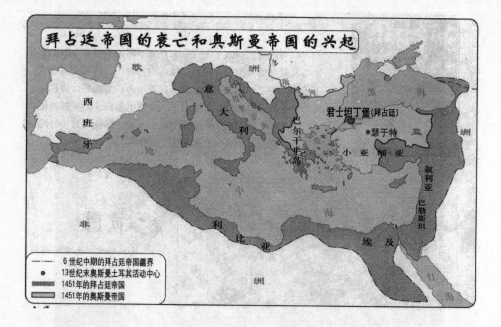

掠来的财富；而更多的参加了"圣战"的骑士则留在了当地，得到了分封的土地。

被金钱刺激得发昏的西欧人，没有看到大多数人付出的血腥代价，只看到少数人获得的无数财富。一批又一批的人，义无反顾、前仆后继地踏上东侵之路，于是便有了第二、第三……第八次东侵。

1147年，德皇康拉德三世和法王路易七世再次率德、法十字军开始第二次东侵。同年10月，德意志十字军在小亚细亚被突厥人击败。翌年7月，法国十字军在大马士革被击溃。两国的十字军溃败时遭受饥馑和疫病，生还者无几。

1187年，埃及苏丹萨拉丁在海廷之战中大败十字军，继而攻占耶路撒冷。这使一心想统治基督教世界的教皇乌尔班三世痛心不已，震惊而死。1189年，德皇腓特烈一世、法王腓力二世与英王理查一世再次率军东侵。次年6月，德皇渡河时溺水而死，德意志十字军大部折返。英、法两国君主进军中战略不一，矛盾重重。1191年，法王率军回国。英军无力夺取耶路撒冷，遂与萨拉丁议和撤军，基督徒获准可前往"圣城"巡礼。

第四次东侵由教皇英诺森三世策划，于1204年4月13日攻占君士坦丁堡。十字军烧杀洗劫数日，三天熊熊大火使君士坦丁堡变成了一座废墟，不计其数的历史文物和珍藏的文献书籍被毁。

以后，随着东侵规模越来越小，组织更加无序。第五次、第六次、第七次东侵，进攻目标皆为埃及，第八次东侵进攻北非突尼斯，均告失败。此后，十字军在东方的领地先后被埃及攻占；1291 年丧失最后一个据点阿卡，历时近两个世纪的十字军东侵宣告结束。

在东侵过程中，最悲惨的还是"儿童十字军"。东侵的失败让基督徒们怀疑，是否上帝认为他们罪孽太深而无法承担这神圣的使命。于是，一个 12 岁的牧童自称耶稣附身显灵，号召各国儿童组建十字军东侵。一些老年修士也从中鼓动，说惟有天真的儿童才有能力收复失地。1212 年，在教皇和封建主的哄骗、煽动下，3 万多名儿童参军。他们大多是农家孩子，年龄不超过 12 岁，被送上木船渡海"东侵"。结果，有的船遇风暴，沉入大海；有的船到埃及，船上儿童全被船主卖为奴隶。在德国，有 2 万儿童受骗参军，饿死了一大半，剩下几千人到了意大利，又被拐卖掉不少。"儿童十字军"一共坑害了 6 万名天真无辜的孩子。

"十字军"东征的动力，许多人都说是人的虔诚、好战、贪婪使然。但它的背后更深层次的本质原因，一直以来，都是仁者见仁，智者见智。

一种观点认为宗教原因起了决定性因素。基督教的朝圣习惯（基督的坟墓在耶路撒冷），四世纪已经形成。中世纪基督徒深信人都有罪，赎罪的方法，一是苦行赎罪，一是朝圣赎罪。十一世纪克吕尼运动引起宗教复兴，使朝圣成为大规模的、群众性的活动。

教皇提高教权权威的欲望，想借故把基督徒团结在教皇周围。1054 年东西教会大分裂，教廷耿耿于怀，想恢复基督教的统一。

1095 年，教皇乌尔班二世在法国克莱芒宗教会议上号召从异教徒手中夺取圣地，并大力渲染穆斯林的残暴罪行，从而在西欧形成了普遍的、群众性的宗教狂热。教会激发出的这种宗教狂热，导致了十字军运动的开始。没有宗教狂热，就不会有大的群众性运动。

第二种观点是认为决定十字军东征的方向的是经济原因。城市的兴起，商业贸易的发展，不断地把西欧封建主卷入商品经济中去，刺激其物质享受的欲望，能发一笔横财该多好？外出远征掠夺是一条路。且当时英法实行长子继承制，造成许多无所事事的封建骑士，成为社会上的无组织力量，使社会不安定。另一方

面，日耳曼贵族好战，经常互相攻伐，对外远征即是疏导这些过剩精力的最好方法。广大农民在封建压迫和商品经济刺激下，也想摆脱封建束缚，幻想发财，只要有人指出发财道路，便可一往直前。

这时，意大利的几个城市共和国威尼斯、热那亚、比萨，也想从阿拉伯人和拜占廷手中夺取东地中海的贸易市场和港口，控制东西方贸易。这样，西欧各阶层，上自教皇，下至农民，这种种的利益和欲望，成为十字军运动能长达近二百年之久的基础。

第三种观点认为，十一世纪下半期塞尔柱突厥人占领叙利亚、巴勒斯坦和埃及，接着又占领小亚细亚。十一世纪末塞尔柱帝国瓦解，拜占廷科穆宁王朝的皇帝阿历克塞，认为收复失地时机成熟，但自己力量不足，于是在1095年向教皇求援，遂给十字军东征以口实。

到底是哪种观点正确呢？应该是兼而有之吧。历时近两个世纪之久的十字军东征使东方各国的社会经济与文化遭受了一场空前的浩劫，无数生灵惨遭屠杀。同时西欧各国数十万人死于非命，众多资产白白消耗，但十字军东征在客观上也促进了东西方经济文化的频繁交流，促进了欧洲生活方式的变革和商业的发展。

西班牙"无敌舰队"覆灭之谜

16世纪，世界上的"超级大国"不是美国，也不是后来殖民地遍布全球、号称"日不落"的大英帝国，而是欧洲的西班牙。自从哥伦布远涉重洋发现美洲新大陆后，西班牙凭借强大的海上势力，在美洲占领了广大的地域，掠夺了大量的财富，并将殖民势力扩展到欧亚非美四大洲。据统计，公元1545—1560年间，西班牙海军从海外运回的黄金即达5500公斤，白银达24.6万公斤。到16世纪末，世界贵重金属开采中的83%为西班牙所得。此时，英国正处于资本主义发展阶段，急需大量的原料和财富，也开始积极推行殖民政策，向外扩张，寻找建立殖民地的土地和国家。西班牙是海上霸主，这给英国的对外扩张带来了极大的威胁和障碍，于是两国的矛盾冲突日益尖锐。

1588年7月30日，一名驻守在英国南部海岛上的英国哨兵正百无聊赖地躺在一棵树下打盹，当他迷迷糊糊地睁开眼睛时，突然间被所看到的一切吓坏了。

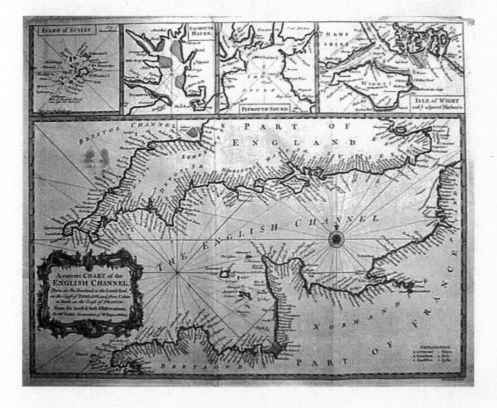

所有的困意顿时全消——他所看到的是有史以来最强大的舰队。"上帝啊,西班牙的无敌舰队最终还是来了。"那一艘艘巨型帆船一字排开,前后呼应,就像是一座从英吉利海峡南部海面上突然冒出来的岛屿,不,更像是一团充满毁灭力量的海上风暴,团团向海峡这边挺进,势不可挡。

这名哨兵从震惊中清醒过来,想起他的职责。烽火接连不断地在英国的海岸线上点燃。看起来威力无比的"无敌舰队"是西班牙国王腓力二世在一年前组建的,它针对的就是英国,确切地说是针对英国女王伊丽莎白的。1586年12月4日,信奉天主教的苏格兰女王玛丽被英国女王伊丽莎白以叛国罪处死。在腓力看来,伊丽莎白才是真正的罪犯,一个谋杀者,一个可恶的新教徒。

西班牙无敌航队战舰的外形图

一千年来,天主教一直统治着欧洲大地。腓力就是一个虔诚的天主教徒。他坚信:"要想成为好的君主,你首先要是个虔诚的天主教徒。"但是现在,天主教却受到了北欧新教的巨大挑战,尤其是来自英国的挑战。伊丽莎白靠着新教徒和新兴贵族的支持登上英国王位,将英国变成了新教国家。这在一直以天主教世界秩序维护者自居的腓力看来,实在是不能容忍的。

长着油亮红发和棕色眼睛的52岁的女王成为他扩张之路上的绊脚石。这个女人通过宗教改革和血腥立法,不但把英国变成异教的堡垒,更把海外贸易与赤裸裸的海盗行为结合在一起,竟敢纵容海军掠夺西班牙船只来扩张自己,向西班牙的垄断地位发出挑战。

更为可气的是,她竟然毫不留情地拒绝了他的求婚。

早些时候,腓力和伊丽莎白的姐姐玛丽一世结婚。玛丽死后,腓力提出娶伊丽莎白为妻。他送去了钻石珠宝,得到的却是炮弹轰炸和断然拒绝。多年以来,这个可能成为他新娘的女人却变成了他最头痛的敌人。

新仇旧怨早已令腓力二世对她仇恨万分。起先腓力二世不想诉诸武力,他勾结英国天主教势力，企图把信奉天主教的苏格兰女王玛丽扶上英国王位。但是，伊丽莎白识破了他企图颠覆王权的阴谋，在1586年12月一个阳光明媚的早晨，伊丽莎白下令斩首苏格兰女王玛丽。

这一决定大大激怒了腓力。他发誓要征服傲慢无礼，亵渎神灵的英国人。

罗马教皇也以主的名义对他表示支持。教皇从来就没有承认过伊丽莎白是合法君主。她的宗教改革，更是对天主教世界的大胆挑战，他们不能容忍这种情形继续下去。

在教皇支持下，腓力二世宣布对新教国家——英国发起圣战。他说"我要竭力完成主的旨意"。他下令组建世界上规模最大的海军舰队。来自西班牙和葡萄牙的造船工匠用了近两年时间建造了131艘大帆船，每艘船的重量都超过了200吨。

腓力将舰队命名为"最幸运的舰队"。没过多久，舰队就凭借它无与伦比的实力赢得了"无敌舰队"的美称。

1588年5月，由大贵族麦地纳·西多尼亚率领的无敌舰队驶离西班牙，这支船队包括重型军舰和其他类型舰船134艘，火炮2430门，水手和炮手8000人，接舷战步兵23000人，神职人员和其他各类人员300人，总兵力达3万余人，实力非同一般。而英国方面能应敌的各种形状的舰船，大大小小凑在一起约有140艘，其中大部

西班牙无敌舰队水兵

分是海盗的武装商船，规模不大，整个舰队作战人员也只有900人。众寡悬殊，力量对比战争的优势显然在西班牙一方。7月21日至29日（一说7月底至8月初），双方在英吉利海峡进行了一次举世瞩目、激烈壮观的大海战。

当英国舰队发现"无敌舰队"进入英吉利海峡后，立即抢占上风方位，主

动出击。无敌舰队总司令西顿尼亚则按传统战略，命令西班牙舰队列成半月形迎战。但西班牙舰队的阵势很快被打乱，损失惨重。西顿尼亚无心恋战，传令撤出战斗，向东退驶。

到了晚上，又出乎他的意料，英军又施展火攻。经过一天的激战，疲惫的战士们都正在酣睡之中，谁也没有想到死神竟会降临到他们头上。

西顿尼亚从梦中惊醒，手足无措，慌忙传令：砍断锚索，启航避让。在一片混乱之中，各船竞相逃避，他们或是互相撞沉，或被大火烧毁。西顿尼亚原想等火船漂过以后，再恢复战斗序列，谁知由于他错误地下达了断锚的命令，多数军舰都丧失了两个主锚，根本无法停船，只好任风吹去。

西顿尼亚眼见大势已去，不敢再战，遂率残舰败卒，绕道返国。

等他们回到西班牙时，强大的"无敌舰队"只剩下43艘残破舰船，几乎是全军覆没。当初不可一世的"无敌舰队"，在敌我如此悬殊的优势情况下，居然不堪一击，一战而负。从此，西班牙的海上霸权被英国所取代。

为什么强大的"无敌舰队"竟然在寡弱对手面前不堪一击，一战覆亡呢？大致有三种意见。

一是政治基础说。西班牙的强盛，只是表面上的暂时的虚假繁荣。西班牙国王腓力二世加强专治统治，搜刮民财，连年征战，专横残忍，挥霍无度，激起了广大人民的愤恨，国内危机四伏。这次战争根本是不得民心的。

二是用人失当说。另有学者认为，"无敌舰队"的惨败是由于国王用人不当造成的。"无敌舰队"装备完毕后，腓力二世于1588年4月25日在里斯本大教堂举行授旗仪式，任命大贵族西顿尼亚公爵为舰队总司令，代其率领舰队远征。西顿尼亚本是个陆军将领，并且他根本不懂海战，对指挥舰队作战毫无经验。这项任命他始料不及，根本没有任何思想准备和信心指挥这场战争。任命一开始这位西班牙最伟大的士兵试图婉言谢绝这一任命。他说："我的身体不适合海上航行，我的经验告诉我，我会晕船的。"但是，腓力认为，西顿尼除了经验丰富，还有许多优点：他拥有贵族头衔，名声清廉，而且非常虔诚。在腓力的执意要求下，西顿尼受命接过"无敌舰队"的指挥权。试想，这样的将领指挥海战，哪有不败之理？

三是地理天灾说。这种说法认为"无敌舰队"遇上了天灾，而不是人祸。它首先遇到的对手，是非常可怕而又无法战胜的大西洋的狂风巨浪。这是进军时机选择不当造成的。在无敌舰队受到英军的重创后，幸存的战舰不敢冒险经英吉利海峡撤回西面，而是经向东的一条航道行驶，打算沿着苏格兰海岸，进入大西洋。受损的舰队抵达苏格兰西北岸的拉斯角时，遇到猛烈的大西洋风暴掀

起的第一波巨浪。战舰漏水、损坏，船员饥饿、生病，他们孤立无援地在海上随风漂泊。许多战舰撞上了岩石；另一些战舰进水下沉，消失在浪涛之中。还有一些战舰在爱尔兰海岸外失踪，数千人淹死。许多好容易登上爱尔兰海岸的幸存者也被杀死或饿死。许多西班牙水手不止一次地遇到船舶失事。两艘失事船的船员们拥向第三艘船"古罗纳号"，船长载着船上1300人继续航行，不料船猛撞到岩石上，除10人外全部丧生。

土耳其的加里波里地区山脉

军队集体神秘失踪之谜

几百人甚至数千人的军队成建制集体神秘失踪，有的甚至在众目睽睽之下瞬间消失得无踪无影，生不见人，死不见尸，无声无息，杳无踪迹，不能不令人瞠目结舌，这也被认为是世界军事史的第一大悬案。

最令人称奇的军队集体大失踪一案当属第一次世界大战期间的英国军队。1915 年 1 月 28 日，当时英军和新西兰部队部署在土耳其的加里波里地区。白天一队 800 多人马的英军向一个高地机动，当时天气晴朗，阳光明媚，清风和熙，少有云彩，有近似面包状云片在英军阵地上空飘浮，而英军所要机动的山头有一片浓浓的灰色雾气，山巅却隐约可见，山下晴朗一片。大队人马登上山岗时，几团云垂直地降了下来，静静地笼罩着山岗，也笼罩了他们，几缕金属般的光芒似乎从云雾中射出。接着，神奇的现象发生了，雄纠纠、气昂昂的战士一个接着一个跨进雾团，接着就在这幽灵般的迷雾中消失了。掉队的士兵赖卡德亲眼看到了这一个令人恐惧的场景，他大喊大叫，想阻止他的战友，或是想寻找一个同伴，没有，一个也没有！他简直要疯了。过了片刻，那几团云又徐徐地垂直上升，慢慢地向远天飘去。可是那活生生的人呢？难道就这样随着云飘走了吗？

山头雾气消失后，整个高地寂静无声，山上植被清晰可见，然而整整800多人杳无踪影，800多条人命像那一团神秘莫测的灰色雾团一样静静地雾消云散！当年和800多英军同在一阵地的22名新西兰士兵就曾亲眼目击过这一事件，当时这22名士兵就驻守在离英军60米左右的小高地上，英军800多人从机动地攀登对面高地直到最后一名士兵消失在山头的迷雾中，其全过程这22名士兵都尽收眼底。最后当发觉英军大队人员全部失踪后，这22名士兵向上级作了报告，英军接到报告后，曾制定了周密的搜寻计划，进行大规模的搜寻，然而毫无结果。当时英军一直认为最大的可能是全队人马均为土耳其军所生俘，等到战争结束，英国向土耳其提出要交回那失踪的800多名英军，要求遣返生存的俘虏，

然而土耳其一直坚持说从来就没有看到过这支部队。从那以后就再也没有见过那800多士兵中的任何一人了。那800多人马犹如遁入了一个神秘王国，成为英国军事历史上一大悬案。

无独有偶，也是在第一次世界大战中，法军也同样鬼使神差地遭此厄运。布置在马尔登高地上整整两个营数百名的士兵也同英军一样悄无声息地神秘失踪了，法军也曾派出大部队进行全面搜寻，后来同样空手而返。

规模最大的一次军队集体神秘失踪一案，很不幸地让西班牙军队给碰上了。西班牙4000名士兵失踪案是耸人听闻的，然而却是真实的，它被白纸黑字记录在西班牙官方文献和权威的军事史上。1711年，4000名西班牙士兵驻扎在派连民山上，他们经过行军打仗，已疲惫不堪，他们想在此等候援军的到来。入夜，

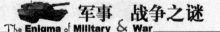
营房外的篝火在熊熊燃烧，不时传过来一阵阵思乡的夜曲和无羁的笑闹声，战马对着清冷的夜空长嘶。第二天，援军到来，营火仍在燃烧，马匹和大炮原封未动。整个驻扎地一片沉寂。也许他们睡得太死了吧！可是当援军踏遍营垒之后，他们惊异地发现4000名官兵一个不剩地集体失踪没留下任何痕迹。军方调查了好几个月，也没有找到任何线索。这是世界上最大的一桩集体失踪案。

到底是什么原因使这么多人的军队消失得无影无踪呢？

二十世纪八十年代以来，随着对UFO现象的关注，有人持"外星人劫持说"。这种观点是，在地球之外的某个星球上，存在着比人类更高级的智慧生命。出于好奇心或其他一些实际的目的，它们或是驾着飞行器从外太空闯入，或是在地球上人迹罕至的地带建立了隐秘的基地，经常劫持地球生物，作为它们研究的标本。

可是，许多专家学者在经过了长时间的研究分析之后，认为以上观点完全是无稽之谈，因为"雁过留声，鸟过留毛"，如果外星人真的在地球上出现过，而且又活动地那么频繁，它们总会留下一些蛛丝马迹的。但是到目前为止，还没有找到一丝一毫站得住脚的、能真正证明外星人"光临"过地球的雪泥鸿爪。

还有些人认为是"颠倒黑白"的时空隧道所致。时空隧道实际上就是宇宙中存在着的"反物质世界"。这正反两部分物质，在引力的作用下彼此接近。当双方接近到一定程度时，由此造成的"湮灭"作用又会产生巨大的能量，其巨大的反作用力又会将宇宙中这两大体系分开。他们据此认定，某些人的失踪正是这种"湮灭"现象造成的。而当"湮灭"消失，引力场恢复原状后，失踪者也就重新出现了。

中国军队起源之谜

黄帝

军队是一个组织，出于自身防卫的需要而组建的用武器装备起来的人与动物和机器的总称。针对国家而言，军队对内用以维护统治阶级的利益，对外有震慑他国、保卫领土、对外扩张的作用，由国家统治阶级建立、维持和控制。而历史上，关于中国军队的起源问题，一直没有定论。

关于中国军队的起源问题，当前主要有以下几种看法。

一种记载是神农伐斧遂说。史书记载中最早的说法是在上古的神农时期。唐代杜佑编撰的《通典》第一百四十八卷记载："三皇无为天下以治，五帝行教兵由是兴。所谓大刑用甲兵而陈诸原野。于是有补遂(有的书作斧遂，传说中的古代部落)之战，阪泉之师。"银雀山汉墓出土的孙膑兵法"见威王"一段中的"神戎伐斧遂"的记载，南宋罗泌在路史后记三中改为神农伐斧遂，《中国军事史－历代战争年表》里也收录了这场战争，以此为据，因此有人认定上古神农时期已有军队，而且还因斧遂对神农不臣服，神农领兵去讨伐，但许多人认为神农用于讨伐不臣的斧遂的部队可能不是真正的军队，神农伐斧遂也许是古代的传说，很可能是一次部落冲突(战争)。因为那时还没有阶级，没有国家。从当时的社会生产力来说，要养一支常规的军队不太可能，所以这支部队应该是神农氏临时征召部落成员临时组织的部队来应付此次部落冲突。当然，在当时部落里出现少数兼职军事工作人员是完全有条件的，但要建立一支专门用于冲突的军队却不太实际。只是由于缺乏当时的文字记载，无法进一步考证。

另一种记载是阪泉逐鹿之战说。在原始社会末期，汉代司马迁撰写的《史记·五帝本纪》记载："于是轩辕乃习用干戈，以征不享，诸侯咸来宾从。而蚩尤最为暴，莫能伐。炎帝欲侵陵诸侯，诸侯咸归轩辕。轩辕乃修德振兵……与炎帝战于阪泉之野。三战，然后得其志。蚩尤作乱，不用帝命。于是黄帝乃征师诸侯，与蚩尤战于涿鹿之野，遂禽杀蚩尤。"以上这段文字中"修德振兵"的"兵"，指的就是军队。"征师诸侯"的"师"，指的也是军队，是从诸侯那里征调来的。这段文字说明，不仅皇帝有军队，而且诸侯也有军队，由于"轩辕之时，神农氏世衰"，各部落不听天子号令，冲突不断，因此各自建立军队来维护自己的利益。上段文字有几个乃字，乃：才也，以此判断此时轩辕氏依然是临时组兵，但是根据"习用干戈"和"修德振兵"可知轩辕氏已经开始注意进行平时的操练和整顿了。所以到这时虽然真正的军队还没有正式建立，但轩辕氏已经有意识和计划开始建立一支军队。明代编纂的《永乐大典》也把它收在八千二百七十五卷中。但是大家认为《史记·五帝本纪》是根据先秦古籍中的有关传说编写的，虽然作者查阅了大量的先秦古籍，并进行了调查研究，扬弃了"神农伐斧遂"，仍难免有情况不确之处。所以现行的许多历史书上，在记述历史上的军队时，也没有吸收这一观点。

神农氏

再有一种记载是夏朝始建军队说。公元前21世纪，我国第一个奴隶主专政的王朝——夏朝的建立才建有军队。《尚书·甘誓》记述了夏帝启与有扈氏"大战于甘"。战前，召集了六军的统领——六卿，进行了动员。《史记·夏本纪》也有载："有扈氏不服，启伐之，大战于甘。将战，作甘誓，乃召六卿申之"。现行的历史教材也都把夏朝作为奴隶主社会的起点，奴隶主贵族为了统治奴隶阶级及平民，开始建立军队，制定刑法，修造监狱。《中国大百科全书·军事》也采用了这一说法。从国家学说的角度看，夏朝建有军队是不用怀疑的，夏朝的奴隶主贵族为了维护阶级统治，必然会建有军队。但是，也有的人认为，夏朝的地下文物至今还尚未得到考古界确切的鉴定，夏朝的历史基本上也是依据古代的传说整理。如果仅仅根据《尚书·甘誓》论证军队，那是不够的，因为这篇文章也还有争议，有的认为是后人依据传说的追记或假托，不能作为信史。

再有一种记载是商代始建军队说。在公元前16至前21世纪殷代。从河南安阳殷墟出土的甲骨文中有"口戈"字，字意是用武力保卫人口，这个武力意

味着是军队。甲骨文中还有："王乍三自右中左"的记载。"自"是师的简写，"乍"是作字，创立的意思。联起来是：王创立了以师为编制单位的右、中、左三支军队。殷墟出土甲骨文中已有"口戈"字，意为武力保卫人口，另外还有王以师为单位创立右中左三支军队的甲骨文等等。甲骨文还记述了商代的军队，由徒兵和车兵组成，师是最大的、固定的编制单位，每个师约有一万人。军队使用铜制兵器，采用十进制编组，有百人团体和千人团体。车兵使用的战车。编有驾马两匹或四匹。车上有甲士三八，一人御车，一人持戈矛，一人操弓箭。车后跟随徒卒。从这些资料看，商代的军队无论在数量上、在组织装备上、作战方式上都达到了一定的水平。

还有学者认为中国最早的军队是在轩辕氏正式取代神农氏，被各诸侯尊为天子，称为黄帝后建立起来的。他的理由是：《史记·五帝本纪》记载"而诸侯咸尊轩辕为天子，代神农氏，是为黄帝。天下有不顺者，黄帝从而征之，平者去之，披山通道，未尝宁居。东至于海，登丸山，及岱宗。西至于空桐，登鸡头。南至于江，登熊、湘。北逐荤粥，合符釜山，而邑于涿鹿之阿。迁徙往来无常处，以师兵为营卫。"即是说黄帝初为天子，依然要四处征讨不顺之诸侯，平定后随即离开，无固定居所，休息时就环绕军队扎营以自卫，此时跟随黄帝四处征战的部队无需进行生产，也没有别的任务，目的就是征伐，因此认为这支队伍应该就是我国历史上真正意义上的第一支军队。

那么我国历史上真正意义上的第一支军队到底是何时真正建立起来的呢？看来还待大家进一步探讨。

武王伐纣之谜

武王伐纣是商周两代的分界线，是中国历史上的一个重要事件。夏朝以后是商朝。商朝也是中国历史上的一个奴隶制国家。商朝最后的一个国王商纣统治非常残暴。他加重对奴隶和平民的剥削，建筑了许多宫殿、苑囿，终日饮酒作乐，过着奢侈腐化的生活。人民如果表示不满，他就加重刑罚，残酷镇压。他做了"炮烙之刑"，把铜柱放在燃烧的炭火上，强迫"犯人"在上面行走，"犯人"站不住，就倒在火里活活烧死。他的叔叔比干，为人正直，几次向他提意见，纣王不听任何规劝，竟将比干挖心处死。

另一个大臣规劝纣王说："假如一再胡作非为，将会有亡国丧命的危险！"纣王却回答道："我的性命生来就有上天保佑，谁能把我怎么样？"

那时候，渭水流域的周族，迅速发展起来。周原来是商的属国。周文王为国事操心，有时候从清早忙到中午，都顾不上吃饭。他尤其注意用人，姜尚就是他发现的人才。姜尚出身贫寒，年过花甲也没有正当工作。他听说周文王重视人才，就天天在歧山的水边钓鱼，希望看见从这里路过的文王。有一天，他终于见到了周文王，两人谈得十分投机。姜尚受封做文王的军师，后来成为周朝的开国功臣。

周文王死后，周武王继位。他得到姜尚、周公旦的辅佐，国家兴盛起来。那时候，商朝的统治更为腐朽。周武王决心灭掉商朝。据说，周先派人到商，察看敌情，回来说：好人全被纣王斥逐。武王认为时机还未成熟。最后察看商朝情况的人报告说：商朝的百姓闭口不敢说话了。武王认为时机已到，就联合西方和南

武王伐纣的点将台

方的部落，向商纣进攻。战争在商都的郊外牧野展开。那时候，商纣的军队正在同东夷作战，来不及调回。临时把大批奴隶武装起来，开赴前线。奴隶早就恨透纣王，于是在阵前起义，引导周武王的军队攻入商都。纣王被迫登上最华丽的宫殿鹿台，全身挂满珠宝玉器，放火把自己烧死。商朝就这样灭亡了。

纣

周武王伐纣灭商以后，建立周朝，把镐京作为都城。武王伐纣处于商周交界，是中国历史年代的一个关键点。这场大战到底发生在哪一年，有关武王伐纣的天象记录不少，但多是几百年后的追述，而且普遍存在文辞简略，含义不清，文献可疑，互相矛盾等问题。历来的研究，在100余年范围之中，竟有44种结论。因此武王伐纣的年代成了几千年来一直未

武王伐纣地形图

解的谜题。

据 2003 年 5 月 18 日出版的《科学时报》报道：2000 年，"九五"重大科研项目"夏商周断代工程"发布 5 年研究结果，提交了 1 个范围：公元前 1050—公元前 1020，三个结果：公元前 1046、公元前 1044、公元前 1027，首选公元前 1046。

而中国科学院国家天文台副研究员、于 1996 年参与"断代工程"研究的李勇博士，对此提出质疑。他在一系列已发表的相关研究的基础上，经综合分析，重新划定武王伐纣年范围为"公元前 1040—公元前 1030 年"。李勇表示，尽管这一结果"可能不是绝对的"，但他首创的两种新的天文年代学方法，一定能在类似的年代学研究中"大有作为"。 李勇博士说："重新划定武王伐纣年'公元前 1040—公元前 1030 年'的范围，是我综合分析自己 5 年来一系列直接相关研究论著后作出的结论。这些研究全部采用"月龄历谱法"和"直接求解法"进行。由于新方法的本质在于它是通过年代相近的材料组来求解，这样选取材料的历法背景基本相同，也就相当于增加了已知条件。在此基础上运用有效数学模型，对所有可能进行比较筛选获得的最佳结果，理应是精确、可信的。"这一研究结果，已经以《武王伐纣年质疑》为题，由权威天文专家审查通过，发表在已出版的《中国科学》上。而所建立的新方法及先期研究，已经得到夏商周断代工程的认可和高度评价，打开了年代学研究的新局面，有望加速中国年代学研究的进程。

2000 年 12 月 19 日《江南时报》第四版发表的一篇文章称：中国科学院陕西天文台研究员刘次元，经过两年多研究，确定武王伐纣之日为公元前 1046 年

1 月 20 日，解开了《武王伐纣》年代上的重大疑案，该研究成果已被《断代工程年表》采用。刘次元研究员根据《夏商周断代工程》考古方面的最新成果，已将武王伐纣限定在公元前 1050 年—1020 年间，并采用《断代工程》有关专题对月相术语解释的最新结论，参考各种天象记录对于伐纣季节的提示，分析《武成》历日得到灭商之日可能在公元前 1046 年、1041 年、1037 年、1031 年、1020 年等。究竟具体在哪个年份，他对有关古天象再分析《国语、周语下》中木星和日月等天体所在星座，并进一步分析岁星处于鹑火年代，得到灭商之日在公元前 1046 年 1 月 20 日。这一结论得到丙子月食《尚书》文献历日和年代记载的支持，与其它天象记载都有较好的符合，因此被《断代工程年表》采用。

类似上面的报道还有很多，可以说是仁者见仁，智者见智。武王到底哪年伐纣？看来仍要继续争论下去了。

越王勾践"卧薪尝胆"是真的吗

吴王阖闾打败楚国，成了南方霸主。吴国跟附近的越国（都城在今浙江绍兴）素来不和。公元前496年，越国国王勾践即位。吴王趁越国刚刚遭到丧事，就发兵打越国。吴越两国在 李（今浙江嘉兴西南）地方，发生一场大战。吴王阖闾满以为可以打赢，没想到打了个败仗，自己又中箭受了重伤，再加上上了年纪，回到吴国，就咽了气。吴王阖闾死后，儿子夫差即位。阖闾临死时对夫差说："不要忘记报越国的仇。" 夫差记住这个嘱咐，叫人经常提醒他。他经过宫门，手下的人就扯开了嗓子喊："夫差！你忘了越王杀你父亲的仇吗？" 夫差流着眼泪说："不，不敢忘。" 他叫伍子胥和另一个大臣伯 操练兵马，准备攻打越国。过了两年，吴王夫差亲自率领大军去打越国。越国有两个很能干的大夫，一个叫文种，一个叫范蠡。范蠡对勾践说："吴国练兵快三年了。这回决心报仇，来势凶猛。咱们不如守住城，不要跟他们作战。" 勾践不同意，也发大军去跟吴国人拼个死活。两国的军队在大湖一带打上了。越军果然大败。越王勾践带了五千个残兵败将逃到会稽，被吴军围困起来。勾践弄得一点办法都没有了。他跟范蠡说："懊悔没有听你的话，弄到这步田地。现在该怎么办？"范蠡说："咱们赶快去求和吧。"勾践派文种到吴王营里去求和。文种在夫差面前把勾践愿意投降的意思说了一遍。吴王夫差想同意，可是伍子胥坚决反对。 文种回去后，打听到吴国的伯嚭是个贪财好色的小人，就把一批美女和珍宝，私下送给伯嚭，请伯嚭在夫差面前讲好话。经过伯嚭在夫差面前一番劝说，吴王夫差不顾伍子胥的反对，答应了越国的求和，但是要勾践亲自到吴国去。文种回去向勾践报告了。勾践把国家大事托付给文种，自己带着夫人和范蠡到吴国去。勾践到了吴国，夫差让他们夫妇俩住在阖闾的大坟旁边一间石屋里，叫勾践给他喂马。范蠡跟着做奴仆的工作。夫差每次坐车出去，勾践就给他拉马，这样过了两年，夫差认为勾践真心归顺了他，就放勾践回国。勾践回到越国后，立志报仇雪耻。他唯恐眼前的安逸消磨了志气，在吃饭的地方挂上一个苦胆，每逢吃饭的时候，就先尝一尝苦味，还自己问："你忘了会稽的耻辱吗？"他还把席子撤去，用柴草当作褥子。这就是后来人传诵的"卧薪尝胆"。

勾践卧薪尝胆，励精图治，最终雪耻灭吴的故事一直在流传，然而有人提出疑问：勾践真有"卧薪尝胆"的事吗？在很多古籍中，都记载了吴越战争的事，但都没有勾践卧薪尝胆的叙述。查阅记载越王勾践事迹的历史资料，成书时代较早且史实比较可靠的，当首选《左传》和《国语》。在《左传》的"定公"和"哀公"两部分中，曾大量记述越王勾践的事迹；《国语》中有《吴语》和《越语》上、下共三篇，详细记载了越王勾践和吴王

勾践书信

夫差战争胜败的经过。但在这两本史籍中，完全没有记载越王勾践曾经卧薪尝胆的事情。其次，西汉时司马迁作《史记》的《越王勾践世家》中，司马迁也仅记越王勾践曾经"置胆于坐，坐卧脚仰胆，饮食亦尝胆"，而绝没有关于越王

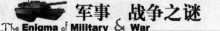
勾践曾经卧薪的事。到袁康、吴平作《越绝书》，赵晔作《吴越春秋》，专门记述春秋时的史事。这两本书，在先秦古籍的基础上，又掺杂了一些怪诞离奇的传闻，其可信程度已大打折扣。但前书既没有说到卧薪，也没有提及尝胆；后书中的《勾践归国外传》，也只说越王勾践"出入尝之，不绝于口"，而根本没有卧薪的事。这样看来，尝胆之事，最早出现于西汉的《史记》；而卧薪之事，到东汉时还没有记载。

据考证，"卧薪尝胆"这个成语出自北宋文学家苏轼，在他的《拟孙权答曹操书》中，苏轼发挥想象，戏说孙权"卧薪尝胆"，与勾践无关。到南宋时期，吕祖谦在《左氏传说》中，曾谈到关于夫差有"坐薪尝胆"之事。明朝的《春秋列国论》一书中又说：夫差即位，卧薪尝胆。"以后，马辅在《左传事纬》和《绎史》两书中，都把卧薪尝胆说成是吴王夫差的事情。与此同时，南宋的黄震在《古今纪要》和《黄氏日抄》两书中，又说越王勾践曾卧薪尝胆。然则，"卧薪尝胆"的词语原是由北宋的苏轼提出，从南宋到明朝，此事是夫差还是勾践所做，尚没有定论。到明朝，传奇剧本《浣纱记》，渲染了越王勾践的卧薪、尝胆二事。清朝初年，一本简易通俗的史书《纲鉴易知录》写到："勾践反国，乃苦身焦思，卧薪尝胆。"不久，到了明末作家冯梦龙写的历史小说《东周列国志》，书中也多次提到勾践曾卧薪和坐胆。这样，越王勾践卧薪尝胆的故事，也就愈传愈广。

另有一些学者认为，越王勾践"卧薪"之事，在东汉时代成书的《吴越春秋》中还是有记载的。该书的《勾践归国外传》说：越王勾践当时"苦身劳心，夜以继日。目卧则攻之以蓼。"也就是说：勾践由于日夜操劳，眼睛疲倦得想睡觉（"目卧"），但他忍耐克服，用"蓼薪"来刺激，打消睡意。尝胆是让味觉感到苦，卧薪是让视觉感到苦。"卧薪"的目的是在折磨眼睛而非折磨整个身体。后人把"卧薪"说成是睡在硬柴上，那是对《吴越春秋》意思的误解。

千百年来，卧薪尝胆的故事催人奋进，如果说是假的，让后人好生尴尬，于是，人们都宁可信其有，不可信其无。

庞涓指挥过马陵之战吗

马陵之战是战国时期齐国军队在马陵（今中国中部河南省范县西南）歼灭魏军的著名伏击战。

众所周知，孙膑在这次战役中杀死了庞涓，司马迁在《史记·孙子吴起列传》中记载了这次战役。

公元前341年，魏国发兵进攻韩国，韩国向齐国求援。齐威王采用孙膑"深结韩之亲而晚承魏之弊"的主张，与韩结好却不急于发兵。待韩军五战五败，魏军也实力大损时，才于次年以田忌为主将，孙膑为军师，发兵救韩。齐军重施"围魏救赵"的战法，直驱魏都大梁。魏惠王将攻韩的部队召回，以太子申为主将，庞涓为将军，率兵10万迎击齐军。

由于魏军是有备而来，气势旺盛。故孙膑决定因势利导，利用魏军求胜心切的弱点，诱敌冒进；再图取胜。齐军前锋与魏军稍一接触，即佯装怯战，掉头东撤。在撤退途中，有意造成军力不断削弱的假相。第一天造了10万人吃饭的锅灶，第二天减为5万人用的锅灶，第三天则只剩下3万人用的锅灶了。庞涓与孙膑交手，本来小心翼翼，害怕再次上当，但当看到齐军锅灶日减，以为齐军胆怯，三天中即逃亡了大半，这才壮起胆子。太子申本有退军之意，庞涓不听，丢下辎重和步兵，只领轻车锐骑日夜兼程猛追，必欲全歼齐军，擒获孙膑。

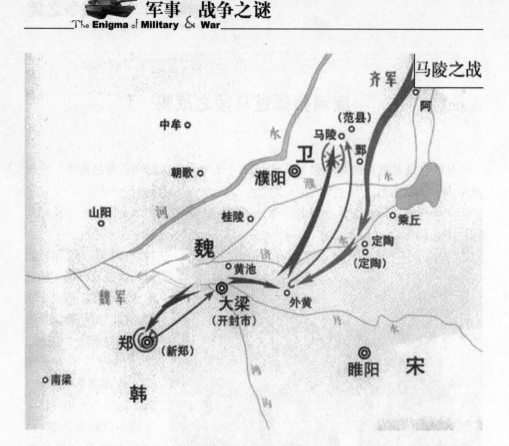

　　齐军退至马陵（今河南范县西南），此地道路狭窄，地势险隘，两旁树木茂盛，是个设伏的好地方。孙膑计算行程，判断魏军将于日落后追至，遂命士卒伐木堵路，并将路边一棵大树剥去树皮，在树干上写了"庞涓死于此树之下"八个大字。挑选一万名弓弩手埋伏在道路两侧的山上，约定天黑后，见到火光就一齐放箭。

　　日暮时分，庞涓果然率军追到马陵，发现路旁的大树被剥去树皮，上面隐隐约约写有字，就命士卒点起火把来看，待他看清树上字后，这才发现中计，急令部队撤退。但已经晚了，两旁齐军看见火光，万弩齐发，伏兵四起。魏军猝不及防，仓促应战，很快溃败，庞涓中箭，左突右冲无法突出重围，最后愤愧自杀。齐军乘胜追击，又大败魏军主力，俘获魏军主将太子申，歼灭魏军 10 万。

　　从司马迁的这段记载来看，庞涓是指挥过马陵之战的，但在历史上还有另一种说法。

　　1972 年，在山东临沂银雀山出土的汉简《孙膑兵法》中的《擒庞涓》一篇这样记载：战国中期，齐、魏、燕、赵、韩、楚、秦七雄并立，征战频繁。公元前354年，魏国派大将庞涓率8万精兵进攻赵国，包围了赵国都城邯郸（今河北邯郸），赵国苦战了一年，眼看就要撑不住了，急忙向盟国齐国求救。齐威王正欲向外扩张，于是命田忌为主将，孙膑为军师，率兵8万去救赵国。

孙膑是兵圣孙武的后代，出生于齐国。他曾拜兵学家鬼谷子为师，与魏国大将庞涓是同窗好友。但庞涓做了魏国大将后，十分嫉妒孙膑的才能，将他骗到魏国施以膑刑（去膝盖骨），欲使其永远不能领兵打仗。后孙膑千方百计才逃出回齐国，并被齐威王重用。

孙膑终于得到一个向庞涓复仇的机会。但他并没有急于与庞涓在战场上相见。他劝田忌放弃领兵直趋邯郸，与魏军决战的计划，趁魏军主力出兵在外，国内防务空虚之际，直捣魏都大梁（今河南开封），迫使远在异国的魏军"释赵而自救"。等庞涓回兵时，中途予以截击，这样既救了赵，又能给魏国以沉重打击，此乃一举而两得。

田忌采纳了孙膑"批亢捣虚"、"围魏救赵"的战法，挥师直逼魏国军事重镇平陵（今山东定陶）。齐军攻打平陵的行动并不坚决，庞涓也不急于回救，继续竭尽全力攻克邯郸。直到魏军已占领邯郸，损兵折将急需休整时，孙膑才建议齐军挥师直捣魏都大梁，逼魏惠王十万火急命令庞涓统兵回救。庞涓接令后，不得不放弃邯郸，抛弃辎重，昼夜兼程回师。孙膑判断魏军回师必经桂陵（今河南长垣西北），立即率齐军主力北

上，在桂陵设下埋伏。当魏军经长途跋涉行至桂陵时，以逸待劳的齐军突然出击，大败魏军，并生擒庞涓。

《孙膑兵法》为孙膑弟子所写，它十分清楚地记载了孙膑在桂陵之战中生擒庞涓的事，应该说可信度也是很高的。既然在桂陵之战中齐军已经俘虏了庞涓，

他怎么还能在马陵之战中再指挥魏军作战呢?如果说庞涓在桂陵之战时已经中了孙膑伏兵狙击之计,他怎么会不吸取教训,在马陵之战时再次受骗呢?

但司马迁在《史记》中多次提到马陵之战的魏将是庞涓。如《魏世家》中说,当时魏军任庞涓为将,太子申为上将军。结果,魏在马陵失利,齐国擒住太子申,杀了庞涓。再如《田敬仲完世家》中说,这次战役齐国救韩,赵来打击魏,使魏军大败于马陵,虏太子申,杀大将庞涓。再如《六国年表·魏》在马陵之战的当年记载:"齐虏我太子申,杀将军庞涓。"

考察以上两种说法,关键就是庞涓在桂陵之战与马陵之战之间的经历,在这一段时间内,他是否被释放回魏国并重新担任将领?于是有的学者认为,桂陵之战,庞涓落入齐军之手,但不久后就被放出来了,又一次担任马陵之战中的将领,和孙膑再次交战。《水经·淮水注》引《竹书纪年》中的记载说,在桂陵之战的第二年,魏惠王调用韩国军队,在襄陵打败了齐、宋、卫三国联军,齐国见局势危急,就传楚将景舍在中间调和,也就在这个时候,庞涓被释放。

但《水经注》中毕竟只是转引其他书籍中的记载,其真实性如何,魏军将领庞涓是不是被俘而又释,是不是再次东山再起,参加了马陵之战,至今仍无法确定。

长平之战中赵括葬身之谜

　　战国时期，秦国与赵国之间的长平之战是《史记》中惟一一场记载比较详细的战役。公元前260年，秦军和赵军在长平决战，战争持续了整整三年时间。这次战役，秦国获得空前的胜利，前后总共消灭赵军四十余万（又说共六十余万，坑杀降卒四十余万），削弱了当时关东六国中最强劲的对手赵国，成功地占领了上党郡，慑服了其他各国，为秦日后完成统一六国大业创造了有利的条件。赵国在这次战役中丧失了主力军队，使得这次战役过后几十年赵国还是女多男少，可见这次战役对赵国的影响之大。战事范围，以今天山西省高平县城乡为主战场，扩及于今沁水、晋城、泽州、长子、长治、壶关、陵川等县市，战地直径上百公里。长平之战，成为春秋战国时代一次持续最久、规模最大、战况最惨烈的战争，古人所谓"长平之战、血流漂橹"。长平之战由于秦军取得全胜，其统一全国的形势已呈不可逆转之势，标志着以列国林立、兼并战争频为特征的战国时代行将结束，一个史无前例的中央集权封建大帝国就要诞生了。几十年后，秦国陆续灭掉了山东六国，终结了列国纷争的战国时代，建立了中国历史上第一个中央集权的大帝国。从这一点说，长平之战是一场具有划时代意义

的战争。

长平之战的关键人物当然是非秦赵双方的统帅——武安君白起和马服君赵括莫属。白起虽然后来死于政治斗争，但作为一个军人，凭借长平之战的辉煌胜利，足可以使他彪炳千秋，流芳百世。而赵括，他一生第一次也是最后一次指挥战争便葬送了数十万军人的性命和赵国的元气，于他自己，不过成为一个"纸上谈兵"的千古笑柄，到现在，除了被"秦兵射杀"寥寥几字外，连他到底死于何处都成了历史谜团。

赵括，赵国马服君赵奢之子。赵奢死后，赵惠文王念其父子功高，让赵括袭封马服君。因赵括深谙军事，喜谈兵学，门徒众多，因而又被尊称为马服子。长平之战发生前，孝成王在议救上党郡时，蔺相如举荐廉颇。但田单认为，廉颇本为骑将，善于平原野战，不善于在上党这样的山地环境作战，而且廉颇与秦军交手鲜有胜绩，不如派有在上党地区作战经验，曾经在阏与大破秦军的赵括为将。所以才有了长平之战中的赵括死于秦军乱箭的悲惨一幕。

据《史记·廉颇蔺相如列传》记载：赵括出锐卒自搏战，秦军射杀。《泽州府志》、《山西通志》记载：赵括乘胜追至秦壁，即今省冤谷也（古称杀谷，长平之战战场），其谷四周皆山，惟前有一路可容车马、形如布袋，赵兵既入，战不利，筑垒坚守……后括自出搏战为秦射杀之。

在山西省高平县民间有一个传说，赵括死于山西省高平县釜山乡老背坡村。传说肯定不能等于历史，但也不完全是臆说，其中有真有假，有虚有实，有待人们考证探究。据当地的老人讲，"老背坡"就是"老兵背着赵括来到此坡"的意思。《东周列国志》和《泽州府志》也有相同记载："赵括追造秦壁，西北十余里"。当时长平治所在今王报村，从此计算"西北十余里"，正是今高平县釜山乡地夺掌村一带。按照《高平县志》中赵括追秦兵的记载："其谷四周皆山，

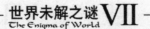

惟前有一路可容车马，形如布袋"，根据地形分析，只有釜山乡地夺掌村符合其条件，它形如布袋，能容下数十万兵马作战。上世纪60年代，在距地夺掌村15里的寺庄镇杨家庄村西南出土一件战国青铜"聚将钟"，据考证为赵国军队使用，此器物是两军交战"鸣金击鼓"所用，可以作为"自搏战"就发生于地夺掌的佐证。

地夺掌意思是"地段之争夺"，距其5里的回沟的意思是"赵军回转于沟中"，老背坡距"地夺掌"3里，距黑山白起指挥所（白家坡）5里，充分说明两军交战接近程度和战段的重要性。赵括在地夺掌自搏战斗中被箭射伤（可能已经阵亡），被部属背负从回沟村突围至老背坡，因部队还要继续战斗，仓惶之间埋在老背坡，这是完全有可能的。

1951年4月20日春夏之交，高平县釜山乡老背坡村发生牛气肿疽死的疫情，当时高平县兽医总站站长和兽医在对死牛进行深埋时，发现一具男性骨骼。胸腔内有二枚扁型三菱青铜箭头，从箭头方向看，是从背部射入体内。从牙齿磨灭面分析，死者年龄在30岁左右，骨骼加肉体分析，身高在1.75左右。腰间右侧有一把佩剑。剑长52厘米，格卫宽5厘米，重610克，青灰色长锷，无绿锈斑，坚韧锋利，格卫两面为"虎头纹"和"兽形纹"；铸工考究，纹刻深明清晰，富有神韵，剑刃有撞击痕迹。走访当地老人，传

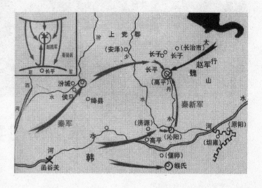

说当年赵括指挥战争，在釜山地夺掌战役中负伤救治途中死在这里，老背坡故此得名。

既有地名的传说为证，又发现了做工精致、级别较高的佩剑和秦箭头，人们大胆猜测，这具尸骸便是葬送了赵国的赵括。

但猜测终究还是猜测，要确定赵括到底死于何地，还要有待于更多的证据被发现、更多的专家进行论证。

难解鸿门宴之谜

秦末，反秦武装起义风起云涌，秦王朝濒于灭亡，反秦力量中的两大主力项羽、刘邦分别向秦的首都咸阳进军，并约定"先入咸阳者王之"。结果，刘邦于公元前 6 年破武关入秦，抢先占领咸阳，并与民约法三章，废秦苛政严刑，颇得民心。项羽一路与秦精锐部队苦战，大破秦军之主力，乘胜向咸阳进发。听说刘邦已破咸阳并想称王关中，项羽勃然大怒，率四十万大军之主力，乘胜向咸阳进发。破关直入，屯兵鸿门，准备消灭刘邦。"鸿门宴"的地点在现在陕西省临潼市新丰镇附近的"项王营"，当时叫"鸿门"。刘邦得知后，马上派部下张良把项羽的伯父项伯请来，设宴款待。第二天，刘邦带着樊哙、张良等 100 多名部下，亲赴鸿门向项羽致歉。项羽毫无城府，听刘邦这么一解释，一腔怒气立刻就烟消云散，并设宴招待刘邦。项羽有个谋士叫范增，他早已看出刘邦的野心，料定刘邦早晚要和项羽争夺天下，多次告诫项羽："此人不除，必留祸患。"

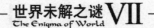

他数次怂恿项羽杀了刘邦，但项羽对此一直不以为然。如今，刘邦自己送上门来，范增感到机不可失。酒席间，他曾多次暗示项羽动手，项羽始终对他不理不睬。无奈，他只好另想办法。他找来项庄假装舞剑，明以为助酒兴，实则命其伺机刺杀刘邦。谁料，范增的用心被张良的朋友、好心的项伯识破，他怕惹出事来，便拔出剑来与项庄对舞，以保护刘邦。这时，酒宴的气氛已到了剑拔弩张的地步，机敏的刘邦见事不妙，当机立断，在张良、樊哙策划下，假装上厕所，趁机逃离了项羽营地，避免了一场灭顶之灾。项羽优柔寡断，错失良机，为自己后来的灭亡埋下了祸根。这就是历史上著名的鸿门宴故事。

谈到楚汉之争，最让人津津乐道的就是鸿门宴了。由于司马迁传神的描述，不但使得鸿门宴的过程曲折动人极富于戏剧性，更使得人物栩栩如生，活灵活现。而期间得失更是另后人咋舌不已，或惋惜之，或痛恨之，或不屑之，或赞叹之。

对于鸿门宴项羽不杀刘邦的原因却众说纷纭，前人对此基本给予否定的态度，视之项羽不听臣言，狂妄无礼，优柔寡断，刚愎自用，眼光短浅，有勇无谋。其结论就是项羽头脑简单，骄傲自大，所以大意放走了敌手，酿成后患。前人对项羽鸿门宴上轻易放跑刘邦简单归于其头脑简单，不足论矣！

近年来不少学者通过研究当时背景，重新探讨这个问题，认为项羽是因为念旧情，"为人不忍"，而没杀刘邦的。

当时楚强汉弱，项王兵四十万，驻于鸿门，沛公兵十万，驻于霸上，相距四十里。沛公带着百余骑，见项王于鸿门，项王便留沛公宴饮。接下来是范增举昂，项庄舞剑，樊哙从张良处得知大事不妙，立即带剑拥盾，直闯军门，交卓戈的卫士想阻止他，他却侧其盾将卫士撞倒在地，项王按剑曰："客何为者？"张良说："沛公之参乘樊哙者也。"

再接下来是樊哙对项王的指责，项王不作声，只叫樊哙坐下。"樊哙从（张）良坐。坐须臾，沛公起如厕，因招樊哙出。沛公已出，项王使都尉陈平召沛公（当时陈平尚仕于楚）。……沛公则置车骑（将自己原有的车队留在鸿门），脱身独骑，与樊哙、夏侯婴、靳彊、纪信等。四人持剑盾步走，从郦山下，道芷阳间行。"

在这样戒备森严的局面中，沛公怎么能够脱身，而且招樊哙一同出去？范增、项庄等难道一点没有觉察？沛公出了军门之后，项王曾使陈平召沛公（大概项王等得久了），为什么不能将沛公召回？

《史记会注考证》曾引董份之说，提出许多疑问，其中说："范增欲击沛公，唯恐失之，岂容在外良久而不亟召之耶？此皆可疑，史固难尽信哉。"又引徐孚远曰："然观《史记》，叙汉人饮中，多有更衣，或如厕竟去，而主人不知者。意者当时之饮，与今少异，又间有良骏行四十里而杯酒犹温者，汉主之能疾行，得此力也。其所云步走，或史迁误也。"这也是强为之词。鸿门之宴，不同于寻常宴会，沛公的一举一动，无不在范增等的严密监视之下，何况还要招樊哙同出。樊哙闯进时，完全怀有敌意，这时却紧随沛公而出，五尺之童，也会疑忌的。《史记》先说"脱身独骑"，那么，是独自骑马的，下又说与四人步走，究竟是骑马还是步走，还是先骑马而后步走？也叙述得不清楚。梁玉绳《史记志疑》则这样说："若论禁卫诃讯，则彼尚不能御樊哙之人，乌能止沛公之出乎？"这也不能相提并论：樊哙之闯军营，沛公尚在项王牢笼之中，这时却是两人提剑而出，禁卫之士岂能轻易放过？

明于慎行《读史漫录》卷二云："鸿门事，以为'是日微哙奔入营谯让（责备）项羽，沛公几殆。'此耳食也。总之，项王本无杀沛公之心，直为范增纵臾（怂恿），及沛公一见，固已冰释。使羽真有杀沛公之心，虽百樊哙，徒膏斧钺，何益于汉？太史公好奇，大都抑扬太过，如四皓羽翼太子，正与此类。"

比较起来，还是于氏之说合于情理，符合项羽性格，他如果一定要杀沛公，范增示意时，就可杀之；沛公逃走后，张良以白璧献项王，项王还肯"受璧置之坐上"么？范增就是将张良所献玉斗丢在地上，"拔剑撞而破之"。

项羽为人，血气方刚(比刘邦少二十四岁)，有他残暴的一面，也有慷慨磊落，豪爽痛快的一面，范增早已看出"君王为人不忍"的特点。

"太史公好奇"之论，并非于氏个人说法，又如《史记》写鸿门宴时，"范增数目项王，所佩玉昂以示之者三，项王默然不应"云云，《汉书?高帝纪》只说"范增数目羽击沛公，羽不应"，而无"所佩玉昂以示之者三"一句，未尝没有道理，因为史公写的，传奇性实在太强了。

除了上诉观点，有人认为项羽善于军事斗争不善于政治斗争，故在没有硝烟的战场上，项羽便没有了方向感，失去灵敏的判断，找不到自己的敌人，也很难确定自己的攻击目标。也有说法认为项羽好面子，沽名钓誉，不想背上不义的名分，所以放跑了刘邦。还有人认为鸿门宴是因为当前的形势而导致项羽不得不安抚刘邦，就大局上，项杀刘毫无必要；就理智而言，项不杀刘，不为失策；就感情而言，项不杀刘，不能算矫情；就未来前景而言，项羽已有对策，不杀刘不能看作放虎归山。更有学者认为鸿门宴实际上是项羽兵不血刃，不废吹灰之力夺得关中，既降伏刘邦，又维护自己反秦盟主的地位；而刘邦忍辱负重，拿土地换来渡过暂时难关，仅此而已。

不管是什么原因使项羽在鸿门宴上没杀刘邦，鸿门宴前刘邦犯下严重的战略错误却因为鸿门宴的种种努力补救得以挽回，而项羽在鸿门宴犯下的严重战略错误，却无法挽救，以致后来兵败而乌江自杀，或许正因为如此，项羽的悲剧才显得如此悲壮，项羽的失败才更让人扼腕叹息，项羽的一生才更充满了人情味，项羽的自杀才更让后人唏嘘不已。

项羽垓下战败之谜

汉四年(前203年)楚汉鸿沟划界后，项羽领兵东归，刘邦也欲西还。这时张良、陈平对汉王说："汉有天下大半，诸侯皆附之。楚兵疲食尽，这正是天亡楚国之时。今若勿击，真所谓'养虎遗患'。"刘邦听从。

刘邦

汉五年，刘邦一面派使者联络各地诸侯王，约定共同灭楚，一面亲自率军追击项羽。十二月，项羽败逃至垓下(今安徽灵璧东南)，已兵少食尽，而被汉军及诸侯兵重重围困，夜间又闻汉军四面皆唱楚歌，以为楚地已为汉军占领，不觉泣下，左右也皆泣。项羽于是乘黑夜率领壮士八百余人乘马突围。天明，汉军发觉，以五千骑追之。项羽渡淮时，跟随他的已只剩百余骑。至阴陵(今安徽和县北)迷道问路，被农民所骗，陷大泽中，为汉兵追及，项羽复向东逃，已只余二十八骑，自忖无法脱逃，与部下再战。最后，项羽败至乌江(今安徽和县东北)。乌江亭长备船岸边要送他过江。项羽笑道："与江东子弟八千人渡江而西，今无一人还，纵江东父兄怜而王我，我何面目见之？"遂下马步战，杀汉军数百，身被十余创，自刎身亡。

《史记·卷七·项羽本纪》里是这样记载项羽最后的那个时刻："项王乃欲东渡乌江。乌江亭长舣船待，谓项王曰："江东虽小，地方千里，众数十万人，亦足王也。愿大王急渡。今独臣有船，汉军至，无以渡。"项王笑曰："天之亡我，我何渡为！且籍与江东子弟八千人渡江而西，今无一人还，纵江东父兄怜而王我，我何面目见之？纵彼不言，籍独不愧于心乎？"乃谓亭长曰："吾知公长者。吾骑此马五岁，所当无敌，尝一日行千里，不忍杀之，以赐公。"乃令骑皆下马步行，持短兵接战。独籍所杀汉军数百人。项王身亦被十余创，顾见汉骑司马吕马童，曰："若非吾故人乎？"马童面之，指王翳曰："此项王也。"项王乃曰："吾闻汉购我头千金，邑万户，吾为若德。"乃自刎而死。王翳取其头，余骑相蹂践争项王，相杀者数十人。最其后，郎中骑杨喜、骑司马吕马童、郎中吕胜、杨武，各得其一体。"

项羽乌江自刎这一悲壮的举动，引起了历代诗人的无限情思。人们普遍认为，项羽在斗争中虽然失败了，但他死得壮烈，不失英雄本色，因而是值得歌颂的"人杰"和"鬼雄"。于季子的"空歌拔山力，羞作渡江人"（《咏项羽》）、李清照的"至今思项羽，不肯过江东"（《乌江》）、胡曾的"乌江不是无船渡，耻向东吴再起兵"（《乌江》）、汪绍　的"乌江耻学鸿门遁，亭长无劳劝渡河。"（《项王》）等诗句，就是这种观点的典型代表。项羽是秦末农民起义军的领袖，为人刚愎自用，独断专行，因而在楚汉之争中落败，最终落得个自刎乌江的下场。项羽为何不渡乌江呢？两千多年来，人们有种种说法。

有一种观点认为，西楚霸王不过江东，是因为虞姬已死。《史记》里并没有记载虞姬的生死，只是一略带过的说："项王则夜起，饮帐中。有美人名虞，常幸从；骏马名骓，常骑之。于是项王乃悲歌慷慨，自为诗曰："力拔山兮气盖世，时不利兮骓不逝。骓不逝兮可奈何，虞兮虞兮奈若何！"歌数阕，美人和之。项王泣数行下，左右皆泣，莫能仰视。"项羽的死与虞姬的死有必然联系吗？两者之间有联系，有学者就认为项羽因"虞姬死而子弟散"心生羞愧，因而不肯过江，拔剑自刎。这样说很有道理，单纯说项羽不肯过江东是因为虞姬之死就显得论据不足。而这与《史记》上说的"项王笑曰：'天之亡我，我以何渡为！且籍与江东子为八千人渡江而西，今天一人还，纵江东父兄怜而王我，我何面目见之？纵彼不言，籍独不愧于心乎？'"这段话一致。"子弟散"，一方面符合他说的"天之亡我"，一方面也是"无颜见江东父老"的原因。项羽即便过江，败局已定。因而，他选择了不渡乌江。

但有的学者提出，自固陵战败后，项羽连连败退，退到垓下，垓下突围又逃往东南，一直逃至乌江边。由此可见，他早有退守江东之意，并且是一路逃奔。如果说项羽因失败使江东八千子弟葬送性命而愧对江东父老的话，垓下被围时，"虞姬死而子弟散"，他就应羞愧自杀。渡淮之后从骑仅百余人，至阴陵又迷了路，问一农夫，结果被骗，身陷天泽，被汉军追上。此时的项羽已经完全没有巨鹿之战时"皆沉船，破釜甑，烧庐舍，持三日粮，以示士卒必死，无一还心。于是至则围王离，与秦军遇，九战，绝其甬道，大破之，杀苏角，虏王离。"时的意气风发。如此狼狈的境遇他也没有羞愧自杀呢！逃至东城，汉骑将之包围数重。尽管他"自度不得脱"，但还是把仅剩的二十八骑组织起来作了

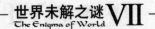

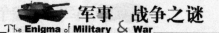
一番拼杀，又"亡其两骑"。这时候项羽仍"欲东渡乌江"。因而认为他好不容易逃到乌江岸边时却反而感到羞见江东父老而自杀似乎有些说不通。项羽的羞愧之心来得太突然，也不合情理，很可能是司马迁为使情节完整而下笔渲染的情节。

有人认为项羽不渡乌江是出于一种高贵的品质和精神，是从早日消除人民的战争苦难考虑的。认为项羽认识到了长期内战使人民痛苦不堪，希望这场战争尽早结束。项羽确实曾有结束战争的愿望，也曾想过通过他与刘邦的个人决斗来将战争结束，他觉察到"楚国久相持不决"，"丁壮苦军旅，老弱罢鞍漕"，所以对刘邦说："天下匈奴长岁者，徒以吾两人耳，愿与汉王挑战决雌雄，毋徒苦天下之民父子为也。"最后他甚至不惜违背自己个性，想要牺牲自己的利益通过和谈换取刘邦的让步，以鸿沟为分界。但是刘邦却违约出兵追杀楚军。当项羽失利并且认识到自己无法立即消灭刘邦而又无法谈和的情况下，项羽只有牺牲自己以结束数年的残杀。据说，项羽当时还是有可能与刘邦抗衡的。

"大江东去，浪淘尽，千古风流人物。"两千多年过去了，项羽的英雄形象至今令人难以忘怀。项羽为何乌江不渡？两千多年来，无论是文人骚客，还是历史学家都给予极大的关注，但至今难有定论。

无论是什么原因使项羽不肯过江东，都让我们用屈原的这首《国殇》来纪念这位西楚霸王吧：

操吴戈兮被犀甲，
车错毂兮短兵接。
旌蔽日兮敌若云，
矢交坠兮士争先。
凌余阵兮躐余行，
左骖殪兮右刃伤。
霾两轮兮絷四马，
援玉枹兮击鸣鼓。
天时怼兮威灵怒，
严杀尽兮弃原壄……

甘肃小山村惊现古罗马军团后裔之谜

甘肃省永昌县城南10公里处的者来寨村坐落在河西走廊东端，是个宜耕宜牧的好地方。中国西汉元帝时期在这里设置骊靬城，用来安置古罗马帝国军队降兵。人们也许会问，古代中国从未和罗马军团交战，罗马降兵从何而来？这是一个历史的谜团，为揭开世界上这一桩重大历史悬案，史学家们为此而苦苦探寻，萦绕在人类史上近2000多年。

公元前53年，发生的卡莱尔战争是这一历史悬案的发源之处，当时正是中国西汉甘露元年。罗马共和国执政官克拉苏率军远征今天的伊朗地区，最后兵败。一支6000人的罗马军团突出重围，却没有回到罗马。2000多年来，那支神秘失踪的罗马军团的下落一直是个谜。

考古发现古罗马军队构筑"重木城"的器物

近年，多名历史学家的研究成果表明，兵败的罗马军团历尽艰辛，竟然在中国甘肃省永昌县骊靬村找到了最后的归宿。而且他们的后裔依然健在，并在外貌上遗传了其祖先的不少特征。

上个世纪90年代起，这座本来偏僻而宁静的小村庄，突然一下子热闹起来了。一批又一批的国内外游客和专家学者涌入永昌，涌入骊靬村。这一切都是因为1989年9月30日《参考消息》转发的一则法新社新闻：《中国西部有古罗马城市》。文章引用了一名澳大利亚阿德莱德大学教师戴维·哈里斯的观点。哈里斯一直对古罗马帝国军队东征溃败后的命运非常感兴趣。他认为当年东征军溃败后一部分军队很有可能流落到遥远的东方——当时正在鼎盛时期的汉王朝的版图内并定居下来。他们从西方的历史中消失了，又在东方的国度里繁衍生息。而这次东征比马可·波罗的中国之行要早上至少1300年。如果这个推断成立的话，那么东西方文明的历史交汇点将被大大地提前。

据哈里斯讲，他当时只知道一座被称为"利坚"的中国城市曾经存在过，但并不知道这座城市在中国的确切地点。在一张公元前9世纪绘制的地图的帮助下，哈里斯认为这座城市很有可能就在中国西部的甘肃省境内。

随后，哈里斯开始了他的中国之旅，经过长时间的学术和实践考证，他终于通过大量的史料证据证明了这座城市就在甘肃省金昌市永昌县境内，经过与中国国内很多历史学家的共同研究，通过中国古代很多史书上的记载，哈里斯确切得知这座当年曾经用来安置罗马东征军的城市名叫"骊靬"。而骊靬，则是中国古代对古罗马的称呼。如果说这是历史的巧合似乎不大可能。

中外历史学家在阅读中国史籍《汉书·陈汤传》时还发现：公元前36年，西汉王朝的西域都护甘延寿和副校尉陈汤，率4万将士西征匈奴于郅支城（前苏联的江布尔城）……征战途中，西汉将士注意到单于手下有一支很奇特的雇佣军，他们以步兵百余人组成"夹门鱼鳞阵"，土城外设置"重木城"。而这种用圆形盾牌组成鱼鳞阵的进攻阵式，和在土城外修重木城的防御手段，正是当年罗马军队所独有的作战手段。

当年陈汤等人看到的这支奇特的队伍是不是就是17年前失踪的古罗马第一军团的残部？之后，学者们从史书上查到郅支城之战：汉军以"生虏百四十五人，降虏千余人"而告胜。甘延寿、陈汤等将这些战俘带回中国。而与此同时，西汉河西地区的版图上突然出现了一个名为"骊"的县，同时还修建了骊靬城堡。这两大事件之间似乎有

着某种关联。

通过研究史籍，学者们还注意到《后汉书》的一条记载："汉初设骊县，取国名为县。""骊"正是当时中国人对罗马的称谓。既然是"取国名为县"，那么，这个新出现的县是不是为了安置罗马降兵而设置的呢？

历史学家们还发现，在者来寨村，当地的葬俗与众不同，他们在安葬死者时，不论地形如何，一律头朝西方。并且，当地人对牛十分崇尚，且十分喜好斗牛。村民在春节时都爱用发酵的面粉，做成牛头形馍馍，俗称"牛鼻子"，以作祭祀之用。放牧时，村民特别喜欢把公牛赶到一起，想方设法让它们角斗，而这正是古罗马人斗牛的遗风。而且在村中央，学者们还发现一座已是断壁残垣的骊靬古城遗址，它现在只剩下一段近10米长、1米来高呈S形的土城墙。南墙正中的一阙口，应为城门。这段土墙，被许多专家认为就是当年骊靬古城的城墙遗迹，成为历史学家向世人证明"古罗马失踪军团最终定居中国"最有力的实证之一。在已所剩无几的古城墙遗址上尚残留着模糊的橡木印痕，这让历史学家兴奋不已，它说明骊古城是"重木城"，而土城外加固重木的防御方式，正是当年罗马军队所独有的作战手段。在与者来寨邻近的杏树村，村民曾挖出

一根丈余长的粗大圆木，周体嵌有几根一尺多长的木杆，专家认为，这可能就是古罗马军队构筑"重木城"的器物。邻近的河滩村则出土了写有"招安"两字的椭圆形器物，专家认为，这可能是罗马降兵军帽上的顶盖。

至此，似乎所有的证据都在证明着一个事实，那就是：公元前53年，罗马帝国大军入侵伊朗，遭伊朗军队围歼，6000余罗马军队突围，逃至现今的哈萨克斯坦，后为西汉陈汤收降，带回中国，安置在永昌县。这一完整的历史链条已经摆在了人们面前。那么究竟历史的真相是否像历史学家们拼凑出的一样呢？当诸多学者为销声匿迹的罗马第一军团在中国被找到而兴奋之时，也有不少学者提出了疑问。

兰州大学教授刘光华称，"骊"来源于埃及的城市名——亚历山大

（Alexandria）的第二和第三个音节，"骊"曾被中国人用来称呼罗马帝国。而亚历山大直到公元前 30 年才被罗马占领，在此之后，骊才会被用来指代罗马帝国。因此，骊的建立远早于假定的罗马人落户于此的时间。

另外，对于永昌县发现的欧洲特征的居民这一奇怪现象，刘光华指出，永昌位于举世闻名的古丝绸之路上，各民族之间的关系和人群迁移及混杂的过程相当复杂，况且两汉时期已证明罗马人到达过洛阳。

与此同时，包括复旦大学历史系教授葛剑雄，北京师范大学历史系教授杨共乐在内的多名学者也认为，古罗马军团在中国的史实依据不足。

真实的历史是什么样子的？

我们相信，随着更多详实史料的逐渐发掘，这一谜团肯定会有更新、更准确的的结论呈现在大家面前。

袁曹官渡之战之谜

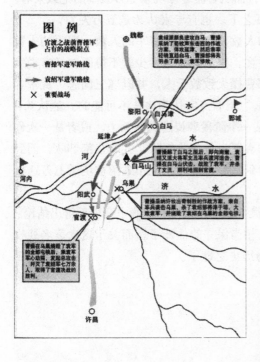

图例

▶ 官渡之战前曹操军占有的战略据点

⟶ 曹操军进军路线

⟶ 袁绍军进军路线

✕ 重要战场

位于河南省郑州中牟县城东北2.5公里官渡桥村一带是建安五年(200年)官渡之战的古战场。村内原有关帝庙，存清乾隆年间石碑，碑文云"官渡乃关帝拒袁斩将处"。据《中牟县志》载，这里旧有城叫"官渡城"，又有台名"官渡台"或"曹公台"，乃东汉曹操与袁绍相拒之处。附近有"水溃村"。距官渡20公里霍庄有"袁绍岗"，传说是袁绍屯兵处。

建安五年，曹操和袁绍在官渡(今河南中牟东北)爆发了一场决定性大战。当时北方割据势力以袁绍最大，曹操次之，两大势力决战是势所必然的。袁绍有军队数十万，占地面积又大，但不得人心；曹操能用于对抗袁绍的军队仅三四万，但比较得到百姓拥护，而且献帝在他手中，可以"挟天子以令诸侯"。

这年二月，袁绍遣谋士郭图、大将颜良直扑白马曹操所置东郡太守刘延，自己亲率大军驻屯黎阳。曹操采用声东击西的战略，引兵向延津，袁绍派兵增援。曹操见袁绍中计，立即亲率轻骑直趋白马，阵斩颜良，袁军大乱溃散。袁绍大怒，下令渡河追击曹操。在延津以南，曹操故意将辎重弃置路上，袁军纷纷抢夺。操乘机败袁军，诛袁军大将文丑。

曹操尽管在白马、延津取得局部胜利，但敌强我弱的态势仍未根本改变，于是决定诱敌深入，主动撤退到官渡，深沟高垒，固守阵地，以待有利时机。双方在官渡相持数月后，曹操出奇兵火烧乌巢，尽焚袁军粮草辎重，并趁机向袁军全力进攻，一举消灭袁军七万余，袁绍和儿子袁谭率亲兵八百余骑逃过黄河。此一战役，曹操以少胜多，歼灭袁绍的主力，为统一北方奠定基础。

官渡之战乃是汉末乃至中国史上有名的以少胜多的战役，但几千年来，官渡之战的双方人数一直是个谜，演义中数字那自然不可信，而史书上也找不到明确的数字。

虽然有称袁绍率精卒十万，骑万匹，但是这是在袁绍正式进攻曹操发起的兵力，不代表这是官渡之战袁军兵力，而从官渡曹操坑杀七万袁军的记载来看，官渡袁绍军应该是在七万之上，十万之下。也有专家认为是五万左右。

专家分析，要想搞清官渡之战的人数，关键的是曹军的人数，曹军的人数也是个谜，我们只知道曹操是以少胜多，但是具体是多少就不得而知，有说袁军是曹军的十倍，袁绍十万左右，那曹操大致数千人，并以《三国志·武帝本纪》中"时公兵不满万，伤者十二三。"但有专家认为这是不可能的。他认为："时公兵不满万，伤者十二三"是指某一个阶段曹操防御的兵力，或者是一次作战后紧接着便来防御袁军，而防御的袁军也是先头部队，并非全部部队，而到了筑营对峙后，双方的部队渐渐聚集到官渡，这才出现了袁绍被坑杀七万这样的数字。

最后他们对《三国志》中有关官渡之战部分兵力的记载中分析后得出结论：曹军总数至少在二万左右，这已经是相当保守的估计了。而关于这次著名战役双方参战人数的准确数字也只能成为历史之谜了。

曹操赤壁之战败绩之谜

东汉建安十三年(公元208年)的"赤壁之战"，是曹操和孙权、刘备在今湖北江陵与汉口间的长江沿岸的一场战略会战，是我国历史上一次以弱胜强的著名战役，对于三国鼎立局面的确立具有决定性的意义。

赤壁之战虽然已经过去千年之久，但究竟是什么原因使曹操在赤壁之战中打了败仗呢?过去学术界几乎都是说曹军失败的致命原因是遭遇孙、刘联军的火攻。《三国志·蜀书·先主传》载："权遣周瑜、程普等水军数万与先主并力，与曹公战于赤壁，大破之，焚其舟

船。"司马光在《资治通鉴》中也说，黄盖"乃取蒙冲斗舰十艘，载燥荻、枯柴，灌油其中，裹以帷幕，上建旌旗，预备走舸，纱于其尾。去北军二里余，同时发展，火烈风猛，船往如箭，烧尽北船，延及岸上营落"。曹军败在火攻上，证据确凿。

可是，随着社会的进步，近些年来，有论者提出了许多关于火攻论的质疑。他们认为，《三国志·魏书·武帝本纪》中并未提到赤壁之战中孙、刘采用火攻之事。据载："（建安）十三年，秋八月，公南征刘表……至赤壁，与备战不利，于是大疫，吏士多死者，乃引军还。"《三国志》中另一处记曹操给孙权的书中亦云："赤壁之役，值有疾病，孤烧船自退，横使周瑜虚获此名。"他们研究认为，曹操之所以会失败，是因为军队遭遇疾病瘟疫，导致战斗力丧失，而不是由火攻造成的，更为详尽的是，他们说是血吸虫病造成曹军赤壁战败的。

血吸虫论者也是根据史籍提出这一论点的。如陈寿在《三国志·魏书·武帝纪》中叙述赤壁之战时，并未提及"火攻"这件事。他说，曹公到了赤壁，与刘军大战，不占上风。后来发生瘟疫，士兵大部分都死了，于是带领部队回去。从曹军主帅曹操在战后写给孙权的一封信中可看出，他不承认失败是因为遭到火攻，其中写道："赤壁之战，有疾病侵袭，我烧船而退，使周瑜白捡了这个好名声。"而曹操所说并不是惟一凭证，《吴书·吴主传》中也有曹操自己烧掉战船一说："曹公烧剩余船而退败。"

血吸虫病造成曹军赤壁战败

由此论者认为，火攻一说不足以取信。曹军失利主要原因就是瘟疫，即血吸虫病。

1981年第11卷第2期的《中华医史杂志》发表李友松的《曹操兵败赤壁与血吸虫病关系之探讨》一文，指出曹操赤壁之战兵败的原因是"疾病"——急性血吸虫病。

一是根据历史记载以及近代科学研究，证明血吸虫病是我国一种古老的疾病。《周易》卦象"山风蛊"以及7世纪初叶的《诸病源候论》中已有类似的记载与描述；1973年，湖南长沙马王堆一号汉墓出土的女尸，其肠壁和肝脏组织都发现有血吸虫虫卵，说明当时血吸虫病已相当流行，连轪侯之妻这样的贵妇人也难以幸免。而赤壁之战的战场恰恰是当时血吸虫病严重流行的地区。

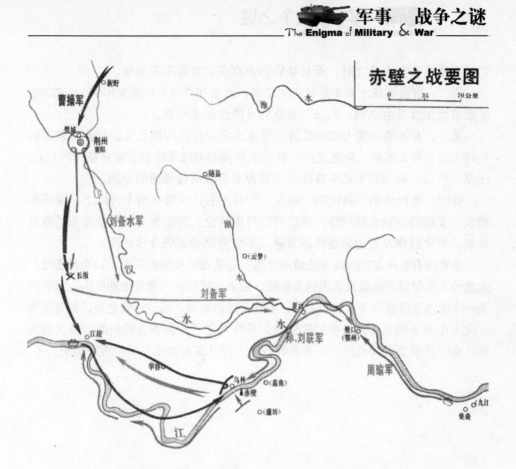

赤壁之战要图

0　　　35　　　70公里

二是从时间上来说，赤壁之战时间又是血吸虫病的感染季节。赤壁之战是在冬天开始的，但曹军在转徙、训练时间是在秋天。曹操水军在赤壁之战战前染上血吸虫病，经过一个月以上的时间就发病了，致使大战时疲病交加，不堪一击。

三是，那么同是在水上作战，同是在疫区内转移与行军，为什么孙、刘军队不染上血吸虫病呢？人或动物感染血吸虫病后，体内或多或少会产生一定的免疫力。刘、孙军队长期在血吸虫流行的疫区中从事生产、生活，士兵感染的血吸虫病多数是属于慢性的，急性期早已过去，特别严重者也早已死亡。而曹军刚到南方安营扎寨，士兵不适应疫区环境，急性血吸虫病突然发作。

然而，血吸虫病说也不可尽信，它比火攻论的争议还要多。1982年5月25日，季始荣在《文汇报》发表题为《曹军兵败赤壁是由于血吸虫病吗？》，他认为：

第一，史记的确记载过曹操烧船退军一事，但是情发生在曹军兵败退到巴

丘时而不是赤壁大战之时，而且烧船的地点在巴丘也不在赤壁。

第二，曹操训练水军不是在疫区江陵，而是在邺（今河南安阳县），这个地区没有发生过吸血虫病，所以，感染的可能性基本没有。

第三，曹操的水军大部分是居于吸血虫病流行区的湖北人，跟孙刘联军的免疫力没有什么差别，除此之外，补充给曹操的刘璋军队也是来自疫区四川 de 士卒。所以，孙刘联军在免疫能力上与曹军没有高低强弱的分别。

第四，吸血虫病的潜伏期一般在一个月左右，少数在两个月以上，潜伏期越长，发病的症状也就越轻，所以可以得出结论：即使曹军在秋季患上了吸血虫病，到大战爆发时也只是刚刚发病，不会影响曹军的身体壮况。

是曹操有意掩盖这次战斗败绩的原因，还是由于疾病的关系，引军自还呢？火攻论不可尽信，血吸虫病说也有缺陷，那么，曹操在赤壁战败的原因，只能作为一个千古之谜留存于人们心中了。不管是什么原因，经过赤壁之战，彻底破灭了北方中原王朝迅速统一中国的梦想，最终奠定了三国鼎立的局面，而这种局面，也一直演变成为长达三百多年的战乱，并且深刻地改写了中国的历史。

神秘莫测的"八阵图"之谜

诸葛亮

杜甫在《八阵图》中评价诸葛亮时，写下过这样的诗句："功盖三分国，名成八阵图。"前一句的意思尽人皆知，对于后一句中的"八阵图"，了解的人就不多了。"八阵图"是怎么回事？它是如何使用的？它的遗迹在哪里？至今尚存许多不解之谜。

简单地说，"八阵图"是古代军队的一种集体战斗队形，也有的说它是古代行军作战的一种阵法，实战中变幻莫测，威力极大，往往变戏法似地就把敌军置于死地，是千百年来公认的极佳阵法。明代军事理论家茅元仪修撰过《武备志·诸葛亮与复江八阵图》，据他介绍："八阵图"由天、地、风、云、龙、虎、鸟、蛇八种阵势组成，每阵皆以相应名称的旗帜指挥。同时，它又用八八六十四卦表示大小战斗队伍的番号，可以随机组成任何一种战斗图形。使用时将部队配置成八个方向，每个方向又分成八个小方阵，形成流动变幻的六十四个作战单位。中央是指挥机构，即常常说到的"中军"。作战时，按照"中军"的预先布置，各小方阵都有明确的任务，敌人变动，随之变动。各小方阵视需要可摆成不同形状的阵势，其中又分别组成马队、步队、车队等，每队数量不同，或几十人，或上百人，可以临机组合。每队再排列为重迭的数行，通常前置弓箭手，中间是长兵器手，后面是短兵器手，根据进攻或防御的需要，也可作前后调整。正所谓"常山之蛇，击首则尾应，击尾则首应，击中则首尾皆应。"真是机动灵活，变化无穷，成为克敌制胜的一大法宝。其实，"八阵图"并非只用于战场上的攻防，在行军队形、驻防配置、部队训练等方面，都能应用。诸葛亮用它"以巴蜀弱卒数万东屯渭水，天下震动"。可见它的威力不可小视。

"八阵图"的设计是巧妙的，它用于实战究竟如何？据《三国演义》描述，陆逊破蜀大获全胜，引得胜之兵，往西追袭。前离夔关不远，陆逊在马上看见前面临山傍江，一阵杀气冲天而起，即差哨马前去探视，回报：见有乱石八九

十堆，四面八方皆有门有户，并无人马。陆逊大笑说："此乃惑人之术耳，有何益焉！"遂引数骑下山坡来，直入石阵观看。忽然狂风大作，一霎时，飞沙走石，遮天盖地。但见怪石嵯峨，槎枒似剑，横沙立土，重叠如山，江声浪涌，有如剑鼓之声。陆逊大惊曰："吾中诸葛亮之计也！"欲回，无路可出，正惊疑，忽见一老人立于马前，笑曰："将军欲出此阵乎？"陆逊答："愿长者引出。"老人策杖徐徐而行，径出石阵，并无所碍，送至山坡上。陆逊回寨后叹曰："孔明真卧龙也，吾不能及。"于是班师回吴。

不费一兵一卒，只靠八九个石堆，居然吓走东吴万千精兵，显然这是艺术虚构。从这一应用"实例"来看，有人认为"八阵图"其实只是一种演习阵法的教练图，就像当今军队所有的沙盘作业图，充分利用地形地物，灵活机动训练部队，一旦运用于实战，便可稳操胜券。从《三国演义》描述看，首次应用"八阵图"的是诸葛亮，而畅晓兵法的东吴统帅陆逊竟然不知为何物，三国中的其他将领也从未使用过此种阵法。魏国大将司马懿曾经研究过蜀军训练营地，对这位老对手的布阵技巧十分佩服，赞其为"天下之奇才也"。

从以上分析可以看出，"八阵图"确实具有很大的优点，称得上克敌制胜的法宝。但从《三国演义》中看，诸葛亮摆布"八阵图"的次数有限，他的继承者也鲜有使用，若真有那么巨大的威力，蜀军为何不多用几次？

另外，有些人可能会问，如果真有"八阵图"这样的阵地，它的遗迹在哪里呢？这个问题，也是个难以解开的谜。

按照《三国演义》的描写，人们自然把寻找的目光投向夔关，也即白帝城下江边的"八阵图"。最先提到这处遗迹的是北魏地理学家郦道元。他的《水经注·江水一》载:"江水又东迳诸葛图垒南"。对此他解释说:"(此处)石碛平旷,望兼川陆,有亮所造'八阵图'"。此说一出,很有影响,历代都有人来这里游览或者凭吊。唐代诗人刘禹锡在夔州做刺史时,曾到这里作了实地考察,写了"八阵图"遗迹的状貌:"夔州西市,俯临江岸沙石,下有诸葛亮'八阵图',箕张翼舒,鹅形鹤势,聚石分布,宛然尚存。"(引见刘禹锡:《八阵图录》)宋代大文人苏轼在《东坡志林》中也做过描写:"自山上俯视,百余丈凡八行,不见凹凸处,如日中盖影。予就视,皆卵石,漫漫不可辨。甚可怪也。"另据《夔州府志》、《奉节县志》等地方史料介绍,自宋代起,在每年的正月初七,男女老少都来观看"八阵图"遗迹,名曰"人日踏碛"。由此可见,夔关江边这些奇怪的聚石、卵石,自古以来就被认为是当年诸葛亮留下的"八阵图"遗迹。

也有人指出:诸葛亮的"八阵图"遗迹不止一处。如郦道元的《水经注》记载,在今天陕西省的沔阳县还有一处:"(定军)山东名高平,是亮宿营处……营东即'八阵图'也。"可是,他同时又说,考察这个遗址,却已"倾覆难辨"。郦道元的时代距今一千四百余年,再要考察此处遗迹的真伪,显然就更困难了。《晋记》和《汉中府志》也持此说,然而因无遗迹可寻,只好成疑。

还有人认为,在四川新都、广都、宜宾等地,都分别可寻"八阵图"的遗迹。如《大明一统志》载:在四川新都县北三十里处,有诸葛亮"八阵图"遗迹。这里,尚有以此命名的"八阵"乡。在这些地方的志书中,也能找到有关的记载。然而这些说法,大都缺乏有力的史料证明,又找不出令人信服的实物,很难认定哪儿是"八阵图"的遗迹。

但多数人认为,白帝城下江边的"八阵图"遗迹才是真的。从史料记载来看,诸葛亮在白帝城下虽然未与陆逊交手,也没同别的什么人对阵,可是却有布设"八阵图"的可能。比如,汉献帝建安十九年(公元214年),诸葛亮令关羽守荆州,自与张飞、赵云将兵逆流西上入川,在白帝城整训过部队,可能以"八阵图"演习过阵法。又如蜀汉章武三年(公元222年),吴蜀发生 亭之战,刘备大败而逃,后在白帝城托孤。诸葛亮在此加强防御设施,"八阵图"正好可以派上用场。由此看来,此处摆布这种阵法,不一定非用于实战,而是用于训练部队或者只是防御设施。因为白帝城属于蜀国门户,战略地位异常重要,诸葛亮有可能建立永久性训练基地和战备工事。据刘禹锡《嘉话录》记载:这里的"八阵图"聚石成堆,堆高五尺,六十围,纵横交错,积有六十四堆。每个石堆都很牢固,虽然历经风摧雨冲,千百年来安稳如初。如此牢固的永久性工事,完全有可能保留下来。所以白帝城下江边上的这些古老军事设施,很有可

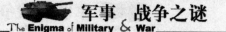
能是诸葛亮摆布的"八阵图"遗迹。

但这也仅仅是推断和猜测,关于"八阵图"的真相,今天再很难找到实证材料。不过,许多专家都认为,诸葛亮确实作过"八阵图",这一点是没有疑义的。只不过诗人杜甫有意无意地夸大了它的名声,小说家罗贯中又特地给它蒙上了一层神秘面纱,这样一来反倒掩盖了"八阵图"的真实面目。

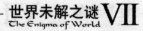

秦晋淝水之战之谜

公元383年发生的淝水之战，是偏安江左的东晋王朝同北方氏族贵族建立的前秦政权之间进行的一次战略性大决战。同时，淝水之战还产生了"投鞭断流"、"草木皆兵"、"风声鹤唳"等成语。

公元316年，在内乱外患的多重打击下，腐朽的西晋王朝灭亡了。随之而来的，是出现南北大分裂的历史局面。在南方，公元317年晋琅 王司马睿在建康（今江苏南京）称帝，建立起东晋王朝。其占有现汉水、淮河以南大部地区。在北方，匈奴、鲜卑、羯、氐、羌等少数民族首领也纷纷先后称王称帝，整个北方地区陷入了割据混战的状态。在这个动乱过程中，占据陕西关中一带的氐族统治者以长安为都城，建立了前秦政权。公元357年，苻坚自立为前秦天王。他即位后，重用汉族知识分子王猛治理朝政，推行一系列改革政治、发展经济和文化、加强军力的积极措施。在吏治整顿、人才擢用、学校建设、农桑种植、水利兴修、军队强化、族际关系调和方面均收到显著的成效，在一定 程

符坚

度上使前秦国实现了"兵强国富"的局面。在这基础上，苻坚积极向外扩张势力。他先后灭掉前燕、代、前凉等割据政权，初步统一了北方地区。黄河流域的统一，使苻坚本人的雄心越发增大。他开始向南进行扩张，在公元373年攻占了东晋的梁（今陕西南部、四川北部的部分地区）、益（今四川的大部分地区）两州，这样长江、汉水上游就纳入了前秦的版图。接着，前秦雄师又先后占领了襄阳、彭城两座重镇，并且一度包围三阿（今江苏高邮附近）、进袭堂邑（今江苏六合）。于是，秦晋矛盾日趋尖锐，终于导致了淝水大战。

公元383年，苻坚征调各族人民，组成八十七万人的军队南下进攻东晋。崔鸿《十六国春秋·前秦录六》记："八月戊午，遣……步骑二十五万为前锋。甲子，坚发长安，戎长戎卒六十余万，骑二十七万，前后千里，旌鼓相望。"因为根据情报，东晋只有十多万兵力，所以苻坚很狂妄地说："我的大军只要把马鞭扔进河里，就能让河断流，还灭不了晋吗？"

东晋得知前秦大军南下，急忙派谢石、谢玄率精兵八万，抗拒敌人。这时前秦的先遣部队已到达离东晋国都不远的洛涧（即洛河，今安徽淮南东），截断了淮河交通，形势十分危急。谢石、谢玄派了五千轻骑兵偷袭洛涧的敌军，大获全胜，晋军士气大振，水陆并进直达淝水（淮水支流，在今安徽中部）东岸布阵。

　　苻坚得知先遣部队打了败仗，急忙赶来督战。他登上城楼，观察淝水东岸的晋军。只见对岸营帐林立，旌旗簇拥，军营里还隐隐传来阵阵鼓声，苻坚心中一惊，忙转身远眺北方的八公山。可是苻坚心里还想着刚才晋军军容严整的景象，恍恍惚惚之时，将八公山上的草木都看成了漫山遍野的敌旗、如林的戈戟。他心里非常恐惧，不敢再抬眼看了，转身对部下说："晋军有这么多人马，分明是强敌，你们怎么说他们弱呢？"

　　这时，谢石、谢玄经过研究，觉得前秦军队虽然人数众多，但是士兵都是从各族人民中强行征来的，人心不齐，而且前秦队伍庞大，远途行走，人困马乏，晋军应该采取速战速决的战术。于是谢石、谢玄就发信给苻坚，要求秦军从淝水岸边后撤，留出空地来，让晋军渡过淝水，前来决战。苻坚心想：乘晋

军渡河之时，出兵袭击，岂不正好？于是下令前秦军队后撤。不料前秦士兵民族众多，都不愿作战，后面部队听到后退的命令，以为前方战败了，争先恐后地逃跑，前秦军队登时大乱。晋军乘机抢渡淝水，冲杀过来。前秦军队中又有人大喊："秦军败了，秦军败

了！"前秦士兵一听，更加混乱。顷刻间，前秦几十万军队自相践踏，死者无数，苻坚自己也中箭负伤。晋军乘势追杀，苻坚慌忙带着亲信部队往回逃跑。前秦军队逃得疲惫不堪，正想休息一会，忽然听到"呜呜"的风声和鹤的鸣叫声，以为晋军又追来了，不敢停留，赶紧又跑。前秦大败而回，一蹶不振，两年后就灭亡了。

　　就是这样一个人人称颂为以少胜多、以劣势之军打败优势之军的辉煌战例，却有人提出了质疑。他们对双方兵力之比提出新的见解：第一，前秦的百万军队是虚数。从当时北方人口的估计数看，前秦全国有百万军队已是惊人数字，即使有，苻坚也不可能全部征调伐晋，至少要留一些驻守各地重镇。更重要的是，这虚数百万也没有全部赶赴前线，苻坚到彭城时，凉州、幽冀、蜀汉之兵均未

到达淮淝一带，因而根本没有参加淝水之战。第二，当时集结在淮淝一带的军队，是苻坚的弟弟苻融率领的三十万，他们也没有全部投入战斗，而被分布在西至郧城、东至洛涧五百余里长的战线上。驻扎在寿阳及其附近的军队，充其量不过十万。加上苻坚从项城带来的"轻骑八千"，也不过十多万人，况且战争发生时，这些军队也不会全部投入战斗。正因为寿阳一带兵力不多，苻坚才会在看到晋军严整的阵容时，恍然而有惧色，产生草木皆兵之感。第三，晋军八万除刘牢之所率五千人进军洛涧外，均参加了战斗。当时，晋军在长江中游地区布置的兵力，本来就较雄厚，再加上新投入的八万，因此当秦、晋双方沿长江中游至淮水一线交战的时候，晋方在前线至少有二十万以上兵力。再考虑到前秦军长途跋涉、以逸待劳；前秦内部意见分歧、晋军上下一心等各种因素，晋军占了一定优势。因此，不论从两军交战的时候，还是从整个战役情况看，淝水之战时双方投入的兵力，是大致相当的。

长期以来，所有的教科书都在告诉我们：淝水之战的结果是弱小的东晋军队临危不乱，利用前秦统治者苻坚战略决策上的失误和前秦军队战术部署上的不当而大获全胜，成为中国历史上以弱胜强的著名战例之一。如今又提出了秦晋双方兵之比的新见解，淝水之战是否以少胜多便成为未解之谜，有待进一步解开。

汉高祖在"白登之战"中脱身之谜

汉高祖

历史上汉与匈奴之间著名的"白登之战"也称"平城(今山西大同,是白登之战的发生地)之围",它对中国历史和民族关系产生过深远影响。在白登之战中,汉高祖刘邦最后究竟是如何脱身的这一问题一直为世人所探讨。

匈奴是我国北方的一个少数民族,历史悠久。据《史记·匈奴列传》记载:早在夏代,匈奴就已存在,当时称为荤粥。周代称猃狁,秦代称匈奴。其生活以游牧为主,逐水草而居。秦汉之际,匈奴统治者冒顿杀死其父头曼,自立为单于,并且东击东胡,西攻月氏,南并楼烦、白羊、河南王,统一了匈奴各部,统治了大漠南北的广大地区。初期的汉朝,由于长期

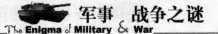

疲于兵事，无暇北顾。冒顿利用自己兵强马壮的优势，经常率领骑兵南下，掠夺北部边郡的人口、牲畜和财物，直接威胁到汉王朝在中原北部的统治。

为了防御匈奴的南进，汉高祖刘邦曾派韩王信坐镇晋阳，守卫太原以北之地。后来，韩王信以"国被边，匈奴数入，晋阳去塞远"（《史记·韩信卢绾列传》）为理由，上书刘邦，把韩国都城从晋阳迁到马邑（今山西朔县）。汉高祖六年（公元前 201 年）秋天，冒顿带领大队兵马进入长城，一直打到马邑城下，把韩王信围困在马邑城。韩王信是战国时韩国的旧贵族，曾响应刘邦起义，带兵攻打韩地有功，被刘邦封为韩王。但刘邦对他很不放心，所以，把他调到远离都城的地方。韩王信也知道刘邦对他有疑心，所以，当匈奴兵临城下后，他一直不愿与匈奴交战，几次派使臣与匈奴谈判，要求和解，以便给自己留一条后路。汉朝援兵赶到马邑城后，见韩王信不但不出兵交战，还不断派人与匈奴频繁来往，怀疑韩王信可能要叛变，就把这一消息报告了刘邦。在紧急情况下，为了防止事态扩大，刘邦亲自给韩王信写了封信，申明大义，对他进行劝告并加以指责和警告。信中说："专死不勇，专生不任，寇攻马邑，君王力不足以坚守乎？安危存亡之地，此二者朕所以责于君王"（《汉书·韩信传》）。刘邦的这番话不但没有挽回形势，反而促使了韩王信

匈奴骑士

的叛变。他见刘邦如此口气，深知处境的危险，怕被问罪杀头，于是，献出了马邑城，投降了匈奴。接着，韩王信与匈奴勾结起来，挥师南下，进入雁门关，攻下太原郡，长驱直入，很快占领了山西大部分地区。

为了进一步巩固刚刚建立起来的汉王朝统治，汉高祖七年（公元前 200 年）冬天，刘邦亲自带领三十万大军，出征匈奴，同时镇压韩王信叛乱。汉军进入山西后，连连取胜，特别是铜（革是）（今沁县一带）一战，大获全胜，使韩王信军队遭到重大伤亡，其部下将领王喜被汉军杀死，韩王信逃奔匈奴。之后，白

土人曼丘臣、王黄等拥立战国时赵国后代赵利为王，收集韩王信的残兵败将重整旗鼓，再次与匈奴合谋攻汉。冒顿派左、右贤王各带兵一万多骑与王黄等屯兵广武以南至晋阳一带，企图阻挡汉军北进。汉军乘胜追击，又在晋阳打败了韩王信与匈奴的联军，收复了晋阳、离石等六城，攻下楼烦等三城。汉军由于节节胜利，产生了麻痹轻敌的思想。刘邦来到晋阳后，听说冒顿驻兵于代谷，就派人进行侦察，冒顿故意把精锐部队隐藏起来，不让汉军发现，而把老弱病残摆在阵前，以示溃败的样子。汉军侦察人员几次往返阵前，也没有看破匈奴的假象，信以为真，就把侦察的情况如实地报告给刘邦。刘邦错误地估计了形势，也没有识破匈奴的计谋，盲目带领大军北上。汉军刚刚过了勾注山（今雁门山），

匈奴人善骑狩猎

正碰上从匈奴出使回来的刘敬（娄敬），刘敬对匈奴的设防产生了怀疑，提醒刘邦不要冒然进兵。他说："两国相击，此宜夸矜见所长，今臣往，徒见羸瘠、老弱，此必欲见短，伏奇兵以争利。愚以为匈奴不可击也"（《史记·刘敬叔孙通列传》）。刘邦不但不听劝告，反而破口大骂刘敬说：你这个齐国奴隶，一贯以能说会道升官，今天还想胡说八道，扰乱军心。于是，把刘敬抓起来，囚禁在广武城，准备凯旋后处理。接着，刘邦带领骑兵快速前进，也不等步兵赶上，直抵平城。冒顿见汉兵蜂拥赶来，就在白登设下埋伏。刘邦带领兵马一进入包围圈，冒顿马上指挥四十万匈奴大军，截住汉军步兵，把刘邦的兵马围困在白登，使汉军失去联系，不能相救。刘邦发现被包围后，才知道上当受骗，撤退已经来不及了，只好组织突围，结果，虽经几次激烈战斗，也没有突围出去。之后，冒顿率领骑兵从四面进行围攻：西面的骑兵是清一色白马，东面是一色青马，北面是一色黑马，南面是一色红马，企图把汉军冲散。结果，双方损失很大，一直相持不下。当时，正值隆冬季节，气候严寒，还飘着雪花。汉军士兵不习惯北方生活。冻伤很多

人，其中冻掉手指头的就有十之二三。有首歌谣说："平城之下亦诚苦！七日不食，不能彀弩。"（《汉书·匈奴传》）可见这次战争是多么艰苦！在不利的形势下，为了扭转败局，刘邦凭借白登地势居高临下的有利条件，指挥汉军昼夜加强防守。匈奴围困了七天七夜，也没有占领白登。

最后，汉军是如何突围出去的？史书也没有明确记载，只是说刘邦采用了陈平秘计，才得以解围。陈平秘计是什么？"其计秘，世莫得闻"（《史记·陈丞相世家》）。有人说，陈平让画家画了一张美人像，派人送给单于妻子阏氏，并对阏氏说：汉朝有一个美女，长得如同画上的一样美。现在皇帝被围，汉朝准备把她献给冒顿，以作为解围的条件。阏氏嫉妒心很强，她害怕冒顿得到美女后自己失宠，就说服单于收兵。这种说法不一定可靠，但刘邦确实派人与匈奴进行过谈判，并给阏氏送过一批厚礼，阏氏收到礼物后，就对单于说：长期围困，久战不决，也不是个办法。就是占领了汉地，也不是匈奴久居之地。匈奴习惯于快速作战，冒顿原打算一次伏击，就结束战争，结果，相持不决，消耗了不少兵力，使冒顿的决心动摇。另外，冒顿与韩王信部将王黄、赵利约定，共同在白登合击汉军，其后，约会日期已过，却没有等到韩王信的军队。于是，冒

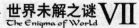

顿有点猜疑，怕韩王信再与刘邦联合起来，腹背受敌，就逐渐放松了对汉军的围攻，准备撤军。正好当时起了大雾，无法交战，冒顿收回兵马，主动让开包围圈的一角。刘邦乘着大雾，命令士兵持强弩，发满弓，从匈奴解开的围角冲出，顺利地进入平城，与主力部队会合。冒顿见汉军突围而去，也带领大军撤退而走。

更有一些人说，陈平用数百个傀儡做成美女登城的样子，阏氏看见之后，怀疑是汉军献给单于的，惟恐夺了自己的宠幸，因此才为汉军解了围。

白登之战是中国古代战争史上双方均倾全力之决战，却绝无仅有地戏剧般收场，汉高祖刘邦的脱身之术也就成了千古之谜。

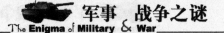
恒逻斯战役之谜

恒逻斯战役在中国的历史上是比较著名的。因为根据一些历史学家的论点，此战是中华古文明向西方输出的伟大里程碑，从此中国的造纸术和火药传到了西方。

公元751年（唐玄宗天宝十年），恒逻斯战役在唐王朝与阿拉伯帝国阿拔斯王朝之间爆发，这场战争的地点在现在的哈萨克斯坦塔拉兹市附近。恒逻斯之役是阿拉伯人夺占中亚细亚的著名战役。

恒逻斯战役的起因是西域藩国石国"无蕃臣礼"，唐安西节度使高仙芝领兵征讨，石国请求投降，高仙芝假意允诺和好；但是不久高仙芝即违背承诺，攻占并血洗石国城池，掳走男丁，格杀老人、妇女和儿童，搜取财物，而且俘虏石国国王并献于阙下斩首。侥幸逃脱的石国王子遂向大食（阿拉伯帝国）的阿拔斯王朝（中国史书称之为"黑衣大食"）求救。

有消息说大食援军计划袭击唐朝西域四镇，高仙芝的反应是采取先发制人之策，主动进攻大食。鉴于当时唐帝国在西域的影响，有许多葛逻禄及拔汗那国的军卒参加大唐的军队，组成的大唐联军有三万多人（另有说法为七万人），其中唐兵占2/3。高仙芝率领大唐联军长途奔袭，深入七百余里，最后在恒逻斯与大食军队遭遇。于是，一场历史上著名的战役——恒逻斯战役打响了。

在恒逻斯战役中双方相互厮杀，战斗持续五日。其间大唐联军的葛逻禄部见势不妙，反水倒向大食，高仙芝受到大食与葛逻禄部两面夹击，无力支撑而溃不成军。副将李嗣业劝高仙芝弃兵逃跑，途中他们还恰逢同属大唐联军的拔汗那兵也溃逃至一处，兵马车辆拥挤堵塞道路，李嗣业惟恐大食追兵将及，挥舞大棒毙杀拔汗那军士，高仙芝等人才得以通过。《资治通鉴》亦有如下记载："右威卫将军李嗣业劝仙芝宵遁，道路阻隘，拔汗那部众在前，人畜塞路；嗣业

前驱，奋大梃击之，人马俱毙，仙芝乃得过。"李嗣业在溃逃途中还被别将段秀实撞上，段斥责李为"惮敌而奔，非勇也；免己陷众，非仁也。"备感羞愧的李嗣业于是与段秀实收拾唐军残卒向安西逃遁。此役以大食军完胜奔袭问罪的大唐联军为结局，唐3万余士卒除了极少数逃回安息外，其余大部分唐军的去向史书中没有具体记载，下落不明。那么这3万唐军到底哪里去了呢？是被杀，还是被俘，或是逃散？在史书上都没有详细的记载。

近些年来，人们通过对史书中有关这段战役的零星记载，逐渐找到一些线索。在《旧唐书》中的《李嗣业传》中记载说："仙芝大败。会夜两军解。仙芝众为大食所杀。存者不过数千。"这里面所说的是逃回安息的只有数千人，而其余的人都被阿拉伯军队所杀。但是，这是否是真实的情况呢？在阿拉伯人伊本·阿勒·阿西尔关于这场战争的记载中，曾经提到高仙芝所率军队共7万人，其中5万被杀，2万被俘。这与《旧唐书》中所记载的情况是不符的。另外在唐朝政治家及学者杜佑所撰写的《通典》中提到："高仙芝伐石国于恒逻斯川，7万众尽殁。"这和伊本·阿勒·阿西尔的记载完全符合。杜佑是与战争发生同一时代的官员，这段文字也是根据他的亲戚、曾经参加过恒逻斯战役的杜环提供的材料写成的，看来这种说法比较可靠。

据现有的文献记载，有一部分被俘的唐朝官兵被编入了阿拉伯军队，并且远赴西亚作战。杜环是一万余唐军俘虏中的一员，他是作为随军书记官参与恒逻斯战役的。杜环在中亚、西亚乃至地中海沿岸等大食境内游历、居住有十多年之久，是中国历史上有据可考的第一个到过摩洛哥的人。杜环于公元762年由海路返回中国，并将其游历见闻著作成书，名为《经行记》，为中外文化交往流下了宝贵的记录。《经行记》同时也记载了许多被俘的唐军的下落，除参军作战以外，许多被俘的唐军被阿拉伯当作奴隶使用。有一些留在了中亚地区，而有的则被带到了西亚、北非等地。中国的许多先进的生产技术和文化就是通过这些俘虏传到西亚和非洲的。在当时的阿拔斯王朝的大城市里，杜环不但发现那里已有来自中国的绫绢机杼，还亲眼目睹一些中国工匠（金银匠、画匠及纺织技术人员）在当地工作。早在公元 10 世纪时，阿拉伯学者比鲁尼就曾经写道："中国的战俘把造纸术传入了撒马尔罕，从那以后许多地方都开始造起纸来。"而另一位阿拉伯学者则直接指出纸是由俘虏们从中国传入撒马尔罕的，阿拉伯人就是在这些俘虏中找到造纸工人的。可见中国的战俘教会撒马尔罕人造纸是不容置疑的。

那么这批 1000 多年前出征的唐朝军队，在战争结束后到底去了哪里呢？我们是否可以根据以上的史料记载来判断他们流向西亚，并从侧面为中国文明的向外传播做出了贡献呢？在各种看似真实的记载中，我们无从判断这个历史事件的真实面貌。但是在众多的古代事件中，作为后来的人们又有多少把握认为前人所描绘的历史是准确无误的呢？也许这将成为永远都解不开的谜，而只留下那些不朽的诗篇还在被后人传唱……

安史之乱之谜

安史之乱(755-763年)和藩镇割据形势

安禄山、史思明叛军进军路线
1：2500万

安史之乱是755年至763年发生在唐朝的一次地方割据势力对中央集权的反叛。因叛乱是由安禄山和史思明发动的，所以历史上称这次叛乱为"安史之乱"。安史之乱是唐朝由盛而衰的转折点。

节度使职自睿宗时，仅是统领边防军镇的使职。玄宗为控制和防御周边各族，将节度使增为十个，他们除管军政外，又兼管本道民政及财政，权势积重。玄宗统治后期，政治败坏，中央军备空虚，天宝元年(742)，全国兵数为57万4千余名，边兵竟占49万。安禄山即在此外重内轻、尾大不掉的局面下起兵叛唐。

身兼范阳（今北京西南）、河东（今山西太原）、平卢（今辽宁锦州西）三镇的节度使安禄山，是营州柳城（今辽宁锦州市附近）人，他为人狡诈，善逢迎，因请求做杨贵妃养子，很得玄宗的欢心，并取得信任，官运亨通，是势力最大的军阀。他看到唐玄宗荒淫昏乱，"取而代之"的野心膨胀起来。在表面上，他经常到首都长安，装得对朝廷极其恭顺，骗得唐玄宗的宠信，而在背后却暗自在河北老巢积蓄力量。在范阳城北建筑雄武城，广招兵马；又利用民族矛盾，大搞分裂活动。经过10年左右的准备，于755年11月，安禄山串通部将史思明，以讨伐杨国忠为名率15万兵南下反唐。"安史之乱"爆发。

安军很快就攻占了洛阳，自称大燕皇帝。第二年，唐军在潼关溃败，安禄山便长驱直入长安。唐玄宗匆忙南逃，走到马嵬驿（今陕西兴平），随行的将士在愤怒中杀死了杨国忠，又逼使玄宗绞杀杨贵妃，才肯继续起行，南下至四川。同时，太子李亨逃往灵武（在今宁夏境内），在郭子仪、李光弼等一班西北将领的支

持下，即皇帝位，是为唐肃宗。

后来叛军内部发生分裂，安禄山为儿子庆绪所杀。唐军联同回纥援兵乘机反攻，收复了长安和洛阳。不久安禄山部将史思明杀安庆绪，重新攻陷洛阳，也称大燕皇帝，后又被儿子朝义杀害。于是唐朝再借回纥兵，收复洛阳，史朝义自杀，这场持续了八年的安史之乱才告结束。

安史之乱过去已有千年，但关于"安史之乱究竟是谁引发的"这个问题上，我国学术界一直是争论不休。

一种看法认为是唐玄宗怠于政事。开元后期，由于安定繁荣的日子已久，唐玄宗逐渐丧失了以前那种励精图治的精神。改元天宝后，他开始纵情享乐，宠爱杨贵妃，不问政事，过着"春宵苦短日高起，从此君王不早朝"的淫逸生活。他下面的贵族官僚也是骄奢跋扈、贪赃枉法。荒怠政事，思暮长生，随之而来的决不会是厉行节约，只能是朝廷腐朽、军备空虚，也就是所谓的"心荡而益奢"。

也有人认为宰相误国是导致安史之乱的最大的原因。由于唐玄宗"渐肆奢欲，怠于政事"，这就给宰相专权造成了可乘之机。唐玄宗把朝政之事全部交给宰相李林甫处理。李林

马嵬驿(今陕西兴平)

甫对玄宗事事逢迎，私下却利用职权到处搜刮，专权自恣。李林甫死后，杨贵妃的堂兄杨国忠继任宰相，更是排斥异己，贪污受贿，使政治日益败坏。加上当时土地兼并剧烈，贫富悬殊严重，政治、经济、社会渐呈衰败之象。所以说，统治集团的腐败，给安史叛乱造成可乘之机。

还有人认为导致安史之乱的最大诱因是天下势偏。开元中期以来，良将精兵都戍守北方，使天下之势偏重。而且，节度使权重。每一节度使领若干州，是这个地区最高军事长官，功名卓著者往往可以入朝为相，所以节度使地位颇重。时至开元中后期，"天子有吞四夷之志，为边将者十余年不易，始久任矣；皇子则庆、忠诸王，宰相则萧嵩、牛仙客，始遥领矣；盖嘉运、王忠嗣专制数道，始兼统矣"。后来，安禄山得到宠幸，势力膨胀，兼统三镇，封东平郡王。最终，

杨国忠多次激怒安禄山，"欲其速反以取信于上"，安禄山则"决意遽反"，以"将兵入朝讨杨国忠"为借口，在范阳起兵，终于酿成大乱。

经过安史之乱，唐朝国力大大削弱，其全盛时代也从此结束，只留下了千古疑案任人评说。

赵匡胤陈桥兵变之谜

陈桥，确切的名字应该叫陈桥驿，位于今河南省新乡市封丘县东南部，始建于五代，后晋时已经建村。相传，有一小桥失修，陈姓乡民捐资修复，名陈桥；后周时，设驿站，故名陈桥驿。 公元960年，后周大将赵匡胤在陈桥驿举行兵变，"黄袍加身"，开创了历时三百多年的大宋王朝。陈桥这个小小的驿站

赵匡胤

遂永载史册，名扬中外。北宋京城开封曾设"陈桥门"，陈桥成为北通燕赵的咽喉。

后周显德六年（959年），世宗柴荣突然一病而死，宰相范质受顾命扶助柴荣幼子柴宗训继立为恭帝。这时恭帝年仅7岁（一说5岁），后周出现了"主少国疑"的不稳定局势，一个由殿前都点检、归德军节度使赵匡胤，与禁军高级将领石守信、王审琦等人策划的军事政变计划正在酝酿着。

翌年正月初一，开封城依然到处洋溢着节日的气氛。突然，一匹快马扬尘而来，进北门，穿街衢，銮铃

骤响，直奔皇宫。报号声此起彼伏，重重宫门次第打开，一封十万火急的战报送到了柴宗训的手中。年仅7岁的小皇帝正欢天喜地地与群臣庆贺新年。执掌朝廷大权的符太后听到辽国与北汉联军入侵的消息，忧心如焚。她和范质等人商议一番，慌忙派殿前都点检赵匡胤率兵迎敌。立刻，京城里谣言四起，到处

哄传："出军之日，当立点检为天子。" 第二天，旌旗猎猎，寒风萧萧，6万大军浩浩荡荡开出京城，走到距离开封东北20公里的陈桥驿驻扎下来，兵变计划就付诸实践了。这天晚上，赵匡胤的一些亲信在将士中散布议论，说"今皇帝幼弱，不能亲政，我们为国效力破敌，有谁知晓；不若先拥立赵匡胤为皇帝，然后再出发北征"。据史书记载，当天夜里，赵匡胤喝得酩酊大醉，睡在自己的军帐中一夜没有露面。《宋史》还记载，大军离开开封来到陈桥驿后，军中一名懂星象的小校苗训看到了"日下复有一日，黑光摩荡者久之"。当晚，一帮中高级将领聚到谋士赵普那儿议论纷纷，一直议论到半夜，"夜五鼓，军士集驿门，宣言策点检为天子"。有人提出，"今天我等有进无退，由不得太尉(指赵匡胤)不干"。 初四一大早，各军将领带着部下来到赵匡胤的门外，呼喊声惊天动地，据司马光的《资治通鉴》记载，"将士皆擐甲执兵仗集于驿门……太祖(赵匡胤)惊起，出视之。诸将露刃罗立于庭，曰：'诸军无主，愿奉太尉(指赵匡胤)为天子。'太祖未及答，或以黄袍加太祖之身，众皆拜于庭下，大呼称'万岁'，声闻数里。"赵匡胤却装出一副被迫的样子说："你们自贪富贵，立我为天子，能从我命则可，不然，我不能为若主矣。"拥立者们一齐表示"惟命是听"。赵匡胤就当众宣布，回开封后，对后周的太后和小皇帝不得惊犯，对后周的公卿不得侵凌，对朝市府库不得侵掠，服从命令者有赏，违反命令者族诛，诸将士都应声"诺"！于是赵匡胤率兵变的队伍回师开封。

陈桥兵变一发动，赵普就派人同守备都城的主要禁军将领石守信等人取得了联系，石守信、王审琦等人都是赵匡胤过去的"结社兄弟"，得悉兵变成功后便打开城门接应。当时在开封的后周禁军将领中，只有侍卫亲军马步军副都指挥使韩通在仓卒间想率兵抵抗，但还没有召集军队，就被军校王彦升杀死。陈桥兵变的将士兵不血刃就控制了后周的都城开封。

这时后周宰相范质等人才知道，不辨军情真假就仓促遣将是上了大当，但已无可奈何，只得向赵匡胤跪拜，帮助赵匡胤举行禅代仪式。翰林学士陶谷拿出一篇事先准备好的禅代诏书，宣布周恭帝退位。赵匡胤遂正式登皇帝位，轻易地夺敢了后周政权，改封恭帝柴宗训为郑王。

赵匡胤轻易获得政权，一些史书称原因是："人望固已归之，于时主少国乱，中外始有推戴之意。"赵匡胤似乎原先并不知晓将士们会推戴自己当皇帝，只是事出无奈，被黄袍加身后不得不登大位。《续资治通鉴》记载，赵匡胤率领大军回到开封后，对当时的宰相范质和王溥等人呜咽流涕曰：" 吾受世宗厚恩，为六军所迫，一旦至此，惭负天地，将若之何？"不等范质等开口，列校罗彦环按剑厉声道："我辈无主，今日须得天子！"范质等人面面相觑，而王溥已降阶先

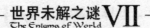

拜，"质不得已亦拜"。 对于这种说法，历代有许多史学家大都不相信，认为所谓"黄袍加身"，是一个精心的策划。一些史学家认为：赵匡胤早已存有颠覆朝廷之意，但是在京城之内筹谋政变，回旋余地小，容易暴露。在离京城不远不近的地方集结军队，易帜反叛，就方便得多。抓住这个统兵机会后，赵匡胤和其弟赵光义以及赵普等人精心准备，组织得相当严密，一步一步，最后篡夺皇位成功，黄袍是他们事先准备的工具之一，史书上写诸将为赵匡胤黄袍加身的时候，赵匡胤还浑然不觉，睡得迷迷糊糊，这完全是在政治作秀！他们进一步分析认为：后周小皇帝即位之初，边境就传来急报。周世宗死前刚讨伐过契丹，契丹哪有能力马上举兵十万再来进犯？就算是契丹进犯，军情紧急，作为主帅为

陈桥兵变遗址

何不连夜奔赴边境，反而走走停停，把军队驻扎在离京师不远的陈桥驿？更难以理解的是，赵匡胤黄袍加身之后，又为何绝口不提讨伐契丹之事？难道宋朝一建立，契丹就闻风而退了？在陈桥驿，就算将士们有心拥戴，但仓促之间，荒野之地，又何来黄袍？后人因此写诗对官方史书的记载表示不屑："黄袍不是寻常物，谁信军中偶得之"。清代学者查慎行有首咏史诗，"梁宋遗墟指汴京，纷纷禅代事何轻；也知光义难为弟，不及朱三尚有兄。将帅权倾皆易姓，英雄时至忽成名；千秋疑案陈桥驿，一着黄袍遂罢兵。"说得也是这个意思。《宋史·杜太后传》记载，杜太后得知其子黄袍加身后，说："吾子素有大志，今果然。"知子莫若母，从杜太后得意的语气中，显然可见赵匡胤对此早有准备。

但是，也有一些学者不同意这些看法，他们根据史书的说法认为，赵匡胤

登上皇位，并非他早有异志，说他是被手下将士所逼出于无奈，有一定的道理；赵匡胤带领大军出发时，开封城内已有传说，将士们将拥立他为天子，后来趁夜深赵匡胤熟睡时，以黄袍加于其身，造成既成事实。这些学者还认为，陈桥兵变前，镇、定两州没有谎报军情，因为这两州守将都不是赵氏集团的成员，他们不可能去配合赵匡胤而谎报辽国与北汉联军入侵的消息。

还有一种观点认为陈桥兵变是赵匡胤效仿后周皇帝郭威的做法。

投军从戎，在后汉枢密使郭威帐下当了一名普通士兵。郭威虽然是一介武夫，但战功卓著，威望极高。赵匡胤从军的第二年，郭威讨伐契丹兵发澶州，众将士伏拜马前，有人顺手扯下一面黄旗披在他身上，拥戴他当了皇帝，建立后周。像这样由军士拥立天子的事，五代时期已发生过两次。而这一次，赵匡胤就在军中，应是亲眼目睹。这件事对他显然会有所影响，所以说陈桥兵变不过是赵匡胤如法炮制、翻版重演。公元954年，郭威病死，他的养子柴荣继位。周世宗柴荣是位很有作为的皇帝，可惜在位仅5年半，便在39岁盛年之际不幸病逝了。临死前，他把赵匡胤提拔为殿前都点检。乱世之中，人人皆可取天子而代之。赵匡胤勇猛善战，位居禁军统帅，已具备操纵废立的实力。他志存高远，仁德宽厚，手下聚集着一批肯为他两肋插刀的武将文士，势倾朝野。柴荣在世时，赵匡胤感念他的知遇之恩，也许不会动篡权谋位之念。而当他面对的是一个年仅7岁的小皇帝时，登基坐殿、成就一代霸业这等美事，恐怕就由不得他不动心了。即使他真的不想，他手下那帮荣辱与共的弟兄想必也不会甘心。

的确，陈桥兵变留下了许多疑点。据说，陈桥镇有一棵赵匡胤当年拴马的老槐树。兵变的前夜，赵匡胤就是在那棵老槐树上拴好战马，转身入帐；而第二天解下战马时，他已由将军变成了皇帝。老槐树千年无语，它不能告诉人们在那个江山易主的骚动之夜，陈桥驿究竟发生了什么。有关兵变的内幕，虽然后人议论纷纷，多有猜测，却无可避免地成了千古之谜。"千秋疑案陈桥驿，一着黄袍便罢兵。"面对诸如此类的诘问，厚重的历史惟有沉默。

抗金名将岳飞被害之谜

在杭州城里有两处最著名的岳飞遗迹，一是风波亭，另有一处便是天下四大岳飞庙之一的杭州岳飞庙了。

这座岳飞庙始建于明朝，位于杭州西湖畔栖霞岭下。殿内是身披戎装的高4.5米的岳飞像，上面挂着岳飞手迹"还我河山"匾额。在岳庙西是岳飞墓，墓道两旁有三对石翁仲和石马、石羊、石虎，也是明代遗物。墓道石阶下，跪着四个反剪双手的铁像，分别是秦桧、王氏、张俊和万俟卨。

岳飞（公元1103年—1142年）是人们熟知的宋代抗金名将，也是中国历史上著名的民族英雄。他字鹏举，相州汤阴人。1142年1月27日，岳飞被毒死于"风波亭"，连同一起被害的还有他的儿子岳云和部将张宪。据说：南宋的另一位名将韩世忠，曾当面质问宰相秦桧："岳飞父子有什么罪？"秦桧含含糊糊地回答："其事体，莫须有。"韩世忠愤愤地说："相公，'莫须有'三字，何以服天下？" 一名叫隗顺的狱卒掩埋了他的遗体。岳飞死后，议"和"很快实现，南宋向金上表割地称臣，金则派使臣册封康王赵构做南宋皇帝。

直到孝宗即位，平反冤狱，才将岳飞墓迁葬在风景秀丽的栖霞岭下。然而，谋害岳飞的元凶到底是谁？却成了不可确指的千古之谜。

几百年来，到岳飞庙悼念岳飞的人们都要唾骂奸臣秦桧。岳飞为秦桧所害，这似乎已成为不容置疑的铁案。据考证，秦桧在京都失守后被金兵带到北方，很快成了完颜昌的亲信。1130年10月，秦桧神秘地回到了宋朝（南宋）并声称是杀死监守金兵，逃回来的，但据《大金国志》记载：秦桧当时任金人参议军事、随军转运使。秦桧还宋，也是金国贵族会议决定的，目的是要他促成"和议"，因此：

一从权力的归属来看：身为南宋宰相的秦桧，实质上也是女真皇族派到南宋中央的一个代理人，这种双重身份，使他必然成为南宋王朝降金政策的主要炮制者兼推行者，也只有他，才具有"挟虏势以要君"的权力，玩弄赵构于股掌之上。

二从降金政策的执行来看，抗战派及那些拥兵自重的将领，是降金政策执行的主要障碍。因此，削夺他们的兵权乃至危害他们的生命，是秦桧执行整个投降政策的一个必然部分。岳飞兵力最强，战功最大，反对投降最坚决。他当然就成了秦桧杀害的首选对象。

三从历史记载上来看：《宋史·刑法志二》明确记载："十一年，枢密使张俊使人诬张宪，谓收岳飞文字，谋为变。秦桧欲乘此诛飞，命万俟卨锻炼成之。飞赐死，诛其子云及宪于市。……名为诏狱，实非诏旨也。"这段话的意思是秦桧假传圣旨，矫诏杀害了岳飞等人。

《建炎以来系年要录》中记载，高宗赵构在绍兴二十五年下诏说："此年以来，多是大臣便作'已奉圣旨'，一面施行。自今后，三省将上取旨。"既然在取诏前，大臣就可以声称"已奉圣旨"先行施行，那么，矫诏的可能性是存在的。

但是，最近有人提出杀害岳飞的元凶并不是秦桧，秦桧只不过是这个元凶手下的一个鹰犬。高宗皇帝赵构，才是真正的凶手，只有他，才有权下令杀害岳飞。其理由如下：

第一，秦桧没有杀岳飞的权力。有人指出，当时秦桧虽然很受高宗的信任，但还没到摆布高宗地步，因此也不能为所欲为地恣意铲除异己。绍兴九年，秦桧正积极对金议和，枢密院编修官胡铨上书反对，并请求皇帝"斩秦桧之头挂诸街衢"。秦桧对此人恨之入骨，但也不敢任意杀害他。由此可知，对战功赫赫的岳飞，他更不可能擅自处置了。第二年，金兵违背和议，一举攻占了河南地区，秦桧惶惶不可终日，深怕高宗因此迁怒于自己的议和政策，他此时惶恐不安，正是自保不足的时候，因此，他没胆子背着高宗杀害岳飞。需要说明的是，岳飞的狱案又称作"诏狱"，程序严密，外人无法插手。这样，即便秦桧权力再大，公开"矫诏"杀人也是不合情理的。

第二，秦桧及刑部主审岳飞一案，曾上书定岳飞、张宪死罪，但并没有定岳云死罪。可上书赵构后，岳云也没能幸免于难。由此可见生杀大权还是在高宗之手。

第三，秦桧死后，赵构对许多秦桧陷构的案件恢复了名誉，惟独对岳飞一案迟迟不肯平反。当朝许多大臣上书，请求为岳飞昭雪，而赵构依然置之不理。赵构还不止一次地告诫臣下，对金议"和"是出于他本人的决策，不许非议，岳飞当然就成了这一总的国策的牺牲品，秦桧只是一只执行这一总国策的可恶的鹰犬。

民间对岳飞被诛杀的原因有着许多演义，最典型的当属说岳飞是徽宗四皇子，才招致杀身之祸，对于一种说法，尽管没有更多的证据，并且颇多漏洞，史

学家们对于此说法既没有肯定，也没有断然否定。对岳飞充满了幻想而有陷于光复无望的人们很愿意相信正因为岳飞是赵构的哥哥，和赵构有同等的皇位继承权，而且才干和人望都在赵构之上，赵构才非杀岳飞不可。正因为岳飞是赵构的哥哥，秦桧才觉得罪名难下，糊里糊涂地说了个"莫须有"。

那为什么皇子岳飞流落到汤阴县去呢？故事大概是这样的：宋徽宗的时候，皇宫里有个姓姚的宫女，在三十多岁的时候，因为一个偶然的机缘，怀上了皇帝的孩子。为了保证皇家血统的纯洁，姚氏借在崇宁元年十二月，皇上要放一批宫女出宫的机会，乔装打扮混在那些宫女里面，出了皇城。逃出开封府，崇宁二年二月十四日，姚氏生了岳飞，然后带着孩子一直流落到了河南汤阴县，正碰上发大水，便编出了被大水冲到这里的谎话，然后在当地居住了下来。岳飞一天天长大。关于"岳飞"这个名字，"飞"者"非"也，那岳飞到底姓什么呢？如果岳飞真是皇子，那就只能是姓"赵"了。后来发生了"靖康之变"，宋徽宗被金人抓走了，姚氏心急如焚，每次见了岳飞都提醒他一定要"迎回二圣"。岳飞从军之后，逐渐成长为南宋独挡一面的大将。这时的赵构还蒙在鼓里，绍兴九年正月，金国宿州守臣赵荣来到南宋小朝廷，并带回了大量宋徽宗的遗物。赵

构一见大惊，忙派自己的心腹秦桧以修徽宗实录为名，好好检查一下所有的宫廷文件。这已经是三十多年的旧文件了，而且在战乱中又丢失了不少。不过秦桧也是个能人，似乎找到了什么证据。岳飞终于大祸临头，作为皇子的他很快就遭到了赵构的毒手。

那么，赵构为什么要杀害岳飞呢？而且宋太祖赵匡胤曾传下秘密誓约，规定后世子孙"不得杀士大夫及上书言事人"，"子孙有逾此誓者，天必殛之"。在北宋历朝，这条誓约执行得非常严格，赵构为何敢违约破例？这在认为赵构是杀害岳飞元凶的学者中存在着争议。

有的学者认为"帝之忌兄，而不欲其归"。高宗眼见岳飞一心要"迎二圣"，而徽、钦两帝一旦回来，自己的皇位就不保了。他害怕中原光复，因而杀了岳飞。

另一部分学者则认为并不是"迎二圣"。赵构杀岳飞，主要原因是怕他在外久

握重兵，跋扈难制，危及自己的统治，对武将的猜忌和防范，是赵宋王朝恪守不渝的家规。只要武将功大，官高而权重，就意味着对皇权构成威胁。岳飞个性刚强，"忠愤激烈，议论不挫于人"，不容易与人合作。绍兴七年（公元1137年），他上书奏请高宗立储："乞皇子出阁，以定臣心。"同年，他又因守母丧，未经高宗批准便自行解职，把兵权交给张宪。这两件事犯了高宗的大忌。再加上高宗曾在金营作人质，又有从扬州南渡等惊险经历，对金兵始终心存恐惧。对战争前景，他既怕全胜，又怕大败。胜则怕武将兵多，功高而权重，败则怕欲为临安布衣而不能。他想当个安安稳稳的太平皇帝，因此一心求和。所以，秦桧利用岳飞部下的告密来证明岳飞的跋扈，正好迎合了赵构害怕岳飞立盖世之功、挟震主之威的心理，加上岳飞又是反对和议最强烈的主战派，故而下令杀

了岳飞。

明代，诗人文征明在岳庙题了一首著名的《满江红》：

拂拭残碑，敕飞宇，依稀堪读。慨当初，倚飞何重，后来何酷！岂是功成身台死，可怜事去原难赎。最无辜，堪恨更堪怜，风渡狱！

岂不惜，中原蹙，岂不念，徽钦辱，但徽钦既返，此身何属。千载体谈南渡错，当时自怕中原复！彼区区，一桧亦何能，逢其欲！

1139 年，宋金议和成立，在承诺了一系列的屈辱条件后，金人归还了徽宗的棺木以及赵构的生母韦太后。至于还活着的钦宗，高宗根本没有提过归还的要求，钦宗只得以囚徒身份老死他乡了。

历史的车轮走到今天，我们的耳边仍然回荡着岳飞的那首千古绝唱的名词《满江红》：

怒发冲冠，凭栏处，潇潇雨歇。

抬望眼，仰天长啸，壮怀激烈。

三十功名尘与土，八千里路云和月。

莫等闲，白了少年头，空悲切！

靖康耻，犹未雪。

臣子恨，何时灭？

驾长车，踏破贺兰山阙！

壮志饥餐胡虏肉，笑谈渴饮匈奴血。

待从头，收拾旧山河，朝天阙！

成吉思汗的铁骑横行亚欧大陆之谜

成吉思汗

成吉思汗（1162年—1227年），蒙古开国君主、著名军事统帅。成吉思汗是他的称号，他的真名叫铁木真，意为"钢铁"，姓孛儿只斤，蒙古乞颜氏。众所周知，成吉思汗是一位叱咤风云、显赫一世的蒙古族英雄，同时又是一个在国内外史学界、政治界乃至平民百姓中很有争议的人物。七八百年以来，中外各国的政治家、军事家和名人学者从不同角度研究和探讨这位伟大人物，留下了不计其数的名言与论著。

蒙古骑兵向来所向披靡，百战百胜，攻城掠地，少有败绩。13世纪，成吉思汗的子孙们征服了亚欧大陆的大部分。于是，人们不禁要问，一个只有100多万人口、10多万军队的民族战胜了拥有几千万人口、数百万大军的金国、南宋、花剌子模和欧洲联军。蒙古骑兵战无不胜，攻无不克的秘密是什么？成吉思汗为何能在短短六七十年的时间里，攻取那样广大的地区，并且攻必取，战必胜呢？西方史学家经过长期研究得出的结论是："当时蒙古军队的武器比别人更精良而且更适合于实战使用；成吉思汗兵制比较完善，军纪严明，将领多巧于计谋，擅长兵法和战略。"（《大统帅成吉思汗兵略》，234页，呼和浩特，内蒙古人民出版社，1991）所以，蒙古骑兵打起仗来非常勇猛，快速灵活，当然所向披靡，无可匹敌。

蒙古骑兵都是当时训练得最好的士兵。他们从小就被送入戈壁沙漠中严厉的学校，进行严格的骑马射箭训练，因此，他们成为具有坚韧的耐力和毅力的老兵，具有驾驭马匹和使用武器的惊人本领。他们很能吃苦和忍耐严酷的气候条件，不贪图安逸舒适和美味佳肴。他们体格强壮，只要一点点或者根本不需要医疗条件，就能保持健康，适应战斗的需要。各单位的指挥官都是根据个人的才能和在战场上英勇的表现选出的。他对自己的部队拥有绝对的权威，同时受其上级同样严格的控制和监督。随时服从命令是他们的天职，人人都能严守不怠，纪律已形成制度，这在中世纪时期的其他军事组织是不可能有的。

在作战原则和战法上，成吉思汗部队的机动性从没有其他的地面军队能与

　　之匹敌。13世纪，欧亚等国的军队多以步兵和重骑兵为主，而蒙古军队却是清一色的轻骑兵。轻骑兵具有突击力强、灵活多变的特点，适合远程奔袭。重骑兵防护性能好，机动性差，适合阵前对抗。所以，蒙古军的轻骑兵，恰如"二战"中机械化部队，它常以绝对的军事优势，迫敌解除武装。这就使成吉思汗时代所营造的战场，完全是一种飓风式战场。如果把它与"二战"中德国的"闪击战"作对比，就会发现在成吉思汗指挥的战争中有与德国"闪击战"相似的内容。当时欧洲人对成吉思汗子孙的惧怕，从某种程度上是出于一种本能的反应，因为并不清楚蒙古人为什么不可阻挡，有人甚至把蒙古军后来因窝阔台去世而退兵之举，归结于他们教皇和皇帝的英明。后来法国的拿破仑对此有独到的见解，他认为蒙古军西征，不是亚洲的散沙在盲目地移动，而是有严密军事组织和深思熟虑的指挥。由于他们比对手更快因而才能所向无敌。

　　此外，蒙古大汗还有一种最有力的武器，就是蒙古兵学中的大迂回战略，它是成吉思汗及其子孙们在长期的征战中所形成的作战韬略之一。蒙古军的迂回战略源于蒙古族的围猎。他们把围猎中的技艺，娴熟地运用到战争中，许多坚固的城堡，变成了他们围困中的野兽。因此，蒙古军队大迂回战略的突出特点是：它不以击溃敌人就算到战争目的，而是用猎人那双狡黠、深邃的眼睛，盯着敌人的后方，以左右包抄的方式，将敌人包围，从不给对方留下一条逃生的出路。即

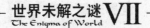

使留有一条生路，那完全是一种战术运用。这种大迂回战略，与古代其他军队的进攻方式大相径庭，它不直接对敌列阵挑战，而是更讲实际，手段更隐蔽。并力图在使用力量之前，先施"计谋"将对方制服，与孙子的"诡道"思想一脉相承。

还有最重要的一点。成吉思汗及其子孙，能在脱离根据地作战的情况下屡建奇功，就在于它"羊马随征，因粮于敌"。古人云："兵马未动，粮草先行。"但蒙古军队有一套独特的、与此不同的后勤保障体系，从而保证了蒙古军队的远征。游牧民族"逐水草迁徙，毋城郭常处耕田之业。"（《史记匈奴传》）从某种意义上讲，人物合一，完全是受生存条件的驱使。蒙古人行军打仗，以反牲畜走到哪里，人跟随到哪里的游牧常规，而是军队走到哪里，羊马也驱逐到哪里，这就从根本上解决了部队的军需供给问题。《蒙鞑备录》记载：蒙古军队"食羊尽则射兔鹿野豕为食，故屯数十万之师不举烟火。"这说明成吉思汗的军队在自带食物耗尽时，依然有强大的野战生存能力。正因为有了超常的生存潜力，与敌较量就有了超常的战斗力，战争机器也有了连续运转的动力。

关于成吉思汗的铁骑，还有一个让人难解的谜就是：成吉思汗已攻下大半个欧亚大陆，为什么强大的蒙古骑兵未能踏入印度境内，并很快撤军了呢？

据《元史》和《耶律楚材传》记载，促使成吉思汗回马班师的原因与成吉思汗在印度河遇到了一种叫角端的怪兽有关。当年成吉思汗的部队攻到印度河，遥见河水蒸气磅礴，日光迷蒙。将士们口干舌燥，纷纷下骑饮水，可是河水热度似沸，不能入口。这时将士上下怨声不断，恨不得立刻驰归。耶律楚材正想再次进谏，忽见河滨出现一大怪兽。成吉思汗命令将士准备弯弓射杀，忽然听到响声，酷似人音，仿佛有"汝主早还"四字。耶律楚材立即阻止弓箭手，乘机对成吉思汗说这种瑞兽名叫角端，是上天派来儆告成吉思汗为了保全民命，尽早班师的！成吉思汗于是奉承天意，没有行进，回马班师。八剌亦即日北归。会师后，成吉思汗率军返回蒙古。

关于这段史实的记载有人认为是一个神话，但有历史学家认为，奇形怪兽是可能的，而且印度地方有些兽类蒙古人并未见过。至于把怪兽的叫声说成是"汝主早还"的话，那是耶律楚材牵强附会，借怪兽的叫声规劝成吉思汗班师的手法。关于蒙古骑兵为何惟独不取印度的具体原因，因历史久远，已无法准确考证，所以只能是个不解的谜。

不管如何，成吉思汗和他的铁骑统一了蒙古各部，在历史上起了很大的进步作用。攻金灭夏，为元朝的建立奠定了坚实的基础。

一代天骄将草原的旋律借助雷鸣般的马蹄传到了西亚东欧，奏出了宏伟的乐章……

明与后金萨尔浒之战之谜

"明朝衰亡，后金兴起，'肇于是战'"，公元1619年发生的萨尔浒之战，是明朝与后金政权在辽东地区进行的一场具有决定意义的战略会战。纵观明和后金在萨尔浒之战中的战略、战术指导上的不同特点和战争的最终结果，可以充分体会到兵法中的"胜兵若以镒称铢，败兵若以铢称镒"的真切含义。

爱新觉罗·努尔哈赤

明朝对女真各部的统治，一面以羁縻政策笼络其首领，封官晋爵赏赐财物；一面分化女真各部，使其互相对立，以便分而治之。后来由于对女真的政治压迫和经济剥削不断加剧，引起了女真人民的强烈不满和反抗。万历四十四年(1616年)，努尔哈赤建立后金，年号天命，称金国汗，以赫图阿拉(今辽宁新宾县西老城)为都城。后金政权的建立，实际上标志努尔哈赤正式宣告与明朝分庭抗争。努尔哈赤利用这种不满情绪，积极向明辽东都司进行袭扰。

明朝晚期，因忙于镇压关内人民起义，无力顾及辽东防务，驻守辽东的明军，训练荒废，装备陈旧，缺粮缺饷，虚额10余万，实有兵不过数万。加上长期处于和平环境，守备又极分散，军队战斗力差。万历四十六年（1618年）正月，努尔哈赤趁明朝内争激烈、防务松弛的时机，决意对明用兵。努尔哈赤在万历四十六年二月召集贝勒诸臣讨论方略，具体制定了攻打明军、兼并女真叶赫部、最后夺取辽东的战略方针。尔后厉兵秣马，扩充军队，刺探明军军情，积极从事战争准备。

经过认真准备和周密计划后，努尔哈赤便按既定计划开始了行动。四月，努尔哈赤以"七大恨"誓师，历数明廷对女真的七大罪状。"七大恨"的主要内容是指责明朝杀父、祖，援助叶赫和驱逐边堡的女真农人，以此作为对明动武的借口。努尔哈赤率步骑攻打明军，并很快攻下了抚顺城。

明廷在辽左覆军损将后，决定发动一场大规模的进攻后金的战争，企图一举消灭建立不久而势力日盛的后金政权。明任杨镐为辽东经略，调兵遣将，筹饷集粮，置械购马，进行战争准备。

万历四十七年(1619年)正月，明帝颁发"擒奴赏格"：擒斩努尔哈赤者，赏银一万两，升都指挥使世袭，擒斩努尔哈赤之子代善、莽古尔泰、皇太极、阿巴泰及其孙杜度等"八大总管"，赏银2000两，升指挥使世袭。幻想着"重赏之下，必有勇夫"。明朝还与朝鲜取得联系，欲借重于朝鲜的兵力，合击后金。朝

鲜派出了元帅姜弘立、副元帅金景瑞率三营兵马13000人过鸭绿江来援助。

万历四十七年(1619年)二月，明各路大军云集辽沈。经略杨镐制定了作战方案，即以后金政治中心赫图阿拉为目标，分进合击，四路会攻。北路由总兵马林率领，自开原出三岔口；西路为主力，由总兵杜松率领，自沈阳出抚顺关；西南路由总兵李如柏率领，自清河出鸦鹘关；南路由总兵刘挺率领，会合朝鲜兵，出宽奠。杨镐坐镇沈阳指挥。想一举围歼后金军。

努尔哈赤探悉明军分进合击的企图后，决定采取"凭尔几路来，我只一路去"的对策，集中八旗军精锐，先破明西路军，以少量兵力抵御其余三路，尔后相机各个击破。三月一日，杜松部进至萨尔浒(今辽宁抚顺东)，分兵为二，以主力驻萨尔浒附近，自率万人进攻吉林崖。努尔哈赤率兵进攻萨尔浒的杜松部，两军交战，中午以后，天色阴暗，杜松部点燃火炬照明以便进行炮击，后金军由

暗击明，攻占杜军营垒，杜军主力被击溃，伤亡甚众，杜松阵亡。西路军全军覆没。

明西路军被歼后，南北两路明军处境十分不利。北路马林部进至尚间崖（在萨尔浒东北），得知杜松部战败，令军队就地防御。努尔哈赤迎击马林部。后金以骑兵一部迂回到马部阵后，两面夹攻，大败马林部，夺占尚间崖，北路明军大部被歼。

此时，南路军尚不知西路、北路已经失利，仍按原定计划向北开进。努尔哈赤事先在阿布达里岗设下埋伏，刘挺先头部队进至阿布达里岗时，遭到伏击，刘挺兵败身死。

坐镇沈阳、掌握着一支机动部队的杨镐，得知西、北、南三路大军均吃败仗后，慌忙急檄南路李如柏部撤兵。李如柏部在回师途中，又为小股后金军骚扰，李如柏部军士惊恐逃奔，自相踩踏，死伤千余，才逃脱了被后金军聚歼的悲惨命运。至此，萨尔浒之战落下了帷幕。

在这次战争中，后金努尔哈赤表现了杰出的军事才能，运用集中兵力、各个击破的正确作战指导，取得了辉煌的胜利，从而根本的改变了辽东的战略态势：明朝方面由进攻转为防御，后金方面由防御转为进攻。后金军在萨尔浒之战的胜利，不但使其政权更趋稳固，而且从此夺取了辽东战场的主动权。而明军自遭此惨败，完全陷入被动，辽东局势顿时告急。萨尔浒之战之后，后金军乘势攻占开原、铁岭，征服了叶赫部。明由轻忽自大变为软弱妥协。消极保守的战略思想占了主导地位，直至最后清叩关而入，明朝灭亡。

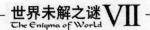

　　明与清（后金）之间的萨尔浒决战是 17 世纪初的一场大搏斗。但在萨尔浒之战中双方究竟各投入多少兵员，迄今仍是一个谜。清朝文献一会儿说"杨镐以二十万兵，号四十七万"（《清太祖武皇帝实录》，卷 3）；一会儿又说"以二十七万兵，号称四十七万"（《清太祖朝老满文原档》）他们总是往多说，以讥笑杨都堂失败之惨和他们自己胜利之巨大。

　　后金击败明军四路进攻，确系以少胜多。后金兵数到底有多少，也很难确知。从明朝采取"分进合击"的战略来看，明朝的兵数肯定超过后金兵数。战后努尔哈赤那番高兴的谈话，也流露出他们打了胜仗并非靠兵员数目之多。说出他们兵员数目的记载，有明朝辽东经略杨镐的一份奏疏。他说："盖奴酋之兵，据阵上所见约有十万。"（《明神宗实录》）但是这个说法不准确。因为那时李如柏、刘两路尚未与后金兵大战，不可能有人见到他们的全部兵员。

　　所以，明与后金投入战斗的具体人数究竟有多少，也只能是个解不开的谜了。

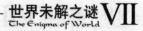

近代战争之谜

哈布斯堡

三十年战争之谜

16 世纪后期和 17 世纪初，欧洲社会资产阶级势力抬头，资产阶级新贵族和封建专制相对立，各国之间政治经济矛盾发生冲突，封建王朝及诸侯的领土之争以及宗教派别的矛盾也日益尖锐。而此时的德意志仍处于诸侯割据状态。各邦诸侯因信仰不同和教产矛盾林立纷争不断，宗教改革运动之后分别组成新教联盟和天主教联盟。为了与对方抗衡，双方均寻求外国势力支持。而已形成统一集权国家的英、法、西班牙等欧洲大国正在谋求对外扩张，遂把地处欧洲中心、具有重要战略位置但又四分五裂、日趋衰落的德意志作为角逐目标。

1618 年 –1648 年，欧洲两大强国集团——哈布斯堡王朝集团与反哈布斯堡王朝集团为争夺霸权的全欧国际性战争，以德意志为主要战场。17 世纪初期，奥地利哈布斯堡王朝是欧洲封建制度的主要维护者，它竭力加强在其统治下的"神圣罗马帝国"，谋求欧洲霸权，但遭到新教诸侯的反抗。德意志国内矛盾给欧洲列强以可乘之机，法国、丹麦、瑞典、英国和俄国怀着不同的目的先后介入，逐步形成两大集团：由奥地利、西班牙、德意志天主教联盟组成的哈布斯堡集团，得到罗马教皇和波兰支持；由法国、丹麦、瑞典、荷兰、德意志新教

布拉格窗口事件

联盟组成的反哈布斯堡联盟，得到英国和俄国支持。

战争从 1618 年波希米亚（今捷克）爆发民族起义，反对神圣罗马帝国皇帝任命天主教徒斐迪南为捷克国王开始，到哈布斯堡王朝集团失败，于 1648 年双方签订《威斯特伐利亚和约》为止，持续达 30 年之久，故史称"三十年战争"。

1618 年 5 月 23 日，在布拉格召开的波希米亚等级会议上，新教贵族代表们抗议宗教迫害，将几个皇家官吏掷出窗口，是为"布拉格窗口事件"，同时成立由 30 人组成的临时政府，宣布捷克独立。次年 6 月，起义军包围维也纳，但在神圣罗马帝国和西班牙军队侵入捷克后撤退。8 月，捷克议会选举新教联盟首领、普法尔茨选侯弗里德里希为捷王。1620 年 9 月，天主教联盟军 2.4 万人在 J. T. 蒂利伯爵率领下侵入捷克，于 11 月 8 日在布拉格附近的白山击败新教联盟军和捷克起义军（约两万人），布拉格陷落。捷克再度沦为哈布斯堡王朝领地，起义惨遭镇压。年底，西班牙出兵普法尔茨。1621 年 -1623 年，蒂利回师击败普法尔茨新教诸侯军队。

1625 年 2 月，丹麦在英、荷、法支持下，以援助德意志新教联盟为名出兵德意志，占领卢特城。与此同时，曼斯菲尔德率英军进占捷克西部。神圣罗马帝国皇帝起用瓦伦斯坦为武装部队总司令。1626 年 4 月，瓦伦斯坦在德绍击败英军。8 月，蒂利军收复卢特城。随后，两军协同直捣日德兰半岛(1627)，进而攻占梅克伦堡、波美拉尼亚(1628),迫使丹麦签订《吕贝克和约》(1629),保证不再干涉德意志事务。

　　1630年,瑞典以反对敕令为名,发动瑞典战争。神圣罗马帝国皇帝和天主教联盟势力向波罗的海发展,引起瑞典不满。在法国支持下,瑞典国王古斯塔夫二世?阿道夫于1630年7月率兵在奥得河口登陆。此时,天主教阵营发生内部矛盾,瓦伦斯坦被免职,瑞军迅速侵入德意志中部。1631年9月17日,瑞典－萨克森联军在布赖滕费尔德之战中重创蒂利军。瑞典军向西推进到莱茵河畔,萨克森军攻陷布拉格。1632年春,瑞典军回师巴伐利亚,在莱希河之战中击毙蒂利。4月,皇帝再次起用瓦伦斯坦。瓦伦斯坦重组军队收复布拉格(5月),出师巴伐利亚(9月),迫使瑞典军撤向萨克森。11月16日在吕岑之战中,瓦伦斯坦战败,损失惨重,古斯塔夫二世战死。1634年,皇帝在西班牙军队支持下,在讷德林根大败瑞典军。瑞典军被迫北撤。1635年5月,同瑞典结盟的萨克森和勃兰登堡与皇帝缔结《布拉格和约》。

　　瑞典军战败,促使法国直接出兵。法军在德意志、尼德兰和意大利同时采取行动,留在德意志北部的瑞典军队乘机再次侵入德意志中部和南部。法军在意大利重创西班牙军队,切断西班牙与尼

波希米亚(捷克)城堡

德兰的陆上联系;在尼德兰与荷军协同作战,夺取阿图瓦等地。在德意志,法瑞联军占领阿尔萨斯等地,瑞军重新控制梅克伦堡。1643年5月19日,孔代亲王率领法军2.3万人,在法国北部边境的罗克鲁瓦同梅洛将军指挥的西班牙军2.7万人遭遇。法军迂回敌后,攻击对方骑兵并以炮火轰击敌步兵,歼敌1.5万余人。1645年3月,瑞军在捷克南部的扬科夫重创神圣罗马帝国军队。8月,法军在讷德林根打败神圣罗马帝国军队。1648年5月,法瑞联军在楚斯马斯豪森交战

中获得巨大胜利。神圣罗马帝国皇帝无力再战，被迫求和。直到1648年10月24日，才签订《威斯特伐利亚和约》。根据条约，法国获得阿尔萨斯地区、麦茨、土尔、凡尔登等；瑞典获得西波美拉尼亚，并控制了德意志北端的波罗的海沿岸地区；德皇盟国西班牙衰弱，葡萄牙脱离西班牙独立；荷兰和瑞士的独立被确认。战争使德意志的经济遭到很大破坏，其内部的分裂局面更为严重。威斯特伐利亚和会和和约创立了以国际会议解决国际争端的先例，并在实践上肯定了民族国家主权至上的原则。

三十年战争是第一次对立集团间爆发的欧洲大战，战争以反哈布斯堡集团的胜利结束，欧洲霸权转入法国之手。此次战争在军事学术上有许多发展：战争初期，欧洲一些国家常备雇佣军兵员的补充开始由招募制向征兵制过渡，战争中盲目扩军财力无法负担导致了大规模抢劫和巨大的破坏，战争中一些新兴国家逐渐实行征兵制，建立了有后勤体系的常备军，提高了军队持续作战的能力，各国后来都相继颁布了不得侵犯个人财产的条令。军队编制逐渐精干和武器的发展也逐渐轻型化，适应了机动作战的要求；炮兵成为独立兵种并广泛用于野战。实施战区机动进行决定性交战成为主要作战形式；切断对方供应成为战略行动的重要手段；会战中集中兵力实施一翼突击战术发挥了威力。军队供应体制开始由征收军税制向建立统一供应基地发展。古斯塔夫对军队和战术进行了改革，火枪手的数量首次超过了长矛兵，采用了集中使用炮兵进行火力准

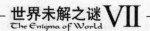

备，继而用骑兵突击，最后由步兵扩大战果击败敌军的三段式战法，成为滑膛枪时代的标准战法。

战争中涌现出一批有才干的军事将领，他们的军事理论和实践对后来欧洲军事学术及军队建设的发展有重大影响。

三十年战争对近代欧洲国际社会的形成和发展具有极其重要的意义，重要表现在它彻底削弱了神圣罗马帝国，确认了欧洲主权国家体系的存在，同时还有力的促成了近代国际法体系的诞生。

所以有人说，"三十年战争"其实并非一场战争，而是由多个国家、多种原因及无数场战争组成的一连串战争的统称。就战争性质而言，它是一个世纪间不断积累的宗教论争和长期世俗利益冲突的必然结果。

俄国普加乔夫起义之谜

普加乔夫起义发生于1773年—1775年。领袖普加乔夫（1740年—1775年），顿河哥萨克人。参加过七年战争和1768年—1770年的俄土战争，曾任少尉。

8世纪下半叶，俄国农奴制发展到顶峰，封建压迫和剥削更加残酷，1768年开始的俄土战争加重了人民的负担。1773年9月，普加乔夫集结了80名哥萨克在乌拉尔河西岸的托尔卡乔夫田庄起义。他利用群众中存在的怀念"善良沙皇"的心理，僭称彼得三世，宣布废除农奴制度，取消人丁税，将土地、牧场、池塘和森林赐给贫苦农民，因而受到人民群众拥护。10月15日，起义军到达奥伦堡城下，开始了长达170天的围困战。1774年初，起义军已达5万余众，农民战争波及乌拉尔大部地区。1774年1月，叶卡捷琳娜二世派大批正规军镇压起义军。3月，在塔季谢沃战役中普加乔夫打退沙皇军队，起义军也损失过半。4月初，起义军在萨克马尔斯克镇附近战败。普加乔夫带领几百人转移到乌拉尔南部和巴什基尔矿区，在同增援的雅伊克镇哥萨克会合后，起义军又向卡马河和伏尔加河一带转移，7月23日占领喀山城。几天后，遭到沙皇军队的围攻，被迫转移到伏尔加河西岸地区，重新发动和组织农民。1774年8月，起义军攻下萨拉托夫，围困察里津。9月3日在察里津附近为苏沃洛夫所败。普加乔夫带领200多人东渡伏尔加河，撤向南方草原地带。9月25日，普加乔夫被叛徒出卖，1775年1月21日在莫斯科沼泽广场被杀。

普加乔夫起义是俄国历史上最后一次大规模的农民起义。在此之前，俄国还先后爆发过三次大规模的农民起义：波洛特尼科夫起义(1606年—1607年)、拉辛起义(1667年—1671年)和布拉文起义(1707年—1709年)。在这四次大规模的农民起义中，究竟哪一次农民起义是俄国历史上最大的农民起义呢？学术界在这个问题上迄今尚无定论。

一种观点认为，普加乔夫起义是"俄国最大的农民起义"，或"俄国历史上规模最大的农民战争"。例如，早在1935年译成中文出版的迈斯基的《俄国史》一书中认为，普加乔夫起义是1905年以前俄国平民阶级的最大社会风潮。1956年出版的《苏联史纲》中说，按照所囊括的地域的面积，所吸引的人民群众的数量，猛烈攻击的威力和神速，普加乔夫领导的农民战争不仅是俄国，而且是全欧洲历史上农奴制农民最大的一次运动。20世纪50年代初、中期出版的《苏

叶卡捷琳娜二世

联大百科全书》(第2版)和《苏联百科词典》(第1版)的有关条目也认为普加乔夫起义是俄国最大的一次农民起。1956年出版的涅奇金娜等人主编的《苏联通史》甚至认为普加乔夫领导的农民战争是欧洲历史上人民群众最大的反封建运动之一。近年来，在我国出版的一些词典、手册、小册子、专著、论文甚至儿童读物中，关于普加乔夫领导的农民起义是"俄国最大的农民起义"或"俄国历史上规模最大的农民战争"之类的提法已被普遍采用。

另一种观点认为，普加乔夫起义不是俄国历史上最大的农民起义。在前苏联科学出版社1966年出版的《十七至十八世纪俄国农民战争》一书中，苏联史学者伊·伊·斯米尔诺夫著文认为，波洛特尼科夫起义无论在规模上还是意义上，都是俄国最大的农民战争。拉辛起义也好，普加乔夫起义也好，不论就其卷入起义的地区范围来说，还是就其参加起义的人数或者每次运动对封建农奴制俄国的社会和政治制度的基础给予打击的力量来说，都不能与波洛特尼科夫起义相比拟。

此外，在一些著作中，我们找不到关于普加乔夫起义是"俄国最大的农民起义"之类的提法。在20世纪20年代—30年代多次再版的苏联著名史学家波克罗夫斯基的名著《俄国历史概要》中，在40年代—50年代多次再版的潘克拉托娃等人主编的《苏联通史》中，在60年代—70年代出版的重要的苏联史著作，如诺索夫主编的《苏联简史》第1卷(上册)和波诺马廖夫主编的《苏联通史》第3卷中，都找不到关于普加乔夫起义是"俄国最大的农民起义"之类的说法。值得注意的是，《苏联大百科全书》(第3版)和《苏联百科词典》(第3版)有关条目

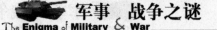
中已不再出现关于普加乔夫起义是"俄国最大的农民起义"的提法。在1976年开始出版的《苏联军事百科全书》中虽然认为，1773年—1775年的农民战争，无论是在力量、团结、阶级划分、组织成份与觉悟程度方面，还是在社会口号的明确程度和阶级斗争的激烈程度方面，均超过以前的所有农民战争，但却未断言这次农民战争是俄国历史上规模最大的农民战争。翻开《大不列颠新百科全书》和《美国百科全书》（国际版），我们也找不到关于普加乔夫起义是"俄国最大的农民战争"之类的说法。相反，这两套辞书的"普加乔夫"条目中都使用了"较大的"起义的措词。在1957年前苏联科学院历史研究所编的《苏联历史资料》（第5卷）中，编者认为，1773年—1775年的农民战争是苏联历史的封建主义时期的最大的阶级斗争之一。在这里也没有断言这次农民战争是俄国历史上最大的阶级斗争或最大的农民战争。

由此可见，正如前苏联学术界所早已指出的那样，关于哪一次农民起义或农民战争是俄国最大的农民起义或农民战争的问题，仍是一个有争议的和尚存讨论的问题。这个问题的正确答案究竟是什么，仍有待于历史学家去探究。

列克星敦枪声之谜

![房屋建筑插图]

　　列克星敦是离波士顿附近的康科德镇还有 6 英里的小村庄。1775 年 4 月 19 日发生在此地的列克星敦的战斗，标志着北美十三州殖民地人民独立战争的开始。史称"列克星敦的枪声"。"列克星敦的枪声"掀开了北美独立战争的序幕。

　　北美大陆本来是土著居民印第安人世代生息繁衍之地。 17 世纪初，欧洲开始向北美移民。1607 年第一批英国移民在今弗吉尼亚建立了第一个立足点——詹姆士城，从此掀起了奔向北美大陆的移民潮。从 1607 年第一批移民踏上弗吉尼亚至 1733 年最后一个殖民地佐治亚的建立，英国移民先后在北美东海岸建立了 13 个殖民地，这就是后来美国最初的 13 个州。

　　欧洲移民来到北美洲，同时也把欧洲的资本主义生产方式移植到北美洲来了。资本主义生产关系首先在种植场迅速萌发。殖民地农业、工商业尤其是航海业、造船业、海外贸易蓬勃发展。与此同时，北美 13 个殖民地的居民日益融合。 在独立战争爆发前，在北美这个新的地域上已形成了一个不同于英国的新的民族，即美利坚民族，在不列颠帝国的疆界内出现了与英国资本主义并存的

北美资本主义。英属北美殖民地资本主义的发展合乎逻辑地提出了这样的要求：挣脱对宗主国的依附关系，　独立地发展资本主义。

　　然而北美殖民地独立发展资本主义的强烈愿望遭到了英国当局高压政策的阻挠。英国殖民当局为了使北美殖民地永远充当其廉价的原料基地和商品倾销市场，极力遏制殖民地经济的自由发展。英国殖民当局接连颁布一系列法令，禁止向阿巴抗契山以西迁移，禁止殖民地发行纸币，宣布解散殖民地议会，并对殖民地课以重税，加紧军事控制等等。

　　英政府的所作所为，激起了殖民地各阶层人民的强列反抗。群众纷纷走上街头，举行声势浩大的游行示威。1773 年 3 月 5 日发生了驻北美英军枪杀波士顿居民的"波士顿惨案"，　群情为之激愤。1774 年英政府变本加厉，又接连颁布 5 项"不可容忍的法令"，使宗主国与殖民地矛盾进一步激化。北美殖民地人民忍无可忍，决心拿起武器与殖民当局抗争。

　　1775 年 4 月，马萨诸塞的总督兼驻军总司令盖奇得到了一个消息：在波士顿附近的康科德镇上，有"通讯委员会"的一个秘密军需仓库。盖奇立即传下命令，派军队前往搜查，没收这些军火。两天以后，一支由 800 名士兵组成的英军，由指挥官史密斯率领，连夜出发了。英军在黎明前的薄雾中向前行进。忽然，他们发现在村外的草地上有几十个村民，正手握长枪，严阵以待。显然，这

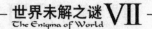

是要阻击英军。史密斯知道这些武装村民是列克星敦的民兵。他十分惊讶：这些民兵怎么这样快就知道了英军要来讨伐呢？他哪里知道，"通讯委员会"的侦察人员得到情报后，早已飞马急驰把消息报告给了列克星敦的民兵。列克星敦是通往康科德的必经之路，这两个地方的民兵已经联合起来了。第二天凌晨，他们来到了列克星敦。

随着一声枪响，双方立即投入战斗，枪声震响在列克星敦的上空。反对英国殖民主义、争取民族独立的第一仗，由这个英雄的小村庄民兵们打响了！几分钟以后，枪声逐渐稀疏。民兵们因为人少，加上地形不利，很快撤离了战场，分散隐蔽起来。有八位战士献出了生命。

史密斯初战得手，非常得意。他指挥英军进入村庄，大肆搜捕，却始终没有找到一个革命者。这伙殖民军又集合起来，直奔康科德。

康科德镇外有一条河，地势比较险要。英军到了镇口，只见家家关门闭户，镇上十分清静。史密斯猜测军火可能已经分散转移了，就下令搜查。士兵们跑遍了全镇，结果，除了糟蹋了仓库里的一些面粉，砸坏了 3 个铁炮的炮栓，放火烧了一堆木汤匙以外，一无所获。史密斯无可奈何地耸了耸肩膀。

就在他下令返回波士顿的时候，镇外传来一阵喊杀声，喊声中还夹杂着清脆的枪声。原来，附近各村镇的民兵已经聚集在一起，向这里奔来。民兵们的行动这样迅速，后来人们把他们叫做"一分钟人"（意思是一分钟就能集合起来）。上午 9 点多钟，三四百名"一分钟人"包围了正在撤退的英军。他们埋伏在四面八方，从篱笆后面、灌木丛中、房屋顶上，射出了一排排枪弹，打得英军措手不及，不断有人中弹倒地。当英军举枪还击的时候，却找不到民兵们的人影。因为民兵在树林里边走边打，能主动出击，而不被敌人发觉。英军狼狈逃到了列克星敦，在这里，每一间房屋，每一堵墙，都是复仇者的掩体，英军再次受到这个小村庄民兵的阻击。

战斗一直持续到下午，最后还是从波士顿开来一支援军，才把史密斯的败兵救出了包围圈。这一仗，英军死伤 240 多人。剩下的人不仅弹药耗尽，而且饿得厉害。有个士兵说："我 48 小时没吃一点东西，帽子被打掉三次，两颗子弹穿透了上衣。我的刺刀也被人打掉了。"身穿红色制服的英国军人，历来是不可一世的，他们做梦也没想到会被武装的民兵打得落花流水。

列克星敦和康科德的战斗震动了大西洋沿岸的 13 个殖民地。美国独立战争从此开始。几天以后，波士顿就陷入了民兵的包围之中，纽约等地也成立了游击队。紧接着，各地的游击队联合起来，攻占了一些大据点。到了 5 月份，在第二届大陆会议（就是美洲大陆各英属殖民地代表大会。第一次大陆会议是在

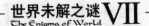

1774 年 9 月召开的）上，代表们决定组织自己的军队并任命乔治·华盛顿为大陆军总司令。

后来，每当美国人民庆祝独立战争胜利的时候，谁也不会忘记，正是列克星敦的民兵们，为这个伟大民族奠定了独立的第一块基石。正因为如此，列克星敦成为美国自由独立的象征，被人们赞誉为"美国自由的摇篮"。

但是，作为这场战斗中一个挥之不去的谜团，成了世界近代史上一个争论不休的话题。迄今为止，仍然无法判断究竟是谁先开的枪，是英国人，还是北美殖民地人民，是否有意开枪还是不小心走了火？或者另有隐情？

一种说法认为，是殖民地的民兵先开的枪，英军只不过是作了自卫还击。当时的英国报刊这样记载："由于叛乱者的进攻，军队反击并杀死了他们的一些人。"当时一名英国军官曾说："史密斯指挥官立即出来对反叛者大声呼喊，要他们放下武器，解散，但他们没有这样做，接着史密斯又喊了第二遍，仍然无效。于是他就命令部队继续前进，去缴民兵的枪，士兵们奉命行动。这是一名反叛者开的第一枪，于是我们士兵就进行反击。"这两份史料都印证了是北美殖民地的民兵首先打响了第一枪。

另一种相反的观点认为，是英军首先开的枪。事件发生时，站在民兵最前排的约翰·罗宾逊在 1775 年 4 月 24 日对此事陈述道："走在最前面的三个军官向士兵下令：'开火！'刹那间，他们向我们射来非常密集的弹雨，我受伤倒地。而民兵们，据我所知没有一支枪开火。1825 年，一位已经 77 岁高龄的老民兵门罗回忆 50 年前亲历的那次战斗时说："一个军官高喊：'放下武器，散开，叛乱者！'发现我们站着不动，史密斯就下令开火。"许多美国史著也坚持此说。上述材料在英军首先开枪这一关键问题上众口一词，十分确凿。但在谈到谁首先开枪时，细节上的差别却又

"反叛者"在这小教堂开响了反击殖民统治者的第一

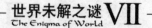

那么明显，似有事先统一口径之赚，怀疑其真实性。

也有人认为无法确认谁在列克星敦开了第一枪。据在战斗中受伤被俘的英军中尉桑顿·考德4月25日在马萨诸塞议会陈述事件经过时说："当我们到达时，他们后撤了，旋即开始交火。但哪一方首先开火。我说不清楚，因为枪响之前我们军队呐喊着向前挺进。"

美国高校通用历史教材之一《美围的历程》认为"在列克星敦，史密斯发现殖民地民兵已在乡村绿草地上整好了队伍。在他的命令下，民兵们开始散开，接着突然响了一枪。这一枪究竟是英国人还是美洲人开的，是步枪还是手枪，是偶然的还是故意的，都搞不清楚。"美国有的史著更认为，在当时混乱纷杂的形势下，在高度紧张亢奋中，或许难免有人偶尔失误走火。因此，要确定谁是肇事者，确实是难上加难。

我国有关史著对此问题也几乎是笼统地称为"列克星敦的枪声"，北美独立战争的帷幕就是以这样的方式拉开的，其余的则略而不谈。

瓦尔密战役中普军意外撤退之谜

瓦尔密战役是法军战胜普奥联军的重要战役。1792年9月20日，法兰西革命军队为一方，普奥联军及入侵法国企图扑灭革命力量恢复君主制度的法侨保皇党分子支队为另一方，在瓦尔密(法国马恩省的村庄)地域进行的一次交战。战争中完全有机会取胜的普军却在战争开始后不久即行撤退，致使前功尽弃。其中隐情，确实让人费解。

卡尔·不伦瑞克公爵指挥干涉军，于8月—9月间占领隆维和凡尔登两要塞后，抵达沙隆并向巴黎推进。法国迪穆里耶将军指挥的摩泽尔集团军和凯勒曼将军指挥的莱茵集团军共约6万人(主要是青年志愿兵)，撤离色当和梅斯后汇合在一起，于9月19日在瓦尔密附近设防。

普奥联军和法侨支队(4万余人)绕过法军，在瓦尔密西南展开。但法军仍坚守其阵地。9月20日晨，联军对法军阵地开始炮击，11时发起攻击。统率法军的迪穆里耶将军灵活地机动部队。当联军在日赞库尔以北压迫共和部队时，沙佐将军的9个步兵营和8个骑兵连即开往受威胁方向，制止了敌军的进攻。同时还有12个步兵营和8个骑兵连迂回敌军左翼。在抗击敌军攻击的过程中组织良好的法军炮兵火力发挥了很大作用。下午5时前，双方持续进行猛烈的炮战。9月20日夜间，迪穆里耶将军调整部署，率军转到更有利的阵地上。法军做好了继续交战的准备。但卡尔·不伦瑞克犹豫不决，不敢再次进攻。尔后十天内，干涉军未采取积极的作战行动。当时法国爱国者的武装队伍正在其后方进行活动。

9月30日，干涉军开始撤退。凯勒曼将军指挥的2.5万名法军受命追击敌人，但行动不够坚决。法军转入总攻加速了驱赶干涉军的进程。至10月5日，干涉军损失近半，终于被驱逐出法国。

瓦尔密之战的胜利，是法兰西革命军队对封建君主国家联盟的第一次胜利。战斗中法国士兵的高昂斗志起了决定性作用。从军事学术观点看，瓦尔密交战的特点是：法国两集团军在遂行共同任务时密切协同，使用了密集的炮兵火力，军队在战斗中实施了灵活的机动。瓦尔密大捷成为法国人民争取祖国自由的象征。

众所周知，普鲁士军队的战斗力在当时世界上是首屈一指的，其统帅不伦瑞克公爵亦非等闲之辈，是久经沙场屡建战功的老将。从双方兵力来看，法军也处于明显的劣势，况且普奥联军在之前的几轮对法作战中都取得了突破性的胜利，否则不可能那么快地直指巴黎城下。因此瓦尔密的撤退必定有它难以明言的理由，这当中的原因到底是什么呢？

很多人指出，普鲁士军队在瓦尔密并未受到真正打击，实际上它还未跟法军交锋便迅速后撤。拿破仑认为普军在瓦尔密的后撤简直是莫名其妙的行为，无法用军事观点来解释。一些军事史专家指出，普军当时的行动实在滑稽可笑，根本不像打仗，只是武装游行了一番便撤走了。他们据此断言，如果普军真正发动猛攻，战事肯定是另种结局。

当时随从普奥联军出征的法国逃亡贵族眼睁睁看着唾手可得的胜利付诸东流，一个个气得暴跳如雷。他们盛怒之下纷纷斥责不伦瑞克公爵，说公爵被法国国民公会收买了，国民公会将法国王室的大批珍宝给了公爵，替公爵偿清了巨额债务，所以才出现了瓦尔密战役中意外后撤的情况。这种解释在有些人看来纯属发泄私愤，全不可信。

有些历史学家认为，普鲁士军队突然撤退是出于整个欧洲战略的通盘考虑。普鲁士原以为只要大军压境，法国必定会屈服，但是没想到竟遇到了顽强的抵抗。他们害怕一旦在瓦尔密与斗志旺盛的法军短兵相接，以后就很难从对法作战的泥潭中脱身了。那样一来，不仅会使普军遭受严重损失，而且极有可能让一向与普鲁士有隔阂的俄国和奥地利从中渔利，并在瓜分波兰等重要问题上置普鲁士于不利地位。因此，普军指挥官有意夸大困难，以求解脱。这种解释有一定道理，不过没有可靠

普鲁士军队在撤离

的第一手材料来证明普鲁士当局者当时确有这样的意图，所以还只是一种假说。

值得指出的是，法国大名鼎鼎的剧作家博马舍为普鲁士意外撤退的事提供了一个极富戏剧性的情节。据说，不伦瑞克公爵背后站着一个不爱声张的指挥官，那就是普鲁士国王腓特烈·威廉。他是声名赫赫的腓特烈二世的侄儿，这次随军出征。博马舍说，在瓦尔密战役前夕，腓特烈·威廉在凡尔登举办了一次舞会。就在舞兴正浓之际，一名不速之客来到腓特烈·威廉身边对他低语了几句，国王听后神色慌张，随陌生人离开舞厅。国王来到一间阴暗的房间，忽然看见他那去世多年的叔父腓特烈二世的幽灵出现在他面前，幽灵严厉地警告自己的侄儿说："不要再骑马向前进了，你已经被他们出卖。"腓特烈·威廉认为叔父是劝他小心法国保皇党人从中作梗。于是次日普军接到了停止前进的命令，之后在瓦尔密战役中佯攻了一阵就撤退了。

博马舍这种观点听起来十分诡秘，似乎不足为信，但是根据他的说法，腓特烈二世的幽灵其实是由当时法国著名的喜剧表演大师费列利扮演的。就在瓦尔密战役前夕，博马舍去找过在《费加罗的婚礼》中扮演男主角的费列利。当时费列利不在家，家人说他到凡尔登去了，博马舍觉得十分蹊跷，要知道在普军占领下的凡尔登，那里根本无戏可演。几天后，博马舍再次登门，见到了费列利，可是他矢口否认曾离开过巴黎，而且一向健谈的费列利回答剧作家的问题时吞吞吐吐，支吾搪塞。生性喜欢遇事弄个水落石出的博马舍对此疑惑不解，事后他经过详细的调查搜寻，发现了瓦尔密硝烟后面令人惊讶不已的奥秘。

博马舍认为腓特烈二世的幽灵就是费列利扮演的。此说固然十分离奇，却也有些道理。腓特烈·威廉是一个十分昏庸固执并且沉湎于迷信的君主，他非常崇拜荒唐的"通阴术"。作为一国之主，他甚至参加了秘密组织"彩灯会"，传闻说他还参加了秘密僧团"玫瑰十字会"。有人指出，那个舞会上出现的陌生人对他低语的正是秘密僧团的暗语。对于这样一个愚昧之徒来说，对幽灵的话信以为真也就不足为怪了。

瓦尔密战役在法国历史上具有重大的意义，法国历史学家米涅写道："这一天成了我们难忘的日子，本属微不足道的瓦尔密胜利，对我军和我国的舆论却发生了取得全面胜利的影响。"但是这个"微不足道的胜利"究竟是如何取得的，普军撤退的真正原因究竟是什么，我们仍无从知晓。

火烧莫斯科之谜

俄罗斯首都莫斯科

　　俄罗斯首都莫斯科是世界最大的城市之一，也是俄罗斯政治、经济、科学文化及交通中心。但谁也不会忘记，1812年拿破仑率领的法军占领莫斯科后，这个城市在大火中焚毁的情景。

　　19世纪初，欧洲大陆战火不断，各国纷争变幻莫测，各种"同盟"朝结夕散，造成这种局面的原因非常简单，那就是各国都想取得欧洲霸主的地位。在这所有的争霸战中，尤以法国与俄国之间的争夺最为激烈。自从"战争之神"拿破仑登上帝位以后，法国领土进入了一个空前扩大的时代，他东打西杀南突北进，在欧洲大陆进行了一系列的军事外交和军事活动。欧洲其他国家为了抵御法国，纷纷结为同盟。由英、俄、普鲁士、奥地利等国先后六次组成反法同盟，前五次均告失败，只有第六次获得了胜利，这次胜利彻底击败了拿破仑，使俄国登上了欧洲霸主的地位。

其实，拿破仑最初的军事行动主要是针对英国的，在计划失败后，他开始把矛头对准俄国。在他看来，只有击败了俄国才能最终战胜英国。于是，在1821年6月24日，拿破仑对俄国不宣而战。

战争刚开始的时候，俄国由于没有防备，处境非常被动，俄军很快溃败，国土大片丧失。8月9日，在经过一场血战之后，法军占领了斯摩棱斯克。两天之后，当时的俄国沙皇亚历山大一世任命"天才统帅"米·伊·库图佐夫为俄军总司令，带领俄军抵抗法国的入侵。8月26日，库图佐夫指挥20万大军，与法军在莫斯科西郊展开了著名的"博罗迪诺会战"，双方死伤无数，损失惨重。库图佐夫为了保存实力进行反击，决定放弃莫斯科，莫斯科城里的居民也随同军队一起撤离。

法军进入了莫斯科，可莫斯科几乎是一座空城，很多地方都在起火。9月17日晨，拿破仑突然从睡梦中惊醒，他跑到克里姆林宫的窗口向外眺望，发现莫斯科到处焰火蒸腾，火花爆溅，当时就被吓得面色如土。他边大叫着"多么可怕的景象"，边同身边的随从一起狼狈地逃出了莫斯科。这场来势凶猛的大火整整烧了一个多星期，当大火熄灭后，昔日风光旖旎的莫斯科变成了一片令人心悸的废墟。

由于莫斯科的被烧，法军无法从莫斯科取得补给，同时由于法军挺进太深，后方援助不能及时到达，法军的粮草供给也非常紧张，在迫不得已的情况下，10月19日，拿破仑被迫下令从莫斯科撤军。

得知法军撤退的消息后，俄军在沿途不断予以狙击，迫使拿破仑不得不随时改变撤退路线，到12月，拿破仑才终于撤出了俄国境内，虽然逃离了俄国，但损失惨重，军力损失达47万余人。

对于拿破仑这次军事冒险的失败，人们不足为奇，可对于莫斯科当时那场

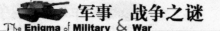
罕见大火的起因，多少年来，却一直争论不休。

根据正史记载，那场大火应该是莫斯科人自己放的。当年由于敌强我弱，库图佐夫决定放弃莫斯科，莫斯科人民也决定随俄军一起撤退，为了不给法国入侵者留下任何有用的东西，莫斯科居民忍痛放火烧了自己的故乡。拿破仑就一直认为"放火烧城"是莫斯科军政总督罗斯托普金蓄意谋划与安排的。因为当法军企图救火时才发现，偌大的莫斯科城内居然没有一件消防水龙头和灭火工具，显然是事先有人把它们都运走了。另外，城里城外同时起火，显然也是有计划、有部署的预谋。而当时法军逮捕的一些纵火嫌疑人也交代是罗斯托普金指使他们这样干的。据说，罗斯托普金在后来也曾说过，是他命令放火烧城的。从战略的角度看，放火烧城的决定虽然代价惨重，但却是十分正确的。这是一次十分勇敢的"焦土政策"，它表明了俄国人民不惜一切代价抗击侵略者的决心。若真正追究放火的元凶，应该是法国人，正是由于他们的入侵，才迫使莫斯科人民不得不烧毁自己美丽的家园。

可也有人不同意这样的看法，他们认为莫斯科大火并非俄国人自己放的，而是进城的法军干的："他们夜进民宅，点起蜡烛、火把、柴火照明，喝醉酒后不慎引起大火"。俄国大文豪托尔斯泰在他的小说《战争与和平》中就持这样的观点。更为激进的说法则是法国人蓄意纵火。前苏联的一位历史学家就在他的论著中这样写道：看到莫斯科大火的俄国人证明，拿破仑是事先有计划地来焚毁和破坏莫斯科城的。

在俄国当时的史料中还有这样的记载：莫斯科人民不愿自己的财产落入法国人之手，他们忍痛烧毁自己的财物，可法国强盗烧得更多！俄国人和法国人一起烧毁了莫斯科。据后来在法国军队中服役的一些人承认，上面所说的情形的确都存在。

俄罗斯的爱国诗人曾在诗中对那场大火进行了如此的描述："在燃烧的天空下，在燃烧的地上，穿过两旁的火墙走。"走的人当然是狼狈不堪的法国侵略者，火虽然烧得痛快，烧跑了侵略者，但毕竟烧毁了莫斯科人民可爱的家园。无论到底谁才是真正的纵火者，我们都不希望这样的场面在人类历史上再次重演。

我们欣喜地看到，今天的莫斯科已完全看不到当年被焚烧的痕迹，历史悠久的莫斯科就如同一幅由数不胜数的历史古迹镶嵌成的精致、高雅的艺术品，引来各国游客前去参观游玩。

拿破仑兵败滑铁卢之谜

1814 年，欧洲反法联军攻陷巴黎，拿破仑被迫宣布退位，被流放于厄尔巴岛。1815 年 3 月 1 日，拿破仑率领 1000 余名士兵偷渡回国，沿途守军纷纷重新聚集在他的鹰徽旗下。3 月 20 日，拿破仑凯旋巴黎，重登皇位（史称百日王朝）。这使整个欧洲震惊，在维也纳开会的同盟国一片哗然，他们立即放弃了彼此间的争吵，再次联合起来，并宣布拿破仑为"世界和平的扰乱者和人类公敌"，将不受法律保护。3 月 25 日，英、俄、普、奥、意、荷、比等国组成了第七次反法同盟，决心彻底打垮这个科西嘉怪物。拿破仑意识到如果联军几大军团会合一处，后果就不堪设想。于是他迅速组织部队抵抗，根据制定的正确的战略部署，要在俄奥大军到达之前解决战斗，以迅雷不及掩耳之势先将英普联军各个歼灭。可是这一次战争局势并没有朝着"战神"部署的方向发展。

受命占领布鲁塞尔重要阵地以牵制英军的内伊元帅迟缓犹豫，使这一行动未能如期完成。后来在双方激烈争夺时，拿破仑又命令内伊属下戴尔隆军团由弗拉斯内向普军后方开进，和主力部队一起对敌军实行夹击，但戴尔隆对命令理解不清，错误地向法军后方开来，使这决定性的一击延误了近两个小时。但当戴尔隆重新赶回普军后方时，又被不明战局的内伊元帅严令调开，这时英军已在戴尔隆的大炮射程之内，戴尔隆机械地执行了内伊的命令，使法军在临胜之际功亏一篑，英军逃脱了被全歼的命运。

另外，在滑铁卢会战的前一天，拿破仑指挥军队追击英军时，就在两军快要相接时突然下起了瓢泼大雨。顷刻间，道路被冲毁，田野一片泥泞，法国骑

兵不得不停止追击，使狼狈逃窜的英军绝处逢生。次日清晨，彻夜未停的大雨仍然妨碍着法军按时投入进攻，善于运用机动战术的拿破仑也无法在这样的天气下发挥炮兵和骑兵的机动作用。战斗一直推迟到中午才开始，这就给英军更多的喘息机会。

滑铁卢大战是世界战争史上令人瞩目的一页，也是拿破仑戎马生涯中的最后一战。

然而，这一战却以拿破仑的失败而告终。滑铁卢战役的进程既惊心动魄，又富有戏剧色彩，许多微妙因素影响了战局，使法军的锐势急转直下，失去了几乎到手的胜利。

6月18日中午，随着三声炮响，滑铁卢之战的帷幕骤然拉开，排山倒海的法国骑兵呼啸而上，但防守的英军顽强抵抗，以猛烈的火力压住了法国骑兵的锐势。当时拿破仑大约有7.2万个士兵，威灵顿有7万。拿破仑和威灵顿都在等待援军的到来，前者等的是元帅格鲁布，后者等待的则是布吕歇尔。法军继续着对英国军队左翼的进攻。一个半小时后，拿破仑看见圣兰别尔东北方有军队向这边赶来，他认为这一定是格鲁布，遗憾的是：来的军队是布吕歇尔而不是格鲁布。布吕歇尔从格鲁布的追击下逃脱并且绕过法国元帅的视线赶到了这里。拿破仑并没有因此而想到撤退，这个时候，拿破仑仍在等，格鲁布仍没来！拿破仑陷入完全绝望的境地。

列成方阵的法国近卫军一面拼死抵抗，一面缓慢后撤，保卫着拿破仑撤出了战场。其他地方的法军也在联军进攻下，朝不同方向四散逃命去了。

那一天前还是青翠碧绿的田野和山坡，此时铺满了血肉模糊的尸体、伤员以及无数残缺的肢体，绿色的平原变成了血的海洋。据估计，威灵顿军团死伤1.5万人，布吕歇尔军团死伤7000人，而法军死伤2.5万人，被俘虏8000人。

　　6 月 20 日，拿破仑回到巴黎。这时两院已经背叛了他，他的兄弟吕西安极力劝他解散两院，重新征召军队，准备再战，但拿破仑却表示拒绝。他明白他的使命已经完成了，他的星宿已经殒落了，他不愿自己的国家发生内战。次日，拿破仑自动退位。7 月 7 日，联军以胜利者的姿态进入了巴黎。7 月 15 日，拿破仑离开法国，被放逐于南大西洋的圣赫勒拿岛。1821 年 5 月 5 日，拿破仑在圣赫勒拿岛辞世，时年 52 岁。

　　法国滑铁卢战争标志着拿破仑时代的结束，动摇了欧洲封建制度政体，为欧洲各国的资本主义发展奠定了基础。但对于这次会战，诸多军事学家和历史学家从不同方面，不同观点作了仔细研究和评析，各说不一。

　　然而事实真如人们所言：拿破仑的惨败完全在于格鲁布元帅的迟到吗？如果格鲁布元帅没有迟到而是准时到达救援地点那是否又意味着拿破仑会一如即往地雄霸欧洲呢？因为当时拿破仑的军队有 7.2 万人，英军也有 7 万人，双方势均力敌，谁的援军先到，谁将占据优势。或者是天气原因在这场战争中占据了很重

要的因素，导致了拿破仑的失败。可是也有人把原因追溯到更早一些时候，他们认为，如果一切都按拿破仑最初的正确战略进行，本来早就可以结束战斗了，滑铁卢的决战也不会发生。第七次反法同盟也会像上几次一样，被拿破仑打得落花流水，一败涂地。

人们还常常把原因归结为拿破仑用兵失误，主要是当时在他身边缺少能攻善战、和他配台默契的将领，达乌被围困在汉堡，缪拉没能够及时从那不勒斯赶回来，马塞纳正在西班牙征战。拿破仑虽然培养了一批将才，但在关键时刻却不能为自己所用，这无疑是一场悲剧。

最后，听一听拿破仑自己的解释吧。他说："这个会战失败了！……这是一个可怕的灾难。但是那一天还是胜利的。军队的表现还是极为优异，敌人在每一点上都被击败了，只有英军的中央还能够坚守。当一切都已过去之后，军队才突然为恐怖所乘。这是不可解释的……"

瑞典国王约翰，即昔日曾在拿破仑麾下作战，后来又领兵与之对抗的前法国元帅贝尔纳多特发表了如下评论："拿破仑并不是被世人征服的。他比我们所有人都伟大。但上帝之所以惩罚他是因为他只相信自己的才智，把他那部庞大的战争机器用到了山穷水尽的地步。然而凡事物极必反，古今概莫例外。"

也许，是这些微妙的因素综合在一起发生了作用，使战无不胜的拿破仑再一次遭遇了失败的命运。人们不遗余力地对其中具有决定性影响的因素进行探讨，但是谁也不能说服谁，只好作为一桩疑案继续讨论下去了，或许我们只有到不可重演的历史中去找寻答案。

拿破仑远征莫斯科战败之谜

两百多年来，拿破仑作为一个一生充满神奇色彩的军事家和政治家，一直都是一个热门话题。他拥有一大批崇拜者，其传奇的经历在多数人眼中是一场辉煌的悲剧。"这世界上没有比他更伟大的人了。"英国前首相丘吉尔曾经这样评价拿破仑。爱他的人将其比拟为公元前 4 世纪伟大的亚历山大大帝转世再生；恨之者斥其为 20 世纪最大的恶魔希特勒的先行者。这位军事天才一生之中都在征战，曾多次创造以少胜多的著名战例，至今仍被各国军校奉为经典教例。然而，1812 年的一场失败却改变了他的命运，从此法兰西第一帝国一蹶不振逐渐走向衰亡。

拿破仑在 35 岁时成为法国皇帝。这个有着钢铁般意志的人对军事战术有着赌徒一般的直觉。到了 1807 年，整个欧洲只有俄国和英格兰没有被他征服。经过和平谈判，俄国与拿破仑签署了和平协议。按照这份协议，俄国必须断绝与英格兰的所有贸易往来。但是，法俄联盟只维持了 3 年。经济困难的俄国恢复了与法国的敌人——英格兰的贸易往来。这激恼了拿破仑，他开始准备征战俄国。1812 年 5 月 9 日，在欧洲大陆上取得了一系列辉煌胜利的拿破仑离开巴黎，率领浩浩荡荡的 60 万大军远征俄罗斯。法军凭借先进的战法、猛烈的炮火长驱直入，在短短的几个月内直捣莫斯科城。然而，当法国人入城之后，市中心燃起了熊熊大火，莫斯科城的四分之三被烧毁，6000 多幢房屋化为灰烬。俄国沙皇亚历山大采取了坚壁清野的措施，使远离本土的法军陷入粮荒之中，即使在莫斯科，也找不到干草和燕麦，大批军马死亡，许多大炮因无马匹驮运不得不毁弃。几周后，寒冷的空气给拿破仑大军带来了致命的诅咒。在饥寒交迫下，

1812 年冬天，拿破仑大军被迫从莫斯科撤退。自此他苦心经营的法兰西大帝国分崩离析。莫斯科一战，法军遭受重大损失，趁法军退出俄境的时候，沙皇立即联合奥、普军队追杀过来，1813 年与法军会战于德国莱比锡，法军又遭重创。之后，1814 年 3 月 31 日，亚历山大与各国反法联军进入巴黎，拿破仑被迫退位。世人对于这次失败，议论纷纷，说法不一，遂成历史之谜。

说法之一，战略失误。

远征俄国，路途遥远，战线拖得太长、后勤供应不上，给养困难，而且，事先没有做好周密的战略计划和准备，对敌情认识不足（特别是俄国的天气）。

说法之二，天公不作美。

天助俄国，虽然还只是十一月，早到的寒潮便已将俄罗斯大地变成一片冰天雪地，法国军队在严寒天气中，每天冻死数千兵马，没过多久，法军就损失了 47 万人，最后只剩下 2 万余人。拿破仑无计可施，狼狈败逃。

说法之三，纽扣危机。

加拿大卡普兰诺学院科学艺术系系主任、著名化学家潘尼·莱克托在其新著《拿破仑的纽扣：改变世界历史的 17 个分子》中披露，变成粉末的纽扣很可能在拿破仑那场惨败中发挥着重要作用。据该书披露，拿破仑

征俄大军的制服上，采用的都是锡制纽扣，而在寒冷的气候中，锡制纽扣会发生化学变化成为粉末。由于衣服上没有了纽扣，数十万拿破仑大军在寒风暴雪中形同敞胸露怀，许多人被活活冻死，还有一些人得病而死。潘尼在新书中援引了一些同时代俄国人的目击记录，譬如一名来自波里索夫的俄国人描述拿破仑军队撤退时记载道："那些男人就如同是一群魔鬼，他们裹着女人的斗篷、奇怪的地毯碎片或者烧满小洞的大衣。"潘尼道："毫无疑问，1812 冬天的寒冷温度是造成拿破仑征俄大军崩溃的主要因素，而锡在低温度下可变的特性，正是拿破仑士兵被迫披上这些古怪衣服的真正原因。"

说法之四，罪在虱子。

根据法国国家科学研究中心在《传染病杂志》上公布的研究结果，事实更

为戏剧化：导致军队溃败的元凶为虱子。该中心科学家迪迪埃·拉乌日前组织研究人员对拿破仑军队士兵的遗骸进行了化学分析后发现，当时军队中有超过30％的士兵死于因虱子传染而产生的高烧。细菌给军队带来了"回归热"、"战壕热"以及伤寒等致命疾病。

说法之五，性病干扰。

2001年秋天，立陶宛维尔纽斯在一次施工中发现2000多具尸体。考古学家起初无法确定这些残骸的来源，但他们很快从发掘出的硬币和标有数字的徽章中得到线索，判明这些都是拿破仑大军的遗骸。通过对出土尸骨的研究，专家们发现里面竟有一些女性尸骨。更让人惊讶的是，墓穴中80％的尸骨都显示，尸骨的主人在死前就患有梅毒等严重性病。"很多士兵的头骨上都显示出患有严重梅毒后才出现的炎症。"维尔纽斯大学解剖学副教授里曼塔斯？简考斯卡斯表示，"让人惊讶的是，这些患有性病的士兵竟然能在极度寒冷的天气下行军700多英里。"研究还发现，这些士兵并不都是被冻死的，有的竟是"饱死"的，还有的是热死的。考古学家推测，当这些饿得要命的法国士兵进入维尔纽斯后，如同进入了一个食物天堂。他们闯入民宅，将火腿、煎蛋和白兰地酒抢掠一空，饥肠辘辘的士兵们面对美酒佳肴狼吞虎咽，因为吃得太快，于是，一些人被噎死，一些人被撑死，还有一些人因为从冰天雪地中骤然进入生着火炉的屋中，一下子暖和得太快，导致血流加速而死。还有一些士兵喝醉了酒，倒在气温低达零

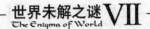

下35摄氏度的大街上被活活冻死。维尔纽斯是西欧通往俄国的战略要地,也曾是拿破仑大军进攻俄国的重要关隘。据估计,拿破仑的45万大军在1812年冬天从莫斯科撤军的途中,约有3万至8万人在维尔纽斯因饥寒和疾病丧生。随后,俄国军队重新占领了这座城市。因担心散落各处的尸体引发瘟疫,俄军将它们抛入仓促挖就的大坑中掩埋。

说法之六,大火改写历史。

1812年9月16日夜,已经占领了莫斯科的拿破仑正静静地等待着沙皇亚历山大来投降。突然,莫斯科全城烈焰腾空,一片火海。法国人的粮草、大炮和枪械,还有住所顿时化为灰烬。弹尽粮绝的拿破仑不得不下令撤军。

争论还在继续,但拿破仑的溃败早已成为不可逆转的历史,一个人哪怕再怎么叱咤风云,威不可挡,也不可能征服全世界,所以,其战败其实是历史的必然。历史总是波澜壮阔、大气磅礴,但其中纵横捭阖的也许往往是一些毫不起眼、极其细微的事物,如纽扣或虱子。

卡斯特将军被印第安人打败之谜

在 19 世纪中期，美国政府军曾多次与印第安人交火，其中一次是由美国政府军队的将军乔治·卡斯特(1839 年—1876 年)指挥的，但被印第安人打败了，其失败的原因至今依然未有令人信服的解释。

卡斯特将军从事军旅生涯多年，以骁勇善战著称，并不断得到提升，在 1876 年 6 月 25 日的一次对印第安人的战斗中阵亡。这次战斗发生在现在美国的南达科他州的小比格霍恩，是一次著名的但又争论不休的战斗，被人称为"卡斯特的最后一击"。这次战斗对美国政府军尤其是对卡斯特将军指挥的军队而言是一幕悲剧，其整个军队损失殆尽。

卡斯特于 1861 年毕业于美国著名陆军军官学校—西点军校。由于在各种战斗中英勇无畏敢打敢拼，他终于在 1865 年 4 月被晋升为少将军衔。在内战结束后，由于陆军的裁减，卡斯特不得不接受降低军衔的事实，屈任陆军中校，被分配到第七骑兵团，与大平原上的印第安人作战。他曾在 1867 年受到军事法庭的审讯，并被停职一年。在复职以后，他变成一个粗野、凶悍、无所畏惧的战斗指挥员。他在对印第安人夏廷和苏森特，尤其是在对达科他领地的一些印第安人作战中取得了明显"战功"，因此其声誉不但获得恢复而且日益提高，然而，好景不长。

1876 年，在南达科他领地黑山地区发现了金矿。印第安人认为该地区是神

印第安人像潮流一样会聚而来

圣不可侵犯的，各地许多印第安人像潮流一样会聚而来。为了从印第安人手中夺取金矿开发权，美国政府在1876年1月底指令印第安人的各个部落迁进政府规定的保留地去。当时，夏廷和苏森特部落的一些印第安人对政府的指令置之不理，其中许多人或许对政府的指令根本就不愿也不想接受。但是出乎印第安人意料的事件发生了。在这年寒冷的冬天，他们遭到政府军强制性的驱赶。随后在1876年5月，美国政府派来了一支陆军远征队，并在阿尔弗雷德·特里将军的指挥下在印第安人视为神圣不可侵犯的土地上安营扎寨，企图驱逐印第安人。实际上，此时以西丁·巴尔为头目的印第安人已集合起来，并沿小比格霍恩河沿岸蒙大拿一段的地方，搭起帐篷，摩拳擦掌，挥动武器，准备应战。

这样，以政府军队为一方，以西丁·巴尔为首的印第安人为另一方，摆开了战斗阵势，一场殊死的战斗是不可避免了。已升为上校的乔治·卡斯特参与了阿尔弗雷德·特里将军包围印第安人的计划。卡斯特接受特里的命令率领第七骑兵团越过罗斯巴德河，并用由700名士兵组成的部队从后面包围了西丁·巴尔的营区，而与此同时，特立和约翰·吉蓬两位下级军官也根据政府军的作战计划带着拥有格林式机关枪的步兵从北面攻来，但反使政府军的整个行动慢了下来。被印第安人称为"长毛"的卡斯特指挥的骑兵直接和迅速地向前推进，甚至在夜里实施急行军，导致人马疲惫不堪。但终于在 6 月 24 日晚到达离印第安人小比格霍恩营寨不远的地方，卡斯特和特立以及约翰根据原定计划准备在 6 月 26 日在那里汇合。

但是，卡斯特没有等到特立和约翰指挥的部队到达并汇合，就开始了行动。他于翌日早晨把部队分成 3 个分离的作战单位，而且不顾其侦察员提出的关于夏廷和苏森特部落的人数大大超过其部队人数的警告，发起了惊人的攻击。他命令部下弗雷德里克·宾廷带领一个作战单位从背后阻截发现的任何印第安人，

随后派马尔吉斯·雷诺带领其士兵进入印第安人营寨，迫使印第安人后撤，而卡斯特本人和由 260 名士兵组成的主要作战部队计划在既定地点发动攻击并完全消灭印第安人。战斗的结果完全出乎卡斯特所预料。西丁·巴尔等人所领导的印第安勇士迫使马尔吉斯·雷诺的士兵在弗雷德里克·宾廷率领的队伍进入角色之后立即退了下来。卡斯特及其士兵占领了一座小山，但在不足一个小时内，完全被数达 2500 名的英勇善战的印第安人包围并歼灭，卡斯特将军也未能逃脱厄运。印第安人在消灭卡斯特及其部队之后，旋即转过来向雷诺和宾廷的队伍发起进攻，尽管后者在听到卡斯特队伍激战的枪声时，部队已损失惨重，被迫处于守势。激烈的战斗一直持续到夜幕降临时分，零星的枪声持续到翌日凌晨才趋于平静。当这次战斗的美国政府军总指挥阿尔弗雷德·特里将军到达时，印第安人已顺利撤走。

这是美国陆军在征服西部印第安人战争中遭受的一次最惨重的失败。那么，这次失败的责任由谁来负呢？有些历史学家认为，卡斯特将军轻举妄动，一意孤行，盲目自负，并企图为全国树立英雄的形象，这是导致美军失败的基本原因。另外一些人认为他是在上级的命令范围内行动的，失败的责任不应由他负。还有些人则认为，责任应由雷诺和宾廷来负，他们行动缓慢，并且对卡斯特不信任，从而使卡斯特陷入孤立无援的处境。但是，许多证据都是相互矛盾的，并不能令人信服地说明卡斯特为什么会被印第安人打败。

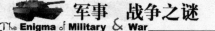

美西战争的导火索"缅因"号爆炸之谜

这艘名为"缅因"号的军舰

1898 年 1 月 24 日，一艘美国巡洋舰停泊在古巴首府哈瓦那港。这艘名为"缅因"号的军舰，是美国政府借口保护自己在古巴的利益和侨民的安全，才驶抵这个倍受西班牙殖民主义者奴役的国度。

当时，古巴是西班牙的殖民地。为了争取民族的独立和国家的自由，古巴人民掀起了反对西班牙殖民者的起义，全国处于一片混乱之中。

这下，终于给新兴的美帝国主义提供了一个可趁之机。他们对位于自己家门口的古巴，垂涎已久。早在 1805 年，美国总统杰弗逊就赤裸裸地表示，一旦同西班牙作战，首先要占领古巴。后来，美国多次企图收买或用武力夺取古巴，都因为西班牙殖民者不愿放弃自己既得利益，而未得逞。

1895 年，古巴独立战争爆发后，美国隔岸观火，并未援助古巴。然而到了 1898 年初，形势突变，古巴革命眼看就要消灭西班牙殖民统治，于是美国匆忙以"帮助古巴革命"为幌子，以及保护自己的侨民为借口，首派"缅因"号军舰，抵达哈瓦那港，向西班牙施加压力。

1898 年 2 月 15 日晚，哈瓦那港口一片宁静，只有海风轻抚着海面，发出优美的涛声。一座古老的灯塔俯瞰着海面，在摇曳的灯光下，隐约可见海面上几百条船只。

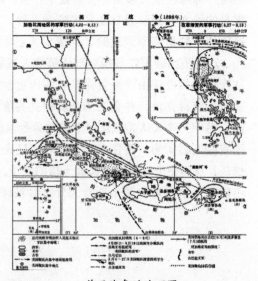

美西战争的地理图

在静静的港湾里，美国的"缅因"号巡洋舰停泊在海面上，甲板上的美国海军士兵正载歌载舞，喝酒说笑，享受着这宁静而又凉爽的夜景，来轻松一下他们疲惫的身躯。

突然，"轰隆"一声巨响，"缅因"号剧烈地震颤一下，顿时浓烟滚滚、火光冲天，整个军舰变成一个火球。

官兵们不知发生什么事情，高呼乱叫，四处逃命。有个军官还没有乱了分寸，高声叫道："赶快救火！不要乱跑！"可士兵哪里听他的叫声，不顾一切地跳到海中。

军官无可奈何，随手抓住身旁两个奔跑的士兵，命令他们去救火。这两个士兵只好从舱内拉出一个水龙，刚浇灭了一点，紧接着又是一声巨响，整条军舰慢慢的向右边倾斜。大家见大势已去，纷纷跳海逃命而去。

"缅因"号爆炸事件很快轰动了整个美国，各大报纸以头条位置报道这个事件。一时间，美国的街头巷尾，都在谈论这件事情，但人们议论最多的是"缅因"号被谁炸掉的。

"会不会是西班牙人干的？"

"也有可能是古巴人所为。"

不久，美国有关方面公布了调查结果，声称这艘军舰是西班牙人用水雷炸沉的，干脆利索而又毫不迟疑地将责任归在西班牙政府头上。

这个消息一经传开，美国沸腾了。一些扩张主义分子抓住这个机会，到处举行集会，在报纸连发文章，狂热地进行战争宣传：

"为缅因号死难者报仇！"

"美国人的鲜血不会白流，我们要与西班牙人决一死战！"战争的阴云一下子笼罩了加勒比海地区，美国和西班牙的关系到了一触即发的局面。

4月20日，美国向西班牙发出最后通牒，逼其全部撤出古巴。西班牙政府断然拒绝，并据理力争，也随即公布自己的调查结果，声称这次爆炸来自军舰内部，与他们无关。美、西两国为了这件事，争执不休，最后决定成立调查团。

但是当西班牙调查人员要求登上"缅因"号调查的时候，美方却坚决拒绝了他们。美国人为什么不肯让西班牙调查人员检查"缅因"号的残骸呢？是怕他们在船上动手脚，还是其中另有隐情？这还不算，

沉没中的"缅因"号

没过多久，美国又把炸坏了的"缅因"号拖到了大西洋，让它在排空巨浪之中沉入海底。这样，调查工作无法再继续进行，而美国人反对西班牙的情绪却越来越强烈了。终于，在事情发生还不到三个月的时候，4 月 25 日，美国正式向西班牙宣战，美西战争就这样爆发了。

历时三个月的美西战争，以西班牙彻底失败而告终。1898 年 12 月，美国和西班牙在巴黎签订和约，西班牙让出了古巴和菲律宾。

至于引起这场战争的"缅因"号爆炸事件的原因，也许将永远是个谜。

美国海军上将海曼利科认为"缅因"号的爆炸是由于存放在舰艇上的煤发生自燃而引起的。1976 年他"用现代技术为基础进行推断，判定是由于紧挨弹药仓的煤仓发生自燃所致"。海曼利科夫还说，1896 年，美国巡洋舰"辛辛那提"号和"纽约"号也曾经先后发生过因煤炭自燃而引起的起火事件。当时，大火已经危及到了火药仓的安全，只不过这两起事故后来均由于海水进入船舱把大火熄灭才避免了灾难。但是这只是一种主观的推断而已，没有得到世人的承认。也有人猜测，"缅因"号的爆炸是由于舰艇上的锅炉发生爆炸而引起的事故，但是这一说法同样缺乏有力的证据而无法让人信服。

此外，还有不同的说法，譬如：因为有人在舰上的贮煤仓内放置了炸弹，因为"缅因"号误触水雷，因为有人把计时炸弹带上了"缅因"号舰艇上，甚至有人认为弹药包没有安置妥当，造成了这次惨剧。但是无论持那种观点的人都拿不出确凿的证据来证明自己观点的正确性。

要想揭开"缅因"号爆炸事件的谜底，还有待于更多解密材料的公布以及对舰艇残骸的进一步检查，那就让我们拭目以待吧。

美西马尼拉海战之谜

　　美国人一直对西班牙在加勒比海的"珍珠"——古巴垂涎不已，美国资本自十九世纪七十年代起大量进入古巴，到 1896 年为止已达 5000 万美元；1894 年古巴产糖 105 万吨，其中 96 万吨输往美国，显然，美国已经取代西班牙控制了古巴的经济。特别是在古巴投资的钢铁、糖业资本家坚决要求对西班牙开战。不久，美国国会于 1898 年 4 月宣布古巴自由独立，美西战争因此爆发。战争中，

美国海军准将乔治杜威所指挥的远东分遣队是由 5 艘巡洋舰、1 艘炮舰及数艘辅助舰船组成的，但其中没有一艘是真正的战舰。船舰全是用蒸汽机发动的，其中除了巡洋舰，就是易受伤害的炮舰和速度较低的"快艇"。正是这样一支小型舰队，在菲律宾马尼拉湾与实力更为强大的西班牙舰队的交战中，轻而易举地打垮了西班牙舰队，攻取了马尼拉。

　　杜威舰队取得的胜利是美国从内战到第二次世界大战开始期间的一次大的胜利。而时间只用了半天。根据杜威将军报告，战斗至中午七艘西班牙舰船全部被击沉，西班牙舰队死亡 161 人，伤 210 人，而美国舰队只有 9 名官兵受轻伤。第二天，美海军又占领了甲米地和科雷希多岛，并且封锁了马尼拉的海上交通。

　　对于美国杜威舰队获胜的原因在史学界有着不同的看法，有的史学家如詹姆斯·查思等认为杜威舰队是凭借审时度势攻取马尼拉的。早在 1898 年 2 月，

当杜威将军率领的美国舰队到达香港时他就获得了重要情报：许多美国人正在谈论美国军舰"缅因"号被炸沉的情况，认为那是西班牙人所进行的破坏行动。随后，杜威将军收到了代理海军部长罗斯福的电报："保持充足的燃煤。一旦发生战争，你的任务是不准西班牙分舰队离开亚洲海岸，然后对菲律宾群岛发起进攻。"杜威根本不需要这种敦促，因为此时他已经在加紧备战了。他为舰队购买了一艘运煤船和一艘补给船。他命令战舰入坞，对机械部分进行大修，把船体水下部分清除干净，并将白色的船舷漆成灰色。杜威将军亲自检查一切细节，要求舰艇人员每天操练，舰上所有的机器都作好战斗准备，一接到命令就能够连续运转。为了搞清西班牙舰队和菲律宾岛上的设防情况，他派了一个密探去马尼拉，还让自己的副官化装成旅游者，从到达香港的游客那儿刺探情报。为了防止英国人在战争爆发后采取中立的立场，他又在中国海域的大鹏湾附近设立了一个临时锚地。美国人的胜利不仅靠实力上的优势，而且也是他们准备充分的结果。杜威说："马尼拉战役是在香港码头打赢的。"

在航行 500 余海里后，杜威舰队很快于 1898 年 4 月 25 日黄昏时分到达马尼拉海湾的入口处。在马尼拉海湾的入口处有两个关键地点：它们是埃尔弗赖莱岛和科雷希多岛，两者都是西班牙人用重型火炮护卫的要塞。但舰队在经过两处要塞时，均没有遇到抵抗，两个要塞也没有作出任何阻击的反应。在这种形势下，杜威的全部战船在夜幕笼罩下排成"一"字队形，以每小时八海里的速度无一损伤地进入了海湾。直到午夜时，西班牙人才开始行动。尽管杜威舰船上的火炮没有一门像西班牙人拥有的火炮那样强大，但仍然压住了来自西班牙军队的火力。西班牙舰队在发现美国舰队之初就开火射击，美舰因为没有弹药补给地，为了节省弹药，一直逼近到离西班牙

被炸毁的美国军舰"缅因"号

舰队只有5000码的距离才开火。美国军舰在西班牙军舰前 2000—5000 码处排成几乎与其平行的队列，反方向行进并往复航行，不断地进行射击，好几艘西班牙军舰，几次企图冲击美舰均遭重创，不是被击沉就是被击退了；两只被放下水的鱼雷艇也被击沉一艘，另一艘受伤搁浅，都没有来得及发射鱼雷。杜威的舰队逐步向西班牙的战船逼近和开火，顺利地控制了马尼拉湾，占领了马尼拉城，取得了决定性的胜利。这是一种解释。

杜威与舰队部分官兵合影

杜威将军对他的胜利或西班牙舰队的失败，则作出了别出心裁的解释，尽管他的解释仍然不能使读者完全信服。杜威战后解释说，他的舰队因接到 5 英寸速射炮弹药短缺的误报决定暂时撤离，准备必要时将弹药予以重新分配。此时，由于马尼拉城的三个炮台一直对美国舰队进行炮击，而其位置较高，舰炮仰角不够，难以压制。他便向西班牙总督送交一份措辞强硬的公函，警告他立即停止射击，否则就炮轰马尼拉。吓破了胆的西班牙总督立即下令炮台停止射击。不久杜威重新参战，一个小时的炮击使西班牙舰队全军覆灭。杜威下令停火时，西班牙舰队的总司令蒙托霍少将所有的舰只不是处于浓焰烈火之中，就是葬身海底，或是被弃了。

不过，关于杜威舰队轻取马尼拉的原因，还有另一种解释，即西班牙人缺乏必要的警惕性和快速反应的能力。如前文所述，当杜威舰队接近马尼拉海湾入口处时，西班牙人为什么不开火，而直到杜威舰队已进入马尼拉湾后才开始行动？当时参加进攻行动的一个美国水兵曾作过解释。他说，杜威舰队距科雷希多岛南侧约有 3 海里时，西班牙人的炮火很难达到目标，连美国舰队的后尾战船都有幸逃避西班牙人的炮火。但是，仍然存在着无法解释的原因，这就是，在美国舰船处于西班牙人炮火攻击范围时，为什么西班牙人的炮火还是停了很长时间？

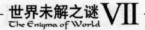

美国军舰

此外，有的人或许还会以为，美国舰队之所以取得胜利，是因为美军的炮火战术比西班牙略高一筹，然而战斗中的某些细节却可以说明，美国舰队胜利的本身表明美军的炮术并不比西班牙人高多少。当美国和西班牙两国的舰队最后决战时，美国的大炮向大型而又不灵活的西班牙舰船打了6000发炮弹，但击中目标的还不足150发。

还有，当人们看到美国舰队归来时，有没有想到其背后起作用的因素，即美国在其陌生的菲律宾群岛发动突然袭击并且获得了胜利，这其中有没有别国的支持？答案应当是肯定的。当杜威舰队宣告胜利时，在马尼拉湾立即出现了英国、日本和德国的战舰。尽管德国采取相当挑衅和无礼的态度，致使杜威舰队不得不对一艘德国鱼雷舰艇开了一炮，但是英国和日本人似乎采取了十分友好的态度。在这次海战前后，日本和英国与美国究竟有什么默契，而西班牙人对此有无了解，至今依然不得而知。

因此，历史走到了今日，关于杜威舰队一举打败西班牙舰队，顺利攻取马尼拉的原因，依然众说纷纭，莫衷一是，这仍然是个十分有趣的问题。

吴三桂降清之谜

　　吴三桂（1612年—1678年）为辽东人，武举出身，以父荫袭职军官，明末任辽东总兵，驻守宁远。崇祯十七年（1644年）三月初，李自成率领大顺军已逼近畿辅，明廷诏令吴三桂与蓟镇总兵唐通率兵入卫京师。3月21日，大顺军进抵居庸关，唐通投降。此时，吴三桂率辽东明军约4万人及8—9万关外汉民陆续进关，暂屯于山海关至滦县、昌黎、乐亭、开平一带。李自成于是命唐通率本部兵马，带着银两和财物，到山海关去招降吴三桂和山海关总兵高第。吴三桂和高第均接受投降。唐通接管山海关防务，吴三桂带领部众向北京进发，准备朝见李自成，接受新的任命。但走到玉田，他听说在北京的家属受到大顺军的侵犯，遂一怒而去，率部直奔山海关，向唐通发动突然袭击，夺占山海关。李自成得到消息，于4月13日与刘宗敏率兵前往镇压。吴三桂自料敌不过大顺军，不顾民族大义，请求清朝出兵援助。4月21日，大顺军抵达山海关，与吴三桂展开激战。22日晨，吴三桂眼看就要失败，出关至欢喜岭上的威远台谒见清摄政王多尔衮，再次请求清军入援。多尔衮立即下令清军三路进关，向大顺军阵地发动猛攻。大顺军寡不敌众，刘宗敏受伤，李自成只得下令撤退，于26日返回北京。随后，吴三桂即跟随清军，积极参与对农民军的镇压。

吴三桂的大刀和佩剑

　　由于史书中的种种记载，史学界一直瞩目吴三桂引清军入关镇压农民起义这一事件，人们一直认为吴三桂此举便是投降了清朝。但近年有人认为，吴三桂引清军入关并不是表明他投降了清朝，并提出了种种证据。这一说法使似乎让本已盖棺定论的问题重又成为历史谜团。

　　至少有两点理由可以说明吴三桂投降了清朝：第一，清朝最高统治者视吴三桂

吴三桂的云南王府

为降将，如清摄政王多尔衮就把吴三桂作为部下来驱使，"命三桂兵各白布系肩为号"，"命三桂军先锋"，又"命吴三桂以步骑二万前驱追贼"。清廷为了奖励吴三桂在战争中的功劳，还"授三桂平西王勒印"（《圣武记》）。后来清帝剥除吴三桂爵位时，也把他称为降将："逆贼吴三桂穷蹙来归，我世祖章皇帝念其输未投降，授之军旅。"（《清圣祖仁皇帝实录》）在清朝廷的眼中，吴三桂就是一个明朝降将。第二，吴三桂入关后的所作所为也表明他已真心降清，吴三桂打着为明王朝复仇的旗号引清入关，但是在南明政权的福王多次派人拉拢吴三桂时，吴三桂却断然拒绝。如当福王的侍郎左懋第"谒三桂，出银币且致福藩意"时，吴三桂说"时势如此，我何敢受赐，惟有闭门束甲以俟后命耳"（《明季稗史汇编》）。除了福王之外，还有几任南明王，吴三桂都不曾表示要协同反清复明，与此相反，他竟然亲自出兵缅甸追杀南明永历王。可以看出，不管当初引清兵入关时吴三桂是怎么想的，在清兵入关后，他就投降了清朝，此时，他已经不敢违抗清廷的命令，更不敢有任何反清复明的想法了。为了向清王朝表示他的忠心，他"破流贼，定陕，定川、定滇，取南明王于缅甸，又平水西土司安氏"（《圣武记》），俨然成为清廷平定天下的一把利刃。

否认吴三桂"降清"的人则认为，北京失守后，形成了四股较强的政治势力并存的局面，即李自成、吴三桂、清朝、南明，其中吴三桂的实力最小，形势也最险恶，夹在李自成、清朝两股势力中间。吴三桂能走的只有三条路：一是投降李自成；二是南渡江南，参加南明政权；三是联合清朝抗击李自成。第一条路，由于李自成扣押了吴三桂的父亲、掠夺了他的爱人，吴三桂自然不可能去投靠李自成。第二条路，投靠南明政权，但吴三桂的实力还达不到可以带着十几万平民、军属打败李自成几十万大军，并一路顺利到达南京的地步；所以只有第三条路可以走得通。那就是联合清朝抗击李自成。吴三桂选择了联合清朝的道路，但这并不能说明他投降清朝。主要理由如下：

第一，吴三桂一贯抗清的态度决定了他不会轻易降清。吴三桂在担任辽东宁远总兵期间多次参加抗清斗争，且就在明清松锦战役后，明军节节败退，许多将领被迫投降清朝的情况下，"明之将师孰不惶惧"，但是吴三桂的态度依然很坚定。明朝降将致函劝降，吴三桂都是"答书不从"的。吴三桂是明辽东部队在'后袁崇焕时代'表现最坚定，成绩最出色的明朝边防将领。

第二，多尔衮在山海关战后加强了对吴三桂的控制可以证明吴三桂未降。史载，山海关一战之后，吴三桂的部队消耗非常大，多尔衮乘机控制吴三桂，他把步骑一万配属给吴三桂，又任命吴三桂为"平西王"。吴三桂不能也不敢拒绝多尔衮的好意，但是就这样吴三桂也没有说如同其他投靠清朝的汉族官吏那样卑躬屈膝，应该说他在自己力所能及的范围内也做了反抗。这说明吴三桂受到了多尔衮的拉拢和控制。

第三，山海关战后发表的檄文证明其未降。山海关一战胜利后，清、吴联军乘胜追击李自成，吴三桂"传檄远迩"，提出"周命未改，汉德可恩"，"试看赤县之归心，仍是朱家之正统"等口号。如果吴三桂真投靠清朝，这些口号他不会也不敢提，清朝如果把吴三桂当做臣属，清廷也不可能同意吴三桂发这样的檄文。

第四，在山海关一役后，在攻陷北京前后，吴三桂欲立朱明太子的行动证明其未降。李自成败退到永平后，吴三桂"请太子而使入议和"，并且提出了"约自成回军，速离京城，吾将奉太子即位"，又"传帖至京，言义兵不日入城，凡我臣民为先帝服丧，整备迎候东宫"。从这些可以看出吴三桂依然是以朱明臣属自居，并不认为自己是清廷官吏，可是"多尔衮命其西行追贼"的策略打乱了吴三桂的如意算盘。吴三桂因其势力太弱，只得听从了多尔衮。

第五，暗中积蓄实力以反清复明也可证明吴三桂未降。他一边广招贤才，暗布党羽，"阴养天下骁健，收忍荆楚奇才"，一边厉兵秣马，为将来的战争"殖货财"。他之所以没有实现反清复明的愿望，是因为清政治统治的日渐强大使"反清复明"的旗帜没有了号召力。而吴三桂是否降清这一历史问题已不能用后来的历史进程说明了。

太平天国寺王府

"天京事变"之谜

1851年—1864年的太平天国运动，是我国历史上规模最大的农民起义，历时十四年，先后克六百余城，势力波及十八省，曾使清政府如坐针毡，视为心腹大患。可是，1856

太平天国军队在江西与清兵作战图

年，正当其全盛之时，却发生了震惊中外的"天京事变"，太平天国元气大伤，从此衰落。"天京事变"作为太平天国运动的转折点，历来是研究者注目的焦点。但是由于史料缺毁甚多，留存下来的又多有出入，使这个问题疑云密布，成为太平天国历史上最具神秘色彩的事件之一。

大概是由于当时太平天国的大量文件被清廷毁去，所以后世学者大多认为太平天国没有对此事进行记载，从而怀疑此事件的真实性。从现有资料来看，我们可以肯定太平天国相关的国史《天王诏书》中一定记述了这一事件。李秀成的《自述》中很多内容依据此书，他自己也有明确的说明。另外，太平天国官书《钦命记题记》所录的取士程文中有《东王升天节记》的题目，此书已佚，但在《能静居士日记》中存其梗概，可证当时太平天国对"天京事变"已有官方的说法。

太平天国忠王龙袍

从各类材料中，我们能看出一点事变的大致脉络：洪秀全封杨秀清为"万岁"；韦昌辉回京杀了杨秀清及其一家老小，又搜杀其部属；石达开回京排解，韦昌辉又欲杀石达开，石达开逃出天京，回到安徽军中，韦昌辉就杀了石达开全家；石达开挥师进逼天京，要求洪秀全杀韦昌辉；洪秀全杀韦昌辉，迎石达开进城；石达开受命总理政务，洪秀全封二兄为王，处处挟制掣肘；石达开出走，带兵"远征"不归，太平天国力量就此分裂。但是整个事件疑点甚多，研究者们众说纷纭，尤其是杨秀清的死令人痛惜，也令人生疑。

太平天国忠王朝帽

这场悲剧中首先出场的是杨秀清，引起争论的是他是否曾"逼封万岁"，从而引发天京事变。以现有的条件来说，相关材料莫衷一是，真伪莫辨，而当事人早已不在人世，都构成探究真相的障碍。"逼封"的说法出自《李秀成自述》："那时权柄皆在东王一人手上，不得不封，逼天王亲到东王府封其万岁。"似乎是杨秀清恃权而骄，希图篡位，洪秀全迫于形势，不得不屈从；在此后的事变中，洪杀杨是出于自卫。

洪秀全封杨秀清为"万岁"之后，韦昌辉于九月一日赶回天京。九月二日，韦昌辉带三千部众，一进入天京城就直扑东王府，杀了杨秀清全家及其部分部属，接着又在城中大肆搜杀"杨党"。多种史料中都有迹象表明，东王府余部也进行了有力的抵抗。双方关起门来大杀了两个月，尸积如山，死亡达两万余人。韦昌辉为什么在这时赶回天京？这个问题引出了有无"诛杨密诏"的争论。

韦昌辉在杨秀清领导之下，论地位、论人望，都远不及杨，假如没有洪秀全的支持，他是绝不敢擅自杀掉"一朝之大，是首一人"的杨秀清的。当时天京兵权掌握在杨秀清手中，而韦

太平天国时期的钱币

昌辉只带了三千亲兵，若没有天京城内部队的配合，怎么能抵挡东王部众的反攻？当时能调动城内部队反杨的，只能是洪秀全的命令。何况当时京城太平军正与清军对垒，城门有重兵把守，城区戒备森严。韦昌辉班师回朝诛杀杨秀清，如无天王之命，是不会轻易得逞的。

但有人提出不同意见。他们分析认为：杨秀清及两万余名将士突遭杀害，洪秀全获知后立即颁发了一道诏旨，宣布韦昌辉的罪状，"令受鞭刑四百。"可见

太平天国末期的女囚犯

韦昌辉之举并非奉诏而行。洪秀全钦定杨秀清的忌日为"东王升天节",要国人永志纪念。这说明洪秀全对杨秀清是倍加敬重的。

但是令人惊讶的是,如此惨烈的屠杀,洪秀全只是"令受鞭刑四百"与韦昌辉。这在情理上似乎多有不妥。如果韦昌辉并无洪秀全亲笔"密诏",那么,擅自杀掉杨秀清,或许正合洪秀全的本意。

天京事变已过去一百三十余年,事件的一切细节都渐渐沉埋于历史的尘埃,不复为人所知。"诛杨密诏"是有是无,将继续成为历史之谜。

火烧圆明园之谜

　　圆明园为清代御苑，其基址为明代皇亲国戚的故园遗址。1709年，康熙开始修建旧园，后又赐与太子允禛(雍正)，并提名为"圆明园"。1725年雍正三年开始扩建，增建殿堂和楼阁，作为听政之所。乾隆即位，六次巡游江南，喜江南山水，将所见名胜绘制成图，仿制园中。嘉庆，道光，咸丰三朝代代增修，益发辉煌。整园占地5200亩，建筑面积16万平米，相当于故宫的全部建筑，前后历经150多年，建起了"圆明园"，"长春园"和"万春园"三个部分。一般的，圆明园是上述三园的统称。"圆明园"造景的意境，多采取神话传说中的仙宫幻境，或仿历代著名山水画中的深山幽壑，或采江南旖旎多姿的名园胜景，还兼取了国外古典宫廷建筑的特点，成为当世罕见的园林集大成者，被誉为"万园

之园"。

可惜，充分反映了我国劳动人民智慧和才能的圆明园，都被皇帝据为私有。历代皇帝无止境地追求享乐，据史料记载，自雍正开始，每年新正郊祀后，帝后门就移居圆明园，直到冬季大祀后才返回紫禁城，即一年中有三分之二的时间在圆明园。咸丰帝由于害怕在皇宫受宗法约束，所以在圆明园中住的时间更长些。这座行宫御园，是封建帝王的宫苑，皇帝后妃们在园内过着挥金如土的腐朽生活。园外兵营林立，没有皇帝的赏赐，王公大臣也不得入内游逛。1879年，李鸿章从西欧回国，前往颐和园拜见慈禧太后，受到她的赏赐。在宴饮和听戏后，私带幕僚数人游览圆明园遗址，尽管当时圆明园已被焚毁，但仍是皇家禁苑，李鸿章这样的宠臣也以私闯禁苑受到处分。

今天，驰誉世界的颐和园只是圆明园外围园林的一部分，从而可以想象当日的圆明园是何等的宏伟和壮观。而在今天呈现在我们面前的是一片废墟。1860年第二次鸦片战争时，英法联军入侵北京，他们以为咸丰帝还在圆明园，遂以圆明园作为进攻目标。实际上，咸丰早在英法联军进北京前就带领一帮大臣逃去了热河。入侵者进了圆明园，见到庄严的大殿，辉煌的楼阁，幽静的园林，立即动手大抢起来。据有关史料记载，抢劫开始，入侵者进入皇宫后，谁也不知道拿什么东西，拿了金子，丢了银子，为了镶有珠宝美玉的艺术品，又把金子丢了。无价的瓷器和珐琅器，因太大不能搬走，竟被打碎。联军抢劫圆明园后，还不满足，英国将士决心焚毁圆明园。公元1860年10月一代名园终于在侵略者的火把下化为灰烬。

圆明园的焚毁，在人类文化史上的损失是无法估量的，侵略者不但毁坏了世界上独一无二的名园，而且把大批的珍贵文物也掠夺到国外，一代名园只剩下残垣断壁。以后清帝几代虽仍想重建圆明园，但终因内忧外患，国力不足，重建工程不得不半途而废。

英法联军在洗劫了圆明园后，为什么又要将这个"万园之园"焚毁呢？流行

的说法是，焚园是为了掩盖他们的强盗罪行，事实真是这样的吗？

其实，在焚园之前，英法双方有过争论。英军头子格兰特主张毁园，他认为："行宫（指圆明园）固已被掠，然所蒙损失，在一个月内即可恢复。"这就太"便宜"了满清皇帝。圆明园当时是仅次于紫禁城的统治中心，通过彻底焚毁圆明园，不仅能狠狠打击那些排洋派们，还可以羞辱清王朝妄自尊大的面皮。

法军头子赛托邦对此则表示异议，他认为这样抢一把，就够本儿了，担心"若逼之已甚，恭王畏难逃避，将使和议决裂"。英国公使额尔金听了不以为然，他嘲讽这位法国朋友"不甚熟悉中国情事"，并重申只有给中国统治者留下受惩罚的痕迹，才能使他们"脑海里留下不易泯灭的痕迹"。经过一番激烈争论，英法联军头子统一了认识，额尔金在焚园前一天通知恭亲王："圆明园即须毁为平地。"果然，圆明园里大火燃烧起来了，焚园后的第三天，园内余烟未尽，恭亲王奕䜣即向英法侵略军乞和，这真是亘古少有的奇耻大辱。对此"官书多所隐讳"，至今在《清史稿》等正统史料中都避而不谈。然而在一些笔记小品、逸闻稗史中却屡有涉及，其中一个重要说法，是有个名叫龚橙的汉奸把英军引入圆明园内，从而导致这场惨绝人寰的灭顶之灾。

最先透露这个说法的是近代文学家王闿运，他写过一篇关于圆明园的长词，在该词的自注之二中，有这样几句话："夷人入京至宫闱，……贵族穷者，倡率奸民，假夷之名，遂先纵火，夷人还，而大掠矣。"从这一自注来看，还在英法联军进入圆明园之前，就有"贵族穷者"带领坏人，打着外国人的旗号在这里放火。可是，这个"贵族穷者"是谁？坏人又有哪几个？王闿运没有点明。后来，与王氏多有来往的刘成禺透露了这一秘密。他曾见过王闿运的原稿，写着"有汉奸销英翁及匏叟书"这样的句子。刘成禺据此写了《王湘绮笔下两汉奸》，文中这样写道："龚孝拱，字橙，号匏庵，仁和龚自珍子。英人攻天津、广州，威妥玛尊为谋主，多用其策。"（引见《世载堂杂忆》）此文一出，立即引起广泛关注，龚橙被认为是那个"贵族穷者"，他成了让人切齿的汉奸，不仅多次为英国侵略者出谋划策，而且还是引导英法联军焚毁圆明园的帮凶。

假如王　运真的写过这样的话，他的说法可信吗？有人分析了王氏的经历和人品，认为还是比较可信的。王闿运，湖南湘潭人，字壬秋，又字壬父，室名湘绮楼，有时也以王湘绮名之。生于清道光十二年（公元1832年），咸丰年间中了举人，曾应聘在内务府大臣肃顺家中教读。不久当了曾国藩的幕僚，后被四川总督丁宝桢请去主讲"成都尊经书院"，又在长沙思贤讲舍任职，后为衡州船山书院山长。宣统时授翰林院检讨，民国初年任清史馆馆长。王氏有机会接近当时的高层人士，了解某些事件的内幕，写了《湘绮楼日记》等。他是有名的史

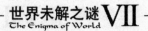

圆明园遗址

学专家，治学态度十分严谨，不愿为人张扬丑恶，那首词的自注原稿本来写了龚橙的名字，最终还是给划去了。

龚橙果真是汉奸吗？有无可能干出引狼入室的缺德事呢？看看此人的经历就明白了。

龚橙，浙江仁和(今杭州)人，系清代思想家龚自珍的长子，原名公襄，更名橙，字昌匏，又字孝拱。早年生活优裕，养成大家公子的脾气，天下无人不敢辱骂，又无一事使他害怕。后来随父居京，想走仕途之路，然而又不下功夫，结果屡考屡败。看看在京城实在混不下去，转身跑到上海，结识了一个叫曾寄圃的买办，经过他的介绍，龚橙认识了英军头目巴夏礼，并且意外地当了巴夏礼的中国秘书。通过这条路径，他又取得了英军头子威妥玛的好感，做了洋人的幕僚。龚橙虽然出身于学者型的官僚家庭，又熟读四书五经，可是他根本不讲礼义廉耻，也无君臣父子之道，为人狠毒，办事白绝，人皆恶之，目为"半伦"。

那么，又为何把他列为"贵族穷者"？这还要说到龚橙的家庭。龚家先前境况甚好，龚橙的祖父丽正、叔祖守正皆为官僚，父亲自珍曾任内阁中书、礼部主事等，龚家的亲戚如段玉裁等，也是学者和官吏，称其为"贵族"名副其实。然而，至龚自珍时，家庭状况已很不好，一方面由于龚橙的祖父丢官，家中失去了经济支柱，而父亲自珍又是六品小京官，"俸禄本薄"，没有几个银钱。另一方面，龚自珍不善治家，他又"性既豪迈，嗜奇好客"，这样大吃大喝，必然入不敷出，而且年甚一年(参见吴昌绶《定庵先生年谱》)。家庭的窘困拮据曾使龚自珍到保定借贷。其叔父龚守正写过一本《家乘述闻》，其中记述了自珍家庭的窘况："指丽正罢官后不及十年，据定庵侄妇(龚自珍妻)云，已四年不烧年

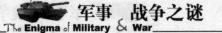

纸矣！曾几何时，盛衰乃尔，可胜浩叹！"像龚家这样的书香门第、仕宦之家，穷得竟然"四年不烧年纸"，其困顿潦倒境况，也就可想而知了。由此看来，王闿运把龚橙称为"贵族穷者"，真的是确有所指。

这种说法传开以后，王闿运出了一册《同治重修圆明园史料》。刘叔问为其写了跋文，他这样说："初有奸人龚孝拱者，游海上，以狙诈通于夷，闻圆明园多藏三代鼎彝，龚故嗜金石刻，至庚申京师之变，乃乘夷乱，导之入园，纵火肆掠。"到了这里，就正式把龚橙引导英军入京焚掠，并乘机中饱私囊的事情挑明了。接着，陈文波的《圆明园残毁考》、柴小梵的《梵灭庐丛钞》也都认定"英军就犯，龚为向导，日清之精华在圆明园。"至徐珂编《清稗类钞》时，也有相同的说法："庚申之役，英人以师船入都焚圆明园，龚实同往，单骑先入，取金石重器以归，坐是益为后人诟病。"再后来，《清朝野史大观》也采信了这个说法。小说《孽海花》又把龚橙的恶行说得有鼻子有眼，可谓真真假假，两歧难辨。

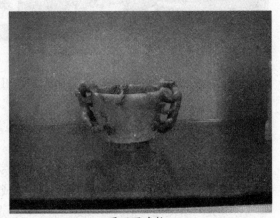

圆明园遗物

龚橙此人无行不假，他投靠英军作威作福也是事实。可是，他真的是引导英军焚毁圆明园的帮凶吗？有人表示怀疑。他们的理由如下：

第一，龚橙确实依附过英人威妥玛，圆明园被焚时，威氏到达中国已有十九年了。作为老资格的外交官，他曾无数次进入圆明园，对此可以说轻车熟路，岂用龚橙引导？再说，依照这座皇家园林的名气，英法两军中的中国通们一定不会陌生，何须龚橙多言？另从史料记载看，首先入园抢劫的是法国军队，他们的"向导"是僧格林沁的败兵，只要尾随而至就行，无须他人引导。

第二，蔡申之写了《圆明园回忆》一文，他举例说，英军抢劫圆明园时迷了道路，比法军晚到了一天。假设"英军既有半伦为之向导，何为失道后至，使法军捷足先登？"这就是说，龚橙当时不在英军队伍，他也不可能为其先导。

第三，王 运作为一位严肃的学者，他之所以在词的自注中没有写上"有汉奸销英翁及匏叟书"，很可能这一消息来源不明，写上没有把握，担心引来麻烦，因而将其划掉。这恰恰说明王闿运的治学严谨，不能作为龚橙导夷毁园的证据。

第四，如果龚橙确实有此恶行，当会引起国人共愤，大家肯定不会保持沉默。

但是，从当时有关官员的日记、留京大臣的奏折等资料中，均无龚橙恶行的记载，而且在《泰晤士报》随军记者的报道、侵华官兵的回忆文字中，也无龚橙作为向导的说法，这该作何解释。

第五，从龚橙的下场来看，似也没有导夷焚园。据资料记载，威妥玛回国之后，龚橙失去了生活来源，只靠变卖古玩字画为生。他的精神更加颓废，行为更加失常，终于发"狂疾"而死。如果此人有此罪恶，清廷当会严加缉拿，继而重重治罪，怎么会容他任意发狂？

总之，龚橙是否引导英军焚烧圆明园，不宜仅凭片言只语就轻下结论，也不能拿逸闻野史作为根据。关于龚橙的这桩公案，目前仍然存在争论，要想真正弄个明白，尚需更有说服力的证据。

太平天国北伐失败之谜

1853 年 5 月 13 日，天官副丞相林凤祥和地官正丞相李开芳等，奉命率领 2 万余人由浦口(今属南京)出发，"师行间道，疾趋燕都"，于 10 月 29 日进抵天津西南的静海、独流镇，屯驻待援。北伐军深入直隶(约今河北)，清廷震动，即命惠亲王绵愉为奉命大将军，科尔沁郡王僧格林沁为参赞大臣，防卫北京，并由僧格林沁率军前出，会同钦差大臣胜保围困静海、独流镇。北伐军远离天京，处境日益艰难。1854 年 2 月 5 日，乃从静海、独流镇突围南走河间束城镇，继走阜城，但仍未能摆脱被围困的处境。天王洪秀全、东王杨秀清得知北伐军抵达天津附近，抽调 7500 人组成援军，由夏官又正丞相曾立昌等率领，于 1854 年 2 月北上增援，直入山东，一度攻克临清。旋遭清军围攻，在南退途中溃散覆灭。林凤祥、李开芳得知援军北上，乃从阜城突围，进据东光县之连镇。为分敌兵势、迎

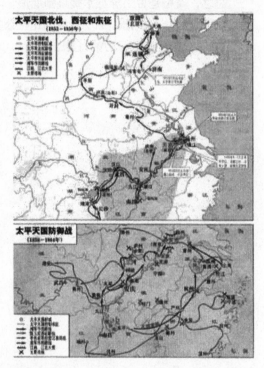

接援军(尚不知援军已溃散)，5 月 28 日，由李开芳率 600 余骑突围南下，占据山东高唐州城，又为胜保追及围困。1855 年 3 月 7 日，连镇被清军攻陷，林凤祥被俘。僧格林沁立即移兵高唐。李开芳突围南走茌平县之冯官屯，最后在僧格林沁引水浸灌下出营被俘。

本来，从太平天国壬子二年 (1852 年) 十一月初十至癸好 (1853 年) 三年二月十五的三个月中，太平军连克岳州、汉阳、武昌、九江、安庆、南京等城市，所向披靡、势如破竹。在攻克南京建都天京后，即派军北伐，欲直捣燕京、推翻清政府，在当时，这是完全可能实现的。但为什么后来太平军由开始的攻

势转为守势，最终招致全军覆没的惨局？

一种观点认为，太平军北伐，孤军远征，长驱六省，虽为精锐之师，但后援不继，终不免全军覆没。林凤祥、李开芳率领的北伐军，是一支纪律严明、英勇善战的军队。他们从南京浦口出发，一路滔滔，所向披靡，不到两个月就渡过了天险黄河，大有直捣燕京将清政府一举推倒之势。所以，太平大国建都天京以后立即派遣主力北伐的决策是对的。太平军北伐的失败不是决策错误，而是后援不继、粮道不通。而天朝对疏通北伐军粮道和派遣援军是考虑到并且付诸实现了的，无奈军心不齐，一再贻误良机，除开始时胡以晃的西路军失机外，还有两起援军也半途而废。几起北伐援军的半途而废，充分说明太平军北伐过程中战略分歧的严重。由于得不到粮饷接济和援军接应，北伐军从渡过黄河之始，不得不孤军奋战。在林凤祥之后，只要有一路援军到达目的地，不但北伐军能够保全，而且林凤祥等或许早已问鼎燕京，为太平天国写下另一页不同的历史了。可惜几起援军都半途而废，才使北伐军成为孤军。最终导致北伐失败。

也有观点分析是太平军集团政治上的腐败直接导致了北伐的失败。他们分析认为，1851年金田举事之初，政治设计上即无新意，"有田同耕，有饭同吃，有衣同穿，有钱同使，无处不均匀，无人不饱暖"，不过是"均贫富"的老套套，虽能号召饥民于一时，却无力支撑以长久。1856年9月洪杨内讧，成为太平军的盛衰转折点。1857年5月，石达开率十余万太平军出走，后果更严重，血腥争权的内讧不仅仅致使杨秀清部下两万精兵死得毫无意义，更暴露了太平天国政权的性质，不过"取而代之"更旗换号而已。洪秀全登基后娶八十八妃（远比清帝多）、乘八十二人大轿（比清帝多一轿夫），"官轿出行军民避不及当跪道旁"，"大员妻不止，无职之人只娶一妻"。李鸿章后来攻下苏州，惊叹忠王府"神仙洞窟"。南京的天王府更是建制宏大，尽极奢侈：金碗、金筷、金浴盆、金马桶、金夜壶，宫吏一千六百余、宫女千余……谱儿摆得比清帝清吏还大，革命性与正义性丧失殆尽。政治上，太平军集团管理层目光短浅，不知文

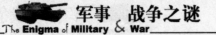

化之力。在辖区内，太平军焚烧文庙、劈孔子牌位，将江宁学宫改为"宰夫衙"——用来宰牛屠狗，"以狗血尽淋孔孟之头"。对读书人全无笼络，蔑视所有传统文化价值。尚未夺取全国政权，就这样踢开了文化人，自然政权内部办事效能日益低劣，官僚化腐败化程度日益加剧。反过来，清廷镇压太平军所倚重的力量，却是曾、胡、左、李等高级文化官员。缺少了文化的粘合力量，政治上便丧失了向心力，这对强敌在侧的太平军集团来说，确实是致命的。军事乃政治的延续，战争只是政治较量的最后格斗，而政治较量的基础又在经济与文化，比拼的不仅是人力物力，更有综合调配的管理能力与设计全盘的文化智力。应该说，无论从哪一方面来分析，太平军北伐最后的军事失败都是必然的。

还有学者分析是太平军辖地内生产崩溃是导致北伐失败的重要原因。1863年（同治二年），曾国藩在《沿途察看军情贼势片》中写有：徽、池、宁国等属，黄茅白骨，或竟日不逢一人。……烟火断绝，耕者无颗粒之收，相率废业。贼行无民之境，犹鱼行无水之地，贼居不耕之乡，犹鸟居无木之山，实处必穷之道，岂有能久之理。《西潮》中说："太平军溃败以后，南京破坏殆尽，而且始终不曾恢复旧观。城内的废墟、麦田、菜圃、果园比盖了房子的街道还多。街道狭窄，路面高低不平，而且肮脏不堪，电灯昏暗如菜油灯。"从许多史料上都可以看出，太平军对南京的破坏是毁灭性的，昔日雕梁画栋、繁花似锦的六朝金粉胜景不再。没有了雄厚的经济作后盾，太平军北伐失败也就是情理之中的事情了。

尽管太平军北伐最终失败了，但广大太平军将士英勇奋战，震撼清朝心脏地区，牵制大量清兵，对南方太平军和北方人民的斗争客观上起到了支持作用。

石达开大渡河受降之谜

石达开画像

石达开（1831年—1863年），别名亚达，外号石敢当，广西贵县人。太平天国首封之五王之一，为翼王，称五千岁。

石达开早年在家务农，后加入拜上帝会，称天父第七子。1851年拜上帝会于金田起兵后，领左军主将。同年12月，在永安被封为翼王。其后屡立战功。1855年1月，在鄱阳湖大破湘军水师。太平天国定都天京以后，洪秀全、杨秀清等人革命进取心减退，追求享受，严格规定等级秩序，越来越脱离群众。1856年8月，杨秀清逼洪秀全封他"万岁"。洪秀全表面答应，暗中密令韦昌辉、石达开等回京商量对策。9月1日深夜，韦昌辉带兵包围东王府，杀死杨秀清及其全家，还残杀杨秀清部下两万多人。石达开赶回天京，责备韦昌辉滥杀，后又逃出天京。韦昌辉又围攻天王府，妄图加害洪秀全。韦昌辉的滥杀引起天京军民的愤慨，在洪秀全领导下，天京军民处死了韦昌辉。韦昌辉死后，石达开回到天京，洪秀全任命分为"提理政务"，但对他又有疑忌，封自己哥哥洪仁发和洪仁达为王，参预政事，以牵制石达开。1857年10月，石达开带领太平军五六万人"负气出走"，走上同太平天国分裂的道路。后来石达开领兵到江西，1858年经浙江到福建，1859年分兵入湖南及广东再到广西，1860年率十万之众，北上过湘西，入川东，并在1863年攻下贵州遵义。1863年4月，石达开亲率4万大军，由云南巧家横渡金沙江，第七次攻入川境，然后沿会理县北上，穿过彝区，到达大渡河南岸的紫打地（今石棉县安顺场）。由于清军围追堵截，太平军几次渡河失败，从而陷入进退失据的困境。石达开见大势已去，命尚存的几千名将士放下武器，自己带着五岁的儿子及几名副将，于6月13日自缚赴清

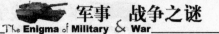
营，后被解往成都后英勇就义，留在大渡河边的几千名太平军将士亦被清军袭杀几尽。

石达开被认为是太平天国将领中最富有谋略的人。曾国藩说"查贼渠以石为最悍，其诳煽莠民，张大声势，亦以石为最谲"，曾国藩的幕僚薛福成则赞其为"绝代英物"。但关于石达开大渡河被俘问题，史学界一直众说纷纭，存在着很多分歧。

有人认为，造成所有太平军将士被斩尽杀绝的血腥惨剧，应归罪于石达开的贪生怕死束手投降。

也有观点分析认为，1863 年 5 月 14 日，石达开率领三四万大军，经冕宁小路，进抵紫打地，准备越过大渡河直取成都。这里地势险恶，四面受敌：北面是大渡河和总兵唐友耕等的部队，西面

大渡河南岸的紫打地（今石棉县安顺场）

是松林河和土司王应元等的反动武装，东面是马鞍山及土司岭承恩的兵勇，南面的山径险路被岭承恩砍倒千年古树堵塞，又有游击王松林的兵勇在筲箕湾等处堵守。从 5 月 17 日起。石达开曾多次组织渡河战斗，均遭失利，伤亡惨重。由于四面被围，粮道断绝，给养发生了严重困难，只得"摘桑叶，掘草根，杀马骡为食"。6 月 9 日清军乘势攻陷紫打地大营，石达开率残部七八千人东向突围，奔至老鸦漩，"复为夷兵所阻，辎重尽失，进退无路"。"入夜昏黑，饥甚，觅食无所得，有相杀噬人肉者，达开莫能禁"。面对这种艰险形势，石达开动摇了；十之六七的部将动摇了，有个姓邹的宰辅甚至"先送家属为质，约为内应，立功赎罪"；有些士兵也"疑贰无斗志"。石达开穷途末路之际，已有投河自尽之意。后见清军挂出"投城免死"的牌子，便存有侥幸心理，向清军投降，以求苟且偷生。

但大多数人不同意这种看法，认为石达开绝非贪生怕死之辈。石达开投降是为了赦免三军将士，似有诈降之意。

另据四川布政使刘蓉（刘曾对石达开监刑）讲：石达开临刑时："坚强之气，溢于颜面，而辞气不卑不亢，不作摇尾乞怜之语。"因此，他们相信，石达开仍是太平军英雄豪杰，一生正气，视死如归。

"垂翅无依鸟倦飞，乌江渡口夕阳微。穷途纵有英雄泪，空向西风几度挥。"石达开虽然兵败大渡河，但太平军在四川的战斗，有力地打击了清王朝在四川的统治，鼓舞和支持了四川人民的反清斗争。

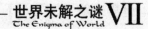

太平军扫北的主帅是谁

1851 年 1 月 11 日，洪秀全(1814 年—1864 年)在广西金田村发动金田起义，建号太平天国，起义军称太平军。1853 年 3 月 19 日太平军占领南京，改南京为天京。定都天京后派 2 万多精兵北伐（亦称北扫）。1853 年 5 月北伐军从扬州出发，经安徽、河南等地，进入直隶，逼近天津，咸丰帝(清文宗)宣布京师戒严。八月北伐军进攻天津失利。1855 年 3 月林凤祥在连镇突围被俘。4 月 3 日在北京就义。李开芳退守山东茌平冯官屯。被俘后被押解北京，6 月 11 日凌迟处死。太平军北伐最后失败。

不过，谁是这次北伐的主帅便成为这一幕悲壮历史上的一大疑问。

李开芳、林凤祥、吉文元、朱锡锟等都是太平天国此次北伐的主要将领，主帅当是李、林二人中的一位，但李、林二位究竟谁为主帅，至今都难以确定。原因之一是，据史料记载，李、林二人的名次排列很不固定。郭廷以的《太平天国史事日志》、《金陵杂记》、《畿辅平贼纪略》等书记载时，将李排在林之前。《畿辅平贼记》载："初，粤匪洪秀全、杨秀清等窜居江宁，连陷镇江、扬州，乃遣伪丞相李开芳、林凤祥、吉文元等渡江，自浦口窜扰皖豫两省。"咸丰朝《东华续录》、《戴经堂日钞》等则正好相反，将林放在李之前。如《戴经堂日钞》云："闻阚仪河口捕获渡河贼五人……讯供贼目林姓等……自扬州坐船到浦口……约万余人。"还有些史料交错排列此二人名次。因此，究竟谁先谁后，后人不得而知。原因之二是二人官职、品级不分上下，相差无几，谁都有成为领衔主帅的可能性。

目前史学界出现两种不同意见。一种意见断定林凤祥是北伐主帅，这是因为北伐军在太平天国癸丑三年五月十六日从朱仙镇发回天京的战况"禀报"中排在第一位的是林凤祥，其后是李开芳、古文元、朱锡锟。还有癸丑三年四

月杨秀清给林等人的诰谕也与此相类似。另外，与林同时被捕的将领欧锦、陈亚末的供状中，也有"四月跟林凤祥……占住连镇，林凤祥令李开芳领人往攻高堂州"以及"是年四月，我跟林凤祥、李开芳、古文元三个伪丞相过黄河……"的话，这为证明林在李之前，林在李之上，北伐主帅非林莫属提供了有力证据。

与之相反的另一种意见认为北伐主帅应为李开芳，他们用以下事实作为依据：第一，李秀成在"天朝十误"头三条中指出："一误国之首，东王令李开芳、林凤祥扫北败亡之大误；一误因李开芳、林凤祥扫北败后，调丞相曾立昌、陈仕保、许十八去救，到临清之败；一误因曾立昌等由临清败回，未能救李开芳、林凤祥、燕王秦日昌复带兵去救，兵到舒城杨家店败回。"这里李秀成三次肯定、毫不含糊地将李放在林之前。总理过天朝国政的洪仁玕在其自述中，亦把李放在林之前。

壬戌十二年底太平天国将这些战死的北伐诸将作为开国功臣，追封为王。太平天国的制度规定，在封爵前面必须"冠以衔系"，李开芳的全衔是"殿前春季电察天军顶天扶朝纲请王合千岁"，林凤祥的全衔是，"殿前春季电察天军顶天扶朝纲求王协千岁"，从其官职排列的次序来看，李排在了林的前面，当为北伐主帅。

以上双方所引用的材料都是真实可靠、毋庸置疑的。那么，他们相互矛盾，莫衷一是的原因是什么呢？亦即说，李开芳和林凤祥二人，究竟谁是太平军北伐的主帅呢？这实在是个难解之谜。

天王洪秀全死因之谜

　　洪秀全（1814年—1864年）是太平天国农民起义领袖。广东花县(今花都)人。1843年(清道光二十三年)创立拜上帝会，深入广西，以宗教发动农民群众。于1851年1月11日举行金田起义，编组太平军，颁布《太平军目》，又以"十款天条"严明军纪。起义初期敌强己弱，遂率义军乘虚蹈瑕，于转战各县中寻机歼灭清军，保存和壮大自己。同年3月，在广西武宣东乡被拥戴为天王，随建五军主将制。及克永安(今蒙山)，又加封五主将为东、西、南、北、翼五王，诏明诸王俱归东王杨秀清节制。1852年6月，在湖南道州(今道县)采纳杨秀清意见，确立"专意金陵"的战略

洪秀全故居位于广州市花都区新华镇官禄村

方针，围长沙，克武汉，下九江(今属江西)，于1853年3月占领南京，定为都城，改称天京。后渐轻敌冒进，同时开辟北伐、西征和保卫天京三条战线，兵分力单，导致太平军北伐全军覆没。后改变战略，于1856年夏从西征战场调集大军，攻破清军江北、江南大营，军势复振。但以不善处理领导集团内部矛盾，酿成天京内讧，军事力量大受削弱，形势急剧逆转。洪秀全自兼军师，艰苦筹维，1858年重立五军主将制，选拔、重用陈玉成、李秀成等年轻将领，军心复振。同年冬，二破江北大营，又获三河大捷。1860年春，采纳干王洪仁玕、忠王李

秀成的计策，奔袭杭州，调动清军，取得二破江南大营和东征苏、常的胜利。为救被湘军围困的安徽安庆，多方调遣兵力组织解围，皆告失利，安庆终于1861年9月陷落。1862年(太平天国壬戌十二年　清同治元年)5月，湘军对太平军取大包围之势，曾国荃部进至天京城下。为急于解围，严催李秀成等"十三王"率兵自上海、浙江前线回援，于天京城外与湘军大战45天，未能破围。随命李秀成取道江北，远攻敌后，不仅未能调动湘军，兵力反遭重大损失。洪秀全深居天京，一再从各战场调兵回救，战略陷于被动，战局由此日蹙。1863年12月苏州失守，天京危殆。拒绝李秀成"让城别走"建议，徒自坐困。清同治三年四月二十七日（1864年6月1日），洪秀全死于城内天王府，年五十一岁。关于其死因，由于原始资料记载不一，加上曾国藩篡改史料，以假乱真，因此史学界有不同看法。许多有关太平天国史的论著，都说洪秀全是在清军紧逼时服毒自杀的，也有不少太平天国的论著则说洪秀全是病死的，这样一来，洪秀全究竟是自杀还是病死，便成为历史之谜。

曾国藩刊刻本《李秀成自述》文稿

李秀成是后期太平天国的主要将领，洪秀全去世时，他在天京主持天京保卫战，对天王府的情况当有较确切的了解。曾国藩刊刻的《李秀成自述》中，言及洪秀全之死："天王（洪秀全）斯时焦急，日日烦躁，即以四月二十七日服毒而亡。"洪仁玕是后期太平天国的主要领导人之一。他被清军捕获后曾写下《洪仁玕自述》，其后半部分中说："天王之自杀，更令全局混乱。"太平天国的对手、湘军首领曾国藩在同年六月二十三日的奏稿中说："首逆洪秀全实系本年五月间，官军猛攻时，服毒而死。"同年七月初七日又奏称："有伪宫婢者，系道州黄姓女子，即手埋逆尸者也，臣亲加讯问，据供，洪秀全生前，经年不见臣僚，四月二十七日因官军急攻，服毒身死，秘不发丧。而城里群贼，城外官兵，宣传已遍，十余日始行宣布。"根据上述资料，大多史家认为洪秀全系"服毒自杀"。罗尔纲《太平天国史稿》说洪秀全之死，根据《李秀成自述》内容，认为洪秀全"四月十九日（天历，即1864年6月1日）服毒逝世"。

尽管当时大部分学者都认同曾国藩及其刊刻本《李秀成自述》的说法，但他们对洪秀全自杀说，已有一定程度的怀疑，所以在许多太平天国史论著中把当时在洪秀全身边的幼天王洪福璃在"自述"中说的:"本年四月二十七日,老天王病死了,二十四日众臣子扶我登基。"的这一观点也一并罗列于后。如郭廷以在《太平天国史事日志》中根据"李秀成供状及曾国藩奏报",认为洪秀全之死"以服毒说为近真"。在罗列了洪福璃供词中关于洪秀全之死的文字之后,又说"似洪秀全系病死"。简又文在《太平天国全史》中认为洪秀全自杀是"事实",但又对曾国藩奏稿中的内容多加批驳,如在"官军急攻"语下批驳说,在洪秀全死前三个月"曾国藩未攻城,天京外亦无战事"。曾国藩奏稿说,洪秀全"服毒"材料来自天王府宫婢黄氏,简又文批驳道:"其言由黄氏宫婢供,伪言也"。可见,在很长一段时间里,史学界对洪秀全之死实无定论。

李秀成

二十世纪六十年代初,藏在曾国藩家中达一百多年的《湘乡曾八本堂·李秀成亲供手迹》(即《李秀成自述》)正式影印发行,其中关于洪秀全之死的原始记载,有利地证明了洪秀全是病死,并非自杀。具体记载为:"此时大概三月将尾,四月将初之候,斯时我在东门城上,天王斯时已病甚重,四月二十一日(天历)而故。""此人之病,不食药方,任病任好,不好亦不服药也。是以四月二十一日而亡。……天王之病,因食咁露病起,又不肯食药方,故而死也。"有学者指出,这一记述当是可靠的,因为李秀成当时正在天京,对天王府的一切都了如指掌,他所记载洪秀全之死的材料最为后人所重视。而曾国藩刊刻的《李秀成自述》,是经曾国藩篡改过的。洪仁玕虽然不在天京,但他在湖州和幼天王会师,自然要谈到洪秀全去世情况,所以他在"自述"中关于洪秀全之死的记述,也为史学界所重视。但《洪仁玕自述》前半部分说:"至今年四月十九(天历),我主老天王卧病二旬升天"。后半部分又说:"天王之自杀,更令全局混乱"。这个自相矛盾的记载到底是怎么回事,现在不得而知,不过,因为后半部分是由外人译出,原稿已失。外人在翻译时受《李秀成自述》刊刻本影响,是极有可能的。值得注意的是,《洪仁玕自述》前半部分,是出自洪仁玕供词原稿,应该比较可信。赵烈文《能静居士日记》五月初六日条记:"闻探报禀称,逆首洪秀全已于四月廿八日病死(彼中之四月二十日)。"

人们也许会问，曾国藩为什么一定要篡改《李秀成自述》中关于洪秀全之死的说法呢？这是因为，湘军攻破南京之后，曾国藩在安庆给清廷的一个奏折中已经说过洪秀全是"官军猛攻时，服毒而死"的。而在他到达南京之后，又于七月初四亲自拟写了七月初七日的奏稿；并在奏稿中重申了洪秀全因"官军急攻，服毒身死"。这两个奏稿都是在曾国藩看完李秀成亲供前写成的。曾国藩的幕僚赵烈文在《能静居士日记》七月初七日条中说："中堂（指曾国藩）嘱余看李秀成供，改定咨送军机处，傍晚始毕。"曾国藩把李秀成供稿呈送军机处时曾说："李秀成之供词，文理不甚通适，而情事真确，仅钞送军机处，以备查考。"曾国藩看到李秀成亲供有关洪秀全之死记载和奏稿截然不同，他在把亲供抄送军机处时，把这些文字给篡改了，当不难理解。至于曾国藩两次谎报军情，罗尔纲和周村台写的《洪秀全论》说："洪秀全因天京缺粮，久吃甜露充饥，致病发逝世。"并在注中说："曾国藩刻本《李秀成亲供》所说洪秀全因被围急自杀死，乃是曾国藩为要向清廷报功而盗改的。"由此可知，曾国藩所出示的李秀成供稿，是被"改定"过的。

自从《李自成亲供手迹》发行后，大多数有关太平天国史的论著，都改变了"自杀"说的看法，并确信洪秀全是病死的。当然也还有一些学者仍然坚持自己的观点。

天京窖藏珠宝流落何处

1864 年 7 月，轰轰烈烈的太平天国运动，随着天京（现南京）失陷而告失败。围城三年的湘军蜂拥闯进了天京各个城门，他们目的就是抢掠，上至前敌总指挥的大头头曾国荃，下至军营里雇佣的民工、文职人员，都想发横财，当时传闻洪秀全和天国新贵收敛财宝都藏在此地。湘军三日三夜搜查全城，曾国荃和提督萧孚泗率先洗劫天王府，他们捞尽官衙甚至民宅的一切浮财，连同几万名女俘虏，一并作为胜利品带回去。但是所谓窖藏珠宝连一点踪影都没有见到。

天京是否有窖金埋藏？曾国藩在城破后下令洗劫全城，但"凡发掘贼馆窖金者，报官充公，违者治罪"，虽然湘军军令严明，但在"破城后，仍有少量窖金，为兵丁发掘后占为己有"。天京被攻破后，除抗拒的太平天国将士遇害外，尚有 1000 余人，即占守城精锐的 1/3，随李秀成保护幼天王洪天贵福逃脱，《能静居士日记》卷二十则说"另有其余死者寥寥，大半为兵勇扛抬什物出城。或引各勇挖窖，得后即行纵放"。上元人孙文川在《淞沪随笔》（手抄本）中认为"城中四伪王府以及地窖，均已搜掘净尽"，但他说的也许是斗筲金银，而大宗窖金下落，并未见有著述，给后人留下一个谜团。

民间流传的另一种说法是：在南京从前有个富丽堂皇的大花园"蒋园"，园主蒋某，绰号蒋驴子，据说他原来只是一个行商，靠毛驴贩运货物。因为有次运军粮，得到太平天国忠王李秀成垂青，被任命为"驴马车三行总管"。天京被围，内宫后妃及朝贵多用金银请人办事，"宫中倾有急信至，诸王妃等亦聚金银数千箱令载，为之埋藏其物"。《红羊佚闻·蒋驴子轶事》则说："有金银数千箱，命驴往，埋于石头山某所。"蒋氏后来因此发财起家，成为近代金陵巨富。《红羊佚闻·蒋驴子轶事》中还说，民国初年，也有南京士绅向革命军都督和民政长官报告"洪氏有藏在某处，彼亲与埋藏事"，由此引起一些辛亥元老国勋的野心，"皆以旦夕可以财为期"，可是雇人多处寻掘，仍毫无收获。

有资料证实，"历年以来，中外纷传洪逆之富，金银如海，百货充盈"。如此之多的财富，必然要有一个好的藏匿之处。因此，人们好不怀疑天京城内有洪秀全及天国新贵们的金银窖藏的存在。曾国荃抓到李秀成后，非常高兴，用锥尖戳刺他的大腿，把李秀成弄得血流如注。一方面是因为气恼李秀成守城坚固，更是为了紧逼李秀成说出天京藏金下落。曾国藩不久从安庆赶到南京，赞赏其老弟"以谓贼馆中有窖金"，又多次软硬兼施，追问李秀成藏金处。这也是李秀成被较晚处死的另一个原因。李秀成被俘之后，清朝皇帝也派僧格林沁、多隆阿来南京督促，李秀成却始终未透露太平天国天京的窖金事宜。

洗劫南京后，曾国荃也不承认大发横财，向上禀报："城内并无贼库"。虽然得到了官方的默认，但老百姓却怎么也不相信，几乎众口一词，说曾国荃因此一战，成为巨富。

民间传言一："（曾国荃）入天王府，见殿上悬圆灯四，大于五石瓠，黑柱内撑如儿臂，而以红纱饰其外。某提督在旁，诧曰：'此元时宝物也'；盖以风磨铜鼓铸而成，后遂为忠襄（国荃谥号）所得"；这是说他侵吞了四个元代制造的大顶灯。

民间传言二："（曾国荃）于天王府获东珠一挂，大如指顶，圆若弹丸，数之，得百馀颗；诚稀世之宝也。又获一翡翠西瓜，大于栲栳，裂一缝，黑斑如子，红质如瓤，朗润鲜明，殆无其匹。识者曰：'此圆明园物也'"。东珠，出产于东北混同江、乌拉宁古塔诸河（即今松花江下游及其支流），如此宝珠，曾国荃一下捡了一百多颗，此外，还抱回一个大于簏筐（栲栳）的翡翠西瓜。唐人用"栲栳量金"形容当日长安贵少的奢华，由此可见，曾国荃暴富的程度。除了列举实物，传言还折算了曾国荃南京之行的全部现金收入，据清代文人李伯元《南亭笔记》记载："闻忠襄于此中获资数千万。除报效若干外，其馀悉挈于家"。

但有人对上述说法提出异议，他们分析认为：倘若曾国荃真有数千万家财，那么，他的资产将数倍乃至数十百倍于当时大清帝国的国库储备。嘉庆十九年，户部库存银为一千二百四十万两，曾国荃至少三倍之；道光三十年，库存八百馀万两，曾国荃至少三十倍之；咸丰三年，库存仅为二十余万两，曾国荃至少一百五十倍之！想想真是不太可能的事情。清代野史稗记的掌故大师徐珂也早就质疑这个传言，他的侄女是曾国荃长孙媳，跟娘家唠起夫家光景，曾经说过，曾国荃家财产不及百万。俗话说：一年清知府，十万雪花银；曾国荃自咸丰七年至同治三年，皆任统帅，七年间集资百万，稍富于知府而已，由此可见，传言中曾国荃得到数千万的"太平军"宝藏之说确实水分多多。

　　另外有传言称，太平天国翼王石达开率领的太平军覆灭于大渡河前夕，把军中大量金银财宝埋藏于某隐秘处。石达开当时还留有一纸宝藏示意图。图上写有"面水靠山；宝藏其间"八字隐训。抗战期间，国民党四川省主席刘湘秘密调了1000多名工兵前去挖掘，在大渡河紫打地口高升店后山坡下，工兵们从山壁凿入，豁然见到3个洞穴，每穴门均砌石条，以三合土封固。但是挖开两穴，里面仅有零星的金玉和残缺兵器。当开始挖掘第三大穴时，为蒋介石侦知。他速派古生物兼人类学家马长肃博士等率领"川康边区古生物考察团"前去干涉，并由"故宫古物保护委员会"等电告禁止挖掘。不久，刘湘即奉命率部出川抗日，掘宝之事被迫中止。

　　类似以上传闻众说纷纭，成为疑案。南京当年天王府遗址，至今只有西花园一角还隐约可见旧时面貌，据介绍，南京解放时期，有人听说洪秀全窖金的事，将园中湖水放干，但也一无所获。

　　窖金的下落究竟如何，传闻很多，却没有证据。曾国藩向皇帝奏报说没有发现藏金。然而《能静居士日记》中却说萧孚泗"在伪天王府取出金银不资，即纵火烧屋以灭迹"。曾国藩兄弟俩当然所获很多，1866年5月19日的《上海新报》上记载说"宫保曾中堂之太夫人，于三月初间由金陵回籍，护送船只，约二百数十号"，这时搜刮物似乎包括窖金。但天京窖金如藏了很多，那也不会全数遭挖掘的，很难排除确有更多的深藏巧埋之物至今仍未能发现的可能。

　　对于如此巨额的窖藏珠宝，当然会引起世人极大的兴趣，因此会众说纷纭，但这些珠宝的下落究竟如何，到现在也还是一个谜。

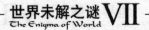

甲午海战中日军登陆地点之谜

1894 年(光绪二十年)，日本侵略中国和朝鲜的战争爆发，按中国干支纪年，是年为甲午年，故称甲午战争。

1894 年春，朝鲜爆发东学党农民起义，朝鲜政府请求清政府派兵协助镇压。由于日本蓄谋吞并朝鲜、西侵中国由来已久，所以日本政府同时也诱使清政府派兵，为自己出兵朝鲜制造借口，清政府接到朝鲜政府请求后，派直隶提督叶志超、太原镇总兵聂士成率淮军两千五百人分批赴朝，屯驻牙山，并电告驻日公使汪凤藻，令其根据1885 年的《中日天津条约》，知照日本外务省。其时，日本内阁见阴谋得逞，一面派兵入朝，占据汉城附近各战略要地，一面设立有参谋总长、参谋次长、陆军大臣、海军军令部长等参加的大本营，作为指挥侵略战争的最高领导机关。日本外务大臣陆奥宗光训令驻朝公使大岛圭介"得施行认为适当之临机处分"，授权大岛挑起事端，发动侵略战争。

当中日两国向朝鲜出兵时，朝鲜政府已接受东学党起义军提出的要求，双方签订休战和约，起义军退出全州。朝鲜内战实际上已经停止，清军并未与东学党起义军交战。朝鲜政府为消除日本出兵借口，6月13日请求中国撤兵。叶志超部准备从牙山订期内渡，清政府要求日本同时撤兵。日本虽已失去出兵朝鲜的借口，但仍决心扩大事端，促成中日关系破裂，它不仅拒绝撤兵，反而继续向朝鲜增派军队，并提出所谓共同"改革"朝鲜内政的方案，以达到既使日军赖在朝鲜不走又能拖住中国军队的双重目的。7月12日，陆奥电令大岛："目前有采取断然处置之必要"，"不妨利用任何借口，立即开始实际行动"。大岛接到训令后，于19日和20日连续提出强硬要求，胁迫朝鲜政府废除中朝通商条约，并驱逐中国军队出境。23日，日军攻占朝鲜王宫，拘禁国王李熙，成立以大院君李应为首的傀儡政府。25日，大岛指令大院君宣布废除中朝两国间的一切商约，并"授权"日军驱逐屯驻牙山的清军。当天，日本不宣而战，在丰岛海面对中国海军发动突然袭击，击沉中国运兵船"高升"号；同时日本陆军向驻牙山中国军队发起进攻，终于挑起了这场侵略战争。8月1日(七月初一)，中日政府同时宣战。甲午战争开始。

9月15日日军兵分四路猛攻平壤的中国驻军。据守北城的左宝贵率部拼死奋战，杀伤众多日军，但身为全军统帅的叶志超却在当晚仓皇下令全军后撤，一直退过鸭绿江。9月17日，日本舰队与清朝北洋舰队在黄海展开激烈的海战。中国方面损失5艘战舰，但也击伤日舰多艘。战后李鸿章借口"保船制敌"，命令北洋舰队退入威海卫军港，造成坐守待毙的局面。10月，日军分两路侵入中国。11月大连、旅顺陷落敌手。1895年1月20日日军在山东登陆，攻下威海卫南北两岸炮台，从海、陆两路形成对困守威海卫军港的北洋舰队的包围。北洋舰队的爱国官兵不顾李鸿章的命令英勇抵抗，但到2月17日威海卫军港仍陷落敌手，李鸿章苦心经营10多年的北洋舰队全军覆没。同年3月驻扎山海关内外的6万湘军在日军的进攻下一败涂地，接连失去牛庄、营口和田庄台等军事要地，清廷失败已成定局。

1895年3月，甲午战争的硝烟尚未散尽，中国北洋大臣、直隶总督李鸿章东渡日本，作为清朝政府的特命全权大使，与日本政府签订了丧权辱国的不平等条约——《中日马关条约》。日本是战争的最大受益者，得到了价值1亿两白银的战利品和2.3亿两的赔款。这笔巨款相当于日本当时7年的财政收入，日本朝野对此欢欣鼓舞，外相陆奥宗光高兴地说："在这笔赔款之前，根本没有料到会有几亿日元，本国全部收入只有8千万日元，一想到现在会有3亿5千万日元滚滚而来，无论政府和私人都觉得无比的富裕！"战后，日本经济和军事实力飞速扩张，为其在上世纪30年代大举侵华埋下伏笔。总之，甲午战败和《马关条约》的签订使中国陷入深重的民族危机，面临生死存亡的关头。在中国近

代的反侵略战争中，中日甲午战争可以说是规模最大，失败最惨，影响最深，后果最重，教训最多的一次战争。

中日甲午战争使中国陷入半殖民地的深渊。当时，日军首先在山东登陆，然而，具体在什么地方登陆？史学界一直是说法多样，分歧较大。

一种观点说日军在山东龙须岛登陆。持此说者较多。海军提督丁汝昌在日军登陆的当天，将日军活动情况电告李鸿章，电文中说："两船向龙须岛驶，二十二船在灯塔处或二英里处或八英里游弋，必是倭船有登岸之举。"北洋海军覆亡时，《会陈海军覆亡禀》中有记载说："至十二月二十五日(即公元1895年1月20日)，倭以水陆劲旅自龙须岛登岸，破荣成县城，攻桥头等隘。"(《甲午战争有关奏折史料》许多学者还发表文章分析为什么日本侵略军要选择龙须岛作为登陆地点。他们分析认为：因为成山附近海岸地形复杂，礁石遍布，只有龙须岛西岸至落凤沟咀一带海岸(长度大约四里左右)，地势平坦，而且全是沙滩，适于登陆。明朗的时候，倭寇就曾经从这里登岸骚扰过。明政府设成山卫后，以这里为停泊水师之所。从历史上看，龙须岛就是海防的要地。另外，曹和济所撰写的《津门奉使纪闻》中亦持此说。

日军在山东龙须岛登陆屠杀我国人民

另一种观点认为日军在山东荣成登陆。位于山东半岛成山角西南端的荣成湾，西距威海卫水路约30海里。这里湾口阔达4海里，泥质底滩宜于受锚。 有专家分析认为：为迷惑清守军。隐蔽其荣成登陆的意图，日军的联合舰队提前一天出动多数军舰到登州(今蓬莱)连续炮击岸上清军；同时出动数舰到威海卫军港外。日本联合舰队经过多次实地侦察，确悉北洋舰队仍驻泊于威海卫军港。考虑到威海卫军港的正面建有坚固防御阵地而难以攻破，因此日军决定选择防御力量薄弱的荣成湾为登陆场；登陆后西进，从侧后方向进攻威海卫军港。甲午战争期间在北洋舰队"定远"舰任职的陈兆锵持此说。

第三种观点说日军在金山嘴登陆。在日军登陆的第二天，当时镇守威海卫南帮炮台的总兵刘超佩将日军登陆和中国军队抵抗的详细情况电告李鸿章，电文中这样说："二十五日早四点钟，倭船三四十只在龙须岛、倭岛、里岛游弋，嗣于龙须岛、倭岛交界之金山嘴水深处下兵……贼兵蜂拥而上，枪队不能存身，退回荣成。"

也有人说当时日军是在落凤港登陆的。落凤港位于龙须岛南侧、荣成湾的北端。山东巡抚李秉衡在日军登陆的第二天电告清廷称："昨调倭岛、里岛防营折赴龙须岛，尚未赶到，而倭人于落凤港登陆，径赴荣成县。"甲午战争期间曾一度上书言事的易顺鼎说："二十五日，倭以运船四十艘，载陆兵由落凤港登岸，扑荣成县。"（见于《盾墨拾余》）池仲在《海军实记·述战篇》中亦持此说。当代史著，未曾采用此说。

关于日军在山东半岛具体登陆地点的选择，也曾有人分析说日军可能是从多个地点同时登陆上岸的。事实到底如何？至今仍是众说纷纭，莫衷一是。

"致远"号部分官兵

中日甲午海战 "致远"舰沉没原因之谜

　　1894年9月17日黄海海战中，管带邓世昌指挥"致远"舰奋勇作战，在舰艇多处受伤、舰身倾斜情况下，为保护中弹起火的旗舰"定远"免受攻击，毅然驾舰全速撞向日本主力舰"吉野"号，决意与敌同归于尽，不幸被敌舰击中沉没。邓世昌誓与军舰共存亡，自沉于波涛之中，与全舰官兵250余人一同壮烈殉国。关于"致远"舰沉没的原因，至今没有一致的定论。

　　先让我们了解一下"致远"舰的基本情况。"致远"舰是一艘钢壳巡洋舰，英国建造，造价84万5千两白银，1887年完工，于当年11月回国。全长250　，宽38　，吃水15　，排水量2300吨，穹面装甲2至4　厚；四座锅炉7500匹马力双轴推进，航速18节。乘员202人，管带相当陆军副将。装备三门21公分主炮(舰首双联装,舰尾单管,在半封闭式炮塔中),两门15公分 Armstrong 主炮,八门57公厘炮,六门轮转式机炮,四支18 鱼雷发射管。本级舰在订造之初即根据济远舰的缺点加以改进,由于同时又向德国订造了经远与来远二舰,所以英德两国在暗中较劲,互相批评对方的缺点。在设计方面英国认为封闭式炮塔被击中时将造成更大的伤亡,所以"致远"、"靖远"二舰的主炮塔都是后面开敞的半封闭式。

自甲午海战以后百余年来,从《清史稿》、近代史著作,到上世纪60年代拍摄的电影《甲午风云》和大、中学历史教科书,在叙述黄海海战时,几乎都认为"致远"舰系被日舰鱼雷击沉。直至近期播出的电视系列片《走向共和》,仍持"鱼雷击沉"一说。

但新近出版《海疆英魂——记甲午海战中的邓世昌和致远舰》一书的作者、大连海军舰艇学院教

"致远"舰在甲午海战中

授陈明福明确否定了沿袭百年的"鱼雷击沉"说。他认为:"致远"舰是被日本联合舰队的数颗榴弹同时命中水线,致使鱼雷发射管内一枚鱼雷爆炸而导致沉没的,以前所说的"致远"舰被日舰鱼雷击沉是虚构的。

陈明福历时4年,研读浩如烟海的中、日史料,足迹踏遍祖国万里海疆。在研究"致远"舰沉没原因时,陈明福发现了疑点。他是大连舰艇学院鱼水雷系本科毕业生,曾担任过驱逐舰鱼水雷部门长,深知发射鱼雷必须有较长准备时间,日舰不可能仓促间立刻发射,且"致远"舰是以舰首主动迎敌,不易被鱼雷击中。他进一步研究后发现,黄海大战中,整个日本联合舰队没有发射过一枚鱼雷。最终,他从史料中找到"致远"舰沉没的真相:

第一,川崎三郎《日清战史》第三卷的"汉纳根书信"中有一段话:"两千三百吨的护卫巡洋舰致远号,被日舰三十二厘米加农炮的榴弹击中吃水线,炮弹从舰体的一侧打穿到另一侧,军舰立即沉没海中。"

第二,"镇远"舰枪炮官曹嘉祥和海军守备高承锡等参加黄海海战官弁的呈文,皆称"致远"等舰都是中炮沉没。

第三,浅野正恭所写的《日清海战史》对"致远"舰的沉没作了记载:"一

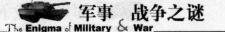
边游击队与'致远'战，'致远'忽出阵冲突'吉野'，于是'吉野'以纽状火药连弹装入快炮击之，密如雨下，三点三十分遂沉没。"

第四，国内鲜见的1895年版《普拉茨塞海军年鉴》对导致"致远"舰沉没的原因的记述较为合理："日舰第一游击队见"致远"奋然挺进，便以群炮萃于致远，连连轰击。有数颗榴弹同时命中"致远"水线，致使其舷旁鱼雷发射管内一枚鱼雷爆炸，右舷随即倾斜，最终舰首下沉。"

也有学者针对上述观点进行了进一步的分析，认为：在甲午战争后期的威海卫之战中，日军一艘鱼雷艇趁夜间冒险破坏了一段防御栏坝，随后多艘鱼雷艇潜入港口，向"定远"施放鱼雷，其中两枚击中了"定远"。"定远"舰底进水，舰身逐渐倾斜，不得已急忙砍断锚链，驶向刘公岛沙滩上搁浅，才避免了沉没，但伤势过重，已不能使用，由此可见鱼雷是可以破"定远"的装甲的。在黄海海战的后期，日本联合舰队的五艘战舰"松岛"、"千代田"、"岩岛"、"桥立"、"扶桑号"围着"定远"、"镇远"两艘铁甲舰猛烈轰击，可就是啃不透"定远"、"镇远"的装甲，无可奈何而撤离战场。当时，由于"定远"、"镇远"被包围，因此日舰处于发射鱼雷的最佳机会，日军在这种形势下都没有对其使用鱼雷，可见日军当时还是更相信炮火，因此当时的鱼雷对定位船舰才最有效，而对移动的船舰则并不见得比炮火更有效，这种说法似乎比较客观，这也可以说明在整个黄海大战期间为什么日军没有发射鱼雷的任何记录，否则鱼雷击中"致远"，那鱼雷发射之举定会被日军载入荣誉史册的。

历史的真相究竟如何？恐怕还要继续争论和探究下去。

甲午英烈邓世昌牺牲之谜

邓世昌

邓世昌（1849年—1894年），清末海军爱国将领。字正卿。原籍广东东莞，生于番禺（今广州市海珠区）。18岁考入福州船政学堂，为驾驶班第一届毕业生。后历任福建水师海东六、振威、飞霆等兵船管带。光绪五年（1879年），调北洋水师。次年，随丁汝昌赴英接舰，驾驶"扬威"舰经地中海、印度洋回国，任该舰管带。光绪十三年，再次赴英，接带"致远"巡洋舰。十四年，授记名总兵，加提督衔；同年，北洋海军编成，任中营中军副将兼"致远"舰管带。甲午海战中，邓世昌捐躯报国。邓世昌及其将士壮烈殉国后，举国上下一片悲愤，威海百姓自发出海打捞英雄们的尸体，当地流传着"通商卖国李鸿章，战死沙场邓世昌"的歌谣。海战失利，朝廷震动。光绪皇帝垂泪撰联："此日漫挥天下泪，有公足壮海军威"，并赐予邓世昌"壮节公"谥号，追封"太子少保"，御笔亲撰祭文、碑文各一篇。李鸿章也在《奏请优恤大东沟海军阵亡各员折》中为其表功，说："……而邓世昌、刘步蟾等之功亦不可没者也"。清廷还赐给邓母一块用1.5公斤黄金制成的"教子有方"大匾，拨给邓家白银10万两以示抚恤。邓家用此款在原籍广东番禺为邓世昌修了衣冠冢，建起邓氏宗祠。

邓世昌的名字和他的忠勇之举几乎无人不知，无人不晓，受到我国人民的景仰。但是后人对邓世昌殉难时的情景说法不一：

一曰：在中日海战中，"致远"舰不幸舰体受伤，弹药断绝。管带邓世昌沉着镇静，指挥部下"鼓快车"、冲向敌先锋队指挥舰"吉野"号，准备与敌舰相撞，同归于尽。"吉野"号见势不妙，慌忙躲避。"致远"舰在日方快炮的密集射击中，不幸又中鱼雷，遂于午后3时沉没。全舰官兵除7人外，全部壮烈牺牲。

"致远"舰部分将士

"致远"舰

二曰："致远"舰不幸被击中，锅炉迸裂，舰体下沉，全舰250名将士落入滚滚的黄海波涛之中。邓世昌落水后，仍大呼杀敌不止，他的随从刘忠把救生圈投给他，他拒不接受，铿锵有力地表示"阖船俱尽，义不独生"。邓世昌的随身爱犬也游到他的身边，衔住他的胳膊不使他下沉，也被他推开。爱犬不忍离去，又衔住他的辫发。最后邓世昌"望海浩叹，扼犬竟逝"，沉入海底。

三曰：邓世昌虽然被救起，但他看到全舰官兵都身葬大海，"义不独生"，复沉大海，壮烈牺牲。

"邓壮节公"之死，尽管说法不一，但其英勇忠烈，世人共赞，万古流芳。

现代战争之谜

希特勒血洗冲锋队之谜

"血腥清洗"的两个星期之前，希特勒正式把罗姆请了回来

在希特勒纳粹党的历史上，冲锋队占有重要的一页，那么，希特勒为何要血洗冲锋队呢？

这要首先从冲锋队头子罗姆说起。罗姆体格强壮，生性好斗，是一个老牌的纳粹党徒，早年纠集第一批纳粹党打手横行霸道。由于罗姆当时的合法身份是慕尼黑陆军第七军区参谋部上尉参谋，所以对希特勒及纳粹党在慕尼黑的活动提供了有效的保护，可以说，罗姆是纳粹党的有功之臣，是希特勒在纳粹早期的亲密朋友。1921年10月5日，希特勒正式把罗姆的这帮人马定名为冲锋队。

1930年底，纳粹的势力已急剧膨胀，希特勒为了更有效地控制冲锋队，又把罗姆请了回来，让他担任冲锋队参谋长。1933年初，希特勒及纳粹党掌握了德国的大权，冲锋队开始更加残暴地扩展纳粹恐怖统治。可以说，冲锋队为希特勒及纳粹政权立下了汗马功劳。但是1936年6月30日凌晨，曾为混世魔王希特勒上台执政立下汗马功劳的冲锋队在一串机关枪的猛烈扫射之后随即在"世间蒸发"。

那么，杀人魔王为何要对自己人下此毒手？对此研究者们进行了不少考证，大致归纳出以下一些原因：

其一，冲锋队已经完成了它的历史使命。所以，无论用什么途径，冲锋队必然会从历史舞台上退出去。

其二，希特勒与罗姆之间存在着相当大的矛盾，既可以说患难之交，但两人同时又有很大分歧。生性狠毒、残暴而又狂妄，同时又是纳粹运动"激进分子"的罗姆在希特勒上台后，不仅加紧发展冲锋队，而且，他提出要扫除德国

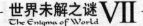

大企业家、金融家、贵族、以及牢牢控制着陆军的普鲁士将军，开展所谓的"第二次革命"，建立真正的"民族社会主义"国家。他的这些企图使纳粹政权无法容忍，希特勒便考虑着如何把冲锋队解决掉。

其三，冲锋队与党卫队的斗争。于1925年成立的党卫队，即黑衫党，原是冲锋队的下级组织，作为希特勒铁杆卫队的党卫队，在冲锋队膨胀的同时亦迅速发展壮大。在争权取宠的竞争中这两支政治力量必然会发生矛盾冲突，特别是从1929年希姆莱担任党卫队全国首领后，双方的矛盾更为激化。

其四，冲锋队和陆军之间的冲突。德国军队在一战后受到限制，在冲锋队

成立之初，陆军方面出于使德国武装起来的目的，对冲锋队采取的是扶持态度，把它作为后备军。但随着罗姆想要取代国防军的意图的日益暴露，军界意识到其特权受到了威胁。1933年2月，希特勒刚登上总理宝座，罗姆就提出要以冲锋队为基础，将陆军、冲锋队、党卫队置于国防部的统一领导下，并暗示要由他自己出任国防部长，这引起陆军将军们的强烈反对。国防部长勃洛姆堡强烈要求希特勒对冲锋队给予一定的限制，把冲锋队排斥在武装部队之外，只把国防军作为"武器的惟一持有者"。随着1934年夏天的来临，冲锋队参谋长和陆军总司令部之间的关系继续恶化。在内阁中，罗姆和国防部长勃洛姆堡将军常常发生激烈争吵。3月间，这位国防部长向希特勒抗议说，冲锋队正用重机枪秘密武装一支大规模的特别警卫队。勃洛姆堡将军指出，这不仅是对陆军的威胁，而且由于它做得过分公开，也威胁到德国在国防军主持下进行的秘密扩军。希特勒在决定如何取舍二者的过程中，按理说应较为偏袒他的发迹资本——冲锋队，但这样做有两大棘手的问题：一是若保留庞大的冲锋队，他将很难向欧洲各国作出恰当解释，他的外交将因此而陷入难堪境地；二是如果把国防军得罪了，继承危在旦夕的兴登堡的总统职位的野心就难以达到。一次，希特勒在国防部长勃洛姆堡将军、陆军总司令弗

立契将军和海军总司令雷德尔海军上将的伴同下，乘巡洋舰"德意志"号从基尔出发，前往柯尼斯堡参加在东普鲁士举行的春季演习。希特勒把兴登堡病危的消息告诉了陆海军司令后，直率地提出，要在国防军的支持下，由他来继任兴登堡为总统。为了报答军方的支持，他答应压制罗姆的野心，大大裁减冲锋队人数，保证陆海军继续做第三帝国惟一拥有武器的组织。

于是希特勒便以冲锋队阴谋"二次革命"为借口，顺水推舟地将惹是生非的冲锋队除掉。希特勒和罗姆在历经14年的艰辛患难之后，他们现在终于分手了。为希特勒和纳粹主义效劳的这个满脸伤疤、性格暴躁的打手，就这样结束了他惹是生非的一生。罗姆的死况之暴烈不下于他生前的作为。对于他曾经大力帮助登上任何其他德国人所从未攀登的至高无上地位的那个朋友，他只有轻蔑而已。而且几乎可以肯定地说，像那一天横遭杀戮的好几百个人一样，他一点也不清楚，到底发生了什么事；也不清楚，为什么发生这件事，惟一清楚的是，这是一桩背叛朋友的行为。但是，他万万想不到居然是阿道夫·希特勒干的，虽然他的一生一直是生活在这种行为之中，而且自己也经常干这种勾当。与此同时，在柏林，戈林和希姆莱也忙得够呛。他们一共搜捕了150名左右冲锋队长，排在利希特菲尔德士官学校的一道墙前，由希姆莱党卫队和戈林特别警察所组成的行刑队枪决。

毫无疑问，上文四点都是希特勒血洗冲锋队的背后原因，但最后真正促使希特勒下定决心、付诸行动的又是由何事直接引发的呢？火药桶之导火索何在？由何人直接引爆？还有在这次血洗冲锋队的行动中到底有多少人被杀，这个数字至今也没有得到确认，希特勒在7月13日国会发言时宣布枪决了61人，其中包括19名"冲锋队高级领袖"，另有13人因"拒捕"而被杀，3人"自杀"，总共77人。德国流亡组织在巴黎出版的《清洗白皮书》中宣称有401人被杀，但只列出了116人的姓名。在1957年的慕尼黑审判中，有关材料提出的数字是"一千多人"。

二战初期的"奇怪战争"之谜

1939年9月1日，德国闪击波兰打破了欧洲的平静，两天之后，作为波兰盟国的英、法相继对德宣战，第二次世界大战全面爆发。但紧接着出现的局面却让人费解：一方面，德国法西斯以牛刀杀鸡之势，压向波兰；另一方面，在西欧战场的法、德边境上，拥兵百万的英法联军却按兵不动，坐观德国灭亡波兰。这种不战不和的局面长达八个月之久，针对这么长时间的"西线无战事"状态，德国人开始把这种战争叫做"静坐战"，后来国际社会发明了一个专有名词："假战争"，也被人们称为"奇怪的战争"。 战前英、法各自都对波兰承担了军事援助义务，但为什么发生战争之后，两国对德宣而不战？英法德之间怎样的心态才造就了这样一场令人费解的"假战争"？英法两国又在这场游戏中收获了什么呢？

英、法两国与波兰订有盟约，并对波兰的独立一再作过保证。但是，当德国发动侵波战争时，英、法的执政者还在幻想召开德、意、英、法、波五国会议来和平解决争端。1939年9月，德国进攻波兰后，英、法政府对德宣战，并表示要履行保护波兰独立的诺言。澳大利亚、加拿大、南非联邦也相继发表声明，支援英、法对德宣战。但英、法政府实际上是宣而不战，未认真援助波兰。当时德军主力已投入波兰战场，在西线只留下少量兵力防守齐格菲防线，但从1939年到1940年5月，英、法和德国在西线均未展开大规模的战斗行动。直到1940年6月10日，"奇怪的战争"终因德国进攻挪威而告结束。挪威的失陷使

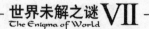

英、法真正认识到德国的战争机器不会停止，英、法领导人才真正准备认真对德作战。

　　长期以来，苏联史学界的一些观点认为："奇怪战争"并不奇怪，它是英法两国"慕尼黑政策"的继续。有人甚至认为，它实际上是英法企图联合德国进攻苏联、建立反苏"联合战线"的政治方针，是英、法统治集团对"祸水东引"犹抱幻想的产物。当分析英国在德波战争期间的立场时，英国工党著名活动家休·道尔顿也承认：我们把波兰叛卖了，把他们置于死地，一点也没有帮助他

们。波兰派了一个军事代表团前往伦敦，但一直等到9月9日，才受到英军参谋总部的接见。波兰代表要求英国空军立即采取行动，向波兰提供军事行动急需的各种军需品，尤其是武器、弹药，但这些要求一个也没有得到满足。

　　该观点称，在绥靖政策的影响下，英国在战争初期的军事战略计划是在1938年—1939年根据这样的假设提出来：战争将是长期的，在战争头几年英国实际上将不参与积极的军事行动。法国则长期追随、附和英国奉行的绥靖政策，也不作临敌准备。为此，它还一方面封锁德国的西部边界，另一方面拿波兰、甚至匈牙利、罗马尼亚为礼物，以推动希特勒放弃《苏德互助条约》，进攻苏联。也正是在这种政策下，人们才看到了这样的"奇怪场景"：德国加紧移兵、加速备战，而伦敦、巴黎则是一派和平景象；西线战场上，德国人在铁路上装卸枪炮、辎重，英法两国百万大军并不去打扰他们。法军在马奇诺防线监视哨上的士兵，每天的例行功课是做游戏般无聊地数着从莱茵河右岸通过的德军列车，从不思攻击。这些军车有时在距离他们仅五百公尺的德国铁路上安全运行。在前沿阵地上，德军只要竖起"我方不开枪"的标语牌，就可以不用掩蔽地进行工程作业。德国也"以礼相待"，除了进行空中侦察外，没有对英法采取空中行动。这样的战争足足持续了八个月，这给了希特勒充分的时间，使他新组织起了146个师的兵力，新造出了4000余架飞机，并得

以把重兵转移到西方。英法推行绥靖政策和"奇怪战争"的目的,是为了竭力避免希特勒的侵略,然而事与愿违。当战火终于烧到他们自己的头上,英法才猛然惊醒,但为时已晚,一言以蔽之,这种绥靖政策无疑是搬起石头砸了自己的脚。

但也有人针锋相对地提出截然相反的观点。他们认为"奇怪战争"并不是绥靖政策的继续,而是英法对德政策从"战前妥协绥靖"走向"全面武装抗争"所必然经历的"中间过程"。英法对德宣战,标志着绥靖政策的基本终结,同时又是英法武装抗德的起点。该观点认为,现代战争是敌对双方各种力量的全面较量,交战双方军事力量和人力、物力、资源,是各自制定战略方针的基本依据。从1939年9月1日战争爆发时双方力量对比来看,德国的军事力量占有极其明显的优势,而且优势将持续在随后的半年之内。当时,英国刚刚实行新的征兵制,无法派出军队。虽然其海军占有优势,但多在海外,负有守卫殖民地、护卫7000艘商船等使命。法国的陆军装备非常低劣,无法展开大规模的攻势。尽管如此,他们还是派出了9个师的兵力沿萨尔河的德国防线向前推进了8公里。另外,法国空军力量也不足以对德国实施空中轰炸。虽然在战争爆发初期,西线战场德军力量暂时薄弱,但法国军队也并不十分集中,而还要照顾到北部战场的安全。再加上德国回师西进速度惊人,因此英法联军实际上基本谈不上优势可言。德国进攻法国之时,英法两国在军事上仍然处于劣势。

基于此,传统观点无视双方军事力量对比的事实,也无视当时英法两国对这种对比的估计,仅仅从英法两国对德宣而不战、苏芬战争期间英法援助芬兰等行动中,简单推出"宣而不战是有意不打"的结论,未免过于主观,不能令人信服。该观点还强调,认为"奇怪战争"是英法两国有意联合德国进攻苏联,完全是出于主观臆断和国际政治斗争的需要。

当然,对于"奇怪战争"是否是英法当局绥靖政策的继续,今后也许还会继续争论下去。究竟历史真相如何,有待于更多相关资料的解密。

二战中《苏德互不侵犯条约》之谜

前苏联和德国在莫斯科签订的《德国意大利军事同盟条约》

《苏德互不侵犯条约》是 1939 年 8 月 23 日苏联和德国在莫斯科签订的条约。1939 年 3 月 15 日，德国侵占捷克斯洛伐克全境。23 日又占领立陶宛滨海城市默麦尔。4 月 3 日下达旨在消灭波兰的白色方案。5 月 22 日又签订《德国意大利军事同盟条约》。1939 年 8 月中旬，苏联的国际处境十分险恶。日本继 1938 年在中苏边境张鼓峰挑起反苏武装冲突后，

1939 年 5 月—8 月又在中蒙边境诺门坎地区向苏联、蒙古军队发动大规模进攻。苏联在 4 月—8 月多次主动采取行动同英、法在莫斯科举行关于缔结互助条约和军事协定的谈判，争取建立反侵略的统一战线。但英、法仍奉行绥靖政策，无意与苏联合作。与此同时，英国同德国进行一系列秘密谈判，力求实现英、德合作，把战火引向苏联。在这种情况下，苏联也采取措施调整同德国的关系。斯大林于 8 月 21 日接受希特勒提出的立即缔结互不侵犯条约的要求。8 月 23 日苏联同德国签订《苏德互不侵犯条约》，有效期 10 年。条约规定，缔约双方彼此互不使用武力，任何一方将不参加直接或间接反对他方的国家集团；当一方受到第三国进攻时，另一方不给予第三国任何支持；就彼此有关问题，密切接触，交换情报；和平解决相互间的一切争端。第二次世界大战结束后，西方国家公布了《苏德互不侵犯条约》。该条约的签订使苏联得以暂时置身于战火之外。但条约签订不到两年，德国在西线得手后，于 1941 年 6 月 22 日撕毁《苏德互不侵犯条约》，对苏联发动突然袭击。

1946 年 5 月 30 日，英国《曼彻斯特卫报》刊登了这样一则新闻：《苏德互不侵犯条约》附有一项秘密议定书，而且对其内容予以了披露。文章发表后，立即在世界范围内引起强烈震动，苏联当局当即予以了反驳。

的确，在苏联的公开出版物中至今尚未见到有关《苏德条约》的秘密附属议定书。收入《苏联对外政策文件汇编》第四卷的苏德互不侵犯条约中没有涉

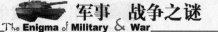
及秘密附属议定书的条款。鲍爵姆金领导编写的《外交史》第三卷和维戈兹基等人编著的《外交史》第三卷也只字未提秘密附属议定书。阿赫塔姆江等人的《苏联军事百科全书》在谈到《苏德条约》时对秘密议定书没有提及。萨姆索诺夫主编的《苏联简史》也持同样说法。曾参与1940年苏德谈判的别列日柯夫在其回忆录中不仅没有提《苏德条约》附有秘密议定书，而且认为："对1939年苏德条约问题，虚假报道堆积如山。"1948年2月，苏联情报局在题为《揭破历史捏造者（历史事实考证)》的文件中对英、美单方面公布德国外交文件予以反对。德波林主编的《第二次世界大战史》引用了1939年8月24日苏联《消息报》所发表的《苏德条约》的条款，不但对秘密附属议定书一点儿也没提到，而且批评说："资产阶级世界有人陷于伪造的泥潭而不能自拔，继续就条约和苏联的目的撒谎。"

但是，不少西方学者推测1939年《苏德条约》附有秘密议定书。例如原纳粹德国上将蒂佩尔斯基希在其《第二次世界大战史》一书中叙述了关于希特勒将部分波兰领土划给苏联、对与苏联接壤的东欧小国不表示兴趣的问题，他实际上谈到了西方国家公布的《苏德条约》的秘密议定书的一些内容。美国学者威兼·夏伊勒在其名著《第三帝国的兴亡——纳粹德国史》中还对《苏德条约》的秘密附属议定书的主要内容予以列举。法国当代著名史学家让·巴蒂斯特·迪罗塞尔在其《外交史》中断言：《苏德条约》存在着无可争议的

秘密议定书。奥地利的布劳恩塔尔也对《苏德条约》附有秘密议定书的说法持肯定态度。英国著名学者阿诺德·托因比等人编的《大战前夕，1939年》一书载有《苏德互不侵犯条约》的秘密议定书的主要条款。英国学者艾伯特·西顿在其《苏德战争，1941～1945年》一书也有《苏德条约》附有一份草率拟就、措辞模棱两可的秘密议定书的叙述。

另外，史学界对《苏德互不侵犯条约》的认识、动机、责任、性质和后果等许多方面都有不同的观点。

关于《苏德互不侵犯条约》的性质问题，大致有以下三种观点。第一，"绥靖"说。持这种观点的学者认为：苏联与德国缔结条约是真正的祸水西引，实行了比英法更甚的绥靖政策。《苏德互不侵犯条约》与《慕尼黑协定》并无本质

区别，都是欧洲大战前夕绥靖政策的典型表现，或者说苏德条约是继英法之后苏联掀起的又一个绥靖高潮。第二，"革命妥协"说。持这种观点的学者认为，《苏德互不侵犯条约》是利用帝国主义之间的矛盾，打破帝国主义包围，粉碎帝国主义阴谋的革命妥协，它与列宁主义的外交原则：既考虑苏联的国家利益又考虑全世界进步人类的利益是不相违背的。《苏德互不侵犯条约》是苏联外交利用帝国主义营垒的矛盾，取得有利的国际环境的一大胜利。第三，"分赃"说。他们认为《苏德互不侵犯条约》是一份地地道道的大国宰割小国的预分赃合同。

关于《苏德互不侵犯条约》的后果问题，史学界争论更大，主要有以下四种观点。第一，"有利"说。《苏德互不侵犯条约》的签订争取了对苏联较为有利的国际环境，使苏联赢得了为战胜侵略者所必需的22个月的时间，并使日本在国际上更加陷入孤立，对苏联人民及世界反法西斯的国家和人民更有利。第二，"利大于弊"说。有学者撰写文章说：我们既要看到《苏德互不侵犯条约》的积极作用，又要如实地分析客观存在的消极后果。但是两相比较，权衡利弊得失，尽管条约给世界人民的反法西斯斗争以及苏联本身曾经暂带来一些消极的后果，但……积极的作用是根本的，主导的。第三，"弊大于利"说。持这种观点的学者认为：尽管《苏德互不侵犯条约》为苏联赢得了一年多的备战时间，为后来的反法西斯战争的胜利奠定了一定的基础，但是它由此带来的后果也是严重的。如"客观上助长了希特勒的侵略野心"，"大大损害了社会主义国家的威信"，"给国际共运造成了分裂，损害了各国党的威信，破坏了开始形成的反法西斯统一战线"，"使自己丧失警惕，使苏联在卫国战争初期遭受了极其严重的损失"。第四，"不利"说。《苏德互不侵犯条约》消极作用很大，理由是："在一定程度上束缚了苏联的手脚，不利于充分利用帝国主义矛盾，联合一切可以联合的力量，推迟世界大战的爆发。并且，《苏德互不侵犯条约》模糊了苏联和世界人民的认识，不利于推动世界人民进行反法西斯斗争。

这样，有关1939年《苏德互不侵犯条约》的一系列问题就成了史学界争议的一个热点。弄清这些问题对于正确评价战前国际关系、深入了解第二次世界大战史具有十分重要的意义。

希特勒发动"巴巴罗萨"空战战果之谜

希特勒在极其绝密的情况下策划了一份代号为"巴巴罗萨"的计划——即进攻苏联的作战计划

"巴巴罗萨"的意思是"红胡子"。"红胡子"是神圣罗马帝国皇帝腓特烈一世的绰号，腓特烈是崇尚扩张侵略的家伙，他曾六次入侵意大利，并指挥十字军东侵。穷兵黩武的希特勒发动第二次世界大战后，就极力效仿"红胡子"，妄图称霸世界。

1940年12月，希特勒在极其绝密的情况下策划了一份代号为"巴巴罗萨"的计划——即进攻苏联的作战计划。希特勒想像"红胡子"一样，以闪电战的方式突然袭击苏联，打垮苏联。

为了迷惑苏联人的注意力，希特勒故意制造了种种假象，散布谣言。他把他的部队东移说成是要进攻英国。为此，德国出版了许多英国地图，军队里都配备了英语翻译，甚至还制定了进攻向英国登陆的所谓"鲨鱼"和"鱼叉"计划。

在这些谣言和假象的掩护下，5月下旬，德国铁道部门每24小时开出100列军车，在短短的两星期内有47个德军师，其中包括28个坦克师和摩托师被运往德苏边境。

与此同时，德国却仍和苏联保持着正常的贸易关系。满载着苏联粮食、石油、矿石和各种物资的火车，仍源源不断地运往德国。

整个苏联都被蒙骗了。6月14日，苏联塔斯社发布一则消息：

"根据苏联方面的材料，德国和苏联一样，始终不渝地遵守着《苏德互不侵

犯条约》。因此，苏联人士认为，关于德国打算撕毁条约准备进攻苏联的一些传说是毫无根据的……"

就在同一天，希特勒和他的军事首领召开了最后一次大规模的军事会议，布置了全面进攻苏联的最后细节。

6月21日中午，斯大林接到了苏联边境的一系列报告：在西北边境，德军拆去了他们自己设置的铁丝网；

在布格河西岸，德军的发动机声音突然增高；

在边境一些地方，似乎出现伪装的士兵……

这些异常情况源源不断地汇报给统帅部。

苏军统帅部认为这是希特勒想用激怒苏军的办法来破坏互不侵犯条约，寻找进攻的借口。统帅部命令莫斯科的防空高射炮部队就位，但只需做好75%的战斗准备。

下午5点时，苏联国防人民委员铁木辛哥建议前线部队进入全面战斗准备，随时待命，但统帅部未接受他的提议。这一天的夜晚，是苏联一年中最短的仲夏之夜。苏军俱乐部里，官兵们正载歌载舞欢度美丽的夏夜。

边境上德军的情况越来越异常，情报人员向指挥官汇报，但指挥官没有放在心上，官兵们仍沉浸在欢乐中。

突然，苏兵的通讯联络的线路中断了……

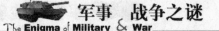
在德军的阵地上，6000门大炮和300万德国士兵在等待着进攻的命令。

凌晨3时，太阳从东方徐徐升起，大地一片寂静。突然，"轰隆隆，轰隆隆！"的炮声振耳欲聋，千万发炮弹飞向苏联边界。与此同时，2000架轰炸机压向苏联边境，炸弹如雨点般落在苏联的大地上。

成千上万的苏联官兵在睡梦中死去了，上百架苏联飞机还未起飞就被击毁了……

这次突然袭击希特勒总共出动了190个师，3700辆坦克，4900架飞机，47000门大炮和190艘战舰。全军分三路向苏联进攻：北路攻打苏联波罗的海沿岸和列宁格勒；中路指向莫斯科，妄图占领苏联的心脏，使苏联陷入瘫痪；南路夺取苏联的"粮仓"乌克兰。突袭使苏联空军蒙受了巨大损失，那么在"巴巴罗萨"空战中损失的飞机到底有多少？战争狂人们一向目空一切，好大喜功，纳粹头子希特勒更是其中的"典范"，在公开"巴巴罗萨"空战的结果时，希特勒与斯大林也唱起了对台戏。

这必然是个不小的数目，据德军4个航空队向德国空军总司令赫尔曼·戈林报告说：德国空军轰炸机炸毁了来不及起飞的苏军飞机1489架。此外，德军战斗机及高炮部队击落了苏联升空的飞机322架，共计1811架。德军自己也不敢相信在如此短的时间内竟能获得如此的战绩。与此同时，戈林密令空军总司令部的军官们分别到各个已被占领的苏军机场，依据飞机残骸进行一次

统计调查。调查进行得很快，一份秘密调查报告呈送至戈林面前："巴巴罗萨"空战的战果不止1811架，而是2000架以上。报告说，准确的数字已无法核实清楚，但肯定在2000架以上。

因为戈林没有对此事展开进一步深入调查，所以人们都对此战果的报道持

怀疑态度。而且，在"巴巴罗萨"空战以后，苏联空军并没有公布损失飞机的数字。战争结束以后，苏联国防部出版社发行了六卷本的《苏联伟大卫国战争史》。该书称，苏联空军在"巴巴罗萨"空战的第一天损失飞机1200架，其中单在地面上被炸毁的就有800架。

苏联与德国公布的数字相差非常多，竟达600～800架，这差不多是一个中等国家整个空军的实力，令人奇怪的是，苏、德双方对于升空后被击落400架飞机的数字，统计出来的结果是相同的。数字的出入在于地面飞机的损失，而地面飞机的损失数字说什么也比空中击落飞机数字易于统计。

斯大林在当天早晨曾命令西部军区将所有飞机均加以伪装。但是斯大林的命令并没有得到执行。苏联空军的新旧飞机均未加任何隐蔽，整整齐齐地排列在跑道上，就像接受阅兵似的。大部分飞机来不及升空便被炸毁了。

尽管在这场偷袭战里，被炸毁的飞机到底有多少还是不得而知，但让我们欣慰的是：1941年7月3日，斯大林向苏联人民发表广播演说，号召全体苏联人民团结起来，全力以赴同希特勒法西斯做殊死的斗争。苏联伟大的卫国战争开始了。希特勒的"美梦"破灭了。

敦刻尔克大撤退之谜

撤退中的英国军队

敦刻尔克大撤退是1940年5月26日至6月4日，在第二次世界大战中，遭到重大失败的英国军队、法国和比利时部分军队于敦刻尔克地域（法国）向英国实施的战略撤退。

1940年5月的法兰西，阳光明媚，绿草如茵。西线英法联军和德军相互对峙长达8个月之久，双方一枪未发，战争似乎已成为遥远的过去。就在大家均以为"静默战争"将持续下去时，一场闪击战的风暴却骤然降临。

5月10日早晨，134个德国师在3000多辆坦克的引导下，向着荷兰、比利时、卢森堡和法国全线猛扑过来，德军的主攻方向选在了马其诺防线的北端———

曾被视为是坦克无法通过的陡峭而森林密布的阿登山区。这让英法联军大为惊愕。仅仅十多天工夫，德国的装甲部队就横贯法国大陆，直插英吉利海峡岸边，将北面的英法联军主力完全隔断在比利时境内。灾难来得如此突然，整个法国就像一只被戳破的气球，陷于惊恐和瘫痪之中。英国远征军司令戈特勋爵不想让麾

下的几十万精兵强将去为法国人陪葬，乘德军尚未封闭包围线的时机，他下令迅速实施代号为"发电机"的撤退行动。40万联军官兵且战且退，最后全部聚集到了敦刻尔克海滩。而此时德国军队从南、北、东三个方向向海滩步步紧逼，德军最近的的坦克离这个港口仅10英里，西面的英吉利海峡成为联军绝处逢生的惟一希望。就在这时，德军却接到了希特勒亲自下达的停止前进命令。英国政府趁机紧急调集了所有能抽调的军舰和民船，无数业余水手和私人船主也应召而来，他们驾着驳船、货轮、汽艇、渔船，甚至花花绿绿的游艇，冒着德国飞机、潜艇和大炮的打击，往返穿梭于海峡之间，将一批批联军官兵送回到英国本土。从5月26日到6月4日，短短10天时间，这支前所未有的"敦刻尔克舰队"把35万大军从死亡陷阱中拯救出来，为盟军日后的反攻保存了大量的有生力量，创造了二战史上的一个伟大的奇迹。

战后，历史学家一致认为，敦刻尔克大撤退之所以取得惊人的成功，主要应归功于被视为二战初期"德国最大的失误"的那道"停止前进"的奇怪命令。究竟是什么原因让这个战争狂人停止了侵略的步伐，是希特勒的失误？还是他心慈手软？还是上帝的安排呢？历史学家和纳粹的将军们各有解释，众说纷纭。

一种说法认为是希特勒忧虑的情绪。英国著名的军事思想家李德·哈

特在长期的研究中得出结论，希特勒的性格诡秘复杂，变化无常，同时又易受他人的影响。他在纳粹军队一往无前的大好形势下反而非常恐惧，胜利来得太快了，太容易了，反而使得他疑神疑鬼，害怕失败，特别是在前方坦克数量减少的情况下，更使他胆战心惊，所以下了"停止前进"的命令。

还有说法认为是希特勒想保存坦克部队的实力。有些西方史学家把德国坦克兵团停止不前解释为需要进行车场保养，担心在沼泽地损失坦克。显然这个理由不是没有道理的。更为理智的历史学家分析认为，不考虑德国统治集团下一步侵略意图，就不能理解德国统帅部的这项决定，当时德国统治集团面临的任务是迅速击败法国，使其退出战争，因此，他们打算保存富有战斗力的坦克师，以与法军主力进行决战。法国失败，英、德之间就可能在划分世界势力范围的问题上达成协议，并作好侵犯苏联的准备。

也有说法认为是希特勒过高地估计了德国空军的作战能力。野心勃勃、不择手段的戈林急于在德国陆军一帆风顺地作战之后，要为他的空军争得最后决战的机会，从而在世界面前获得成功的荣誉。戈林告诫希特勒说："如果当时快要到手的伟大胜利的功劳完全被陆军将领得去的话，那么元首在我国国内的威望就会遭到无法弥补的损失。只有一个方法可以防止这一情况，那就是由空军而不是陆军来完成决战。戈林还向希特勒保证：他的空军完全可以从空中守紧海边的袋口，把敦刻尔克变成一片火海，炸沉所有试图靠岸的船只。希特勒的作战局长约德尔也说："战争已经打赢，空军花很少代价就能办到的事，何必要浪费坦克去做呢？"凭借戈林在纳粹党内不可动摇的副领袖地位，促使希特勒下达了那道胜败攸关的命令，把歼灭被围困的英法联军的任务交给了戈林的空军。

第四种说法认为是希特勒出于对政治上的考虑。因为希特勒曾多次流露出对大英帝国的崇拜之情，他经常声称：不列颠人是仅次于日尔曼民族的优秀人种，德国无意消灭他们。他放走英国人，是想给英国人一个情面，为日后和谈留一条退路。这是希特勒伸出的橄榄枝，在其军事理由的背后更为重要的是他的政治目的，即企图同英国签订和约。因为德国党务之急是迫使法国投降，进而挥师东进，消灭苏联。当时任伦德施泰特总部作战处长的布鲁门特里回忆道：希特勒在访问集团军总部时作了讲话，承认这次战役（德国进攻西欧）的经过是一个奇迹，此后他就想和法国签订一项和约，于是和英国达成协议的途径就畅通了。布鲁门特里认为，停止前进是希特勒政治计划的一部分，目的是使和平协议尽快达成。

对于上述几种说法，不以为然者大有人在。因为希特勒变幻莫测的性格和五花八门的动机，使得他本人的解释很难说是可靠的。更何况希特勒又有说假话的天才，他的证词大有可能是把线索弄乱。再加上纳粹将领的回忆和历史学家们的考证各执一词，相互矛盾之处颇多，从而更增添了问题的神秘色彩。所以，很多人至今仍认为，希特勒下达奇怪命令的原因是个永远无法解开的谜。

斯大林为何不防德军突袭

斯大林像

1941年6月19日到20日这两天，数量超过300万的德军秘密地潜伏在长达2000英里长的苏德边境。他们是乘着坦克和装甲车来到这里的，这些坦克和装甲车的车灯都被蒙上了。

白天，他们被禁止发出任何声响，就连坦克盖子的嘎嘎声，都会引来军官的责备。只有到了晚上，德军士兵才被允许到附近的河流或其他有水的地方偷水，而且一个晚上只能有很少的几次。

数以千计的坦克处于一级战备状态，每一辆坦克都备有10个汽油罐和许多弹匣。很明显，这是为一次大的战争所准备的，实际上，他们进攻的目标是千里以外的莫斯科。

这场迄今为止历史上最大的战争还有几个小时就要爆发了。这次行动被命名为"巴巴罗萨"(古罗马皇帝名)。希特勒来到东普鲁士一个密林中的指挥所里，以便亲自发出进攻的命令。随着进攻时刻的到来，希特勒越来越兴奋，他大声对手下的将军们说："巴巴罗萨一开始，整个世界都会为之震惊。"

在遥远的东方，莫斯科的克里姆林宫里，苏联领导人约瑟夫·斯大林对大量的表明德军要进攻苏联的消息毫不理睬。种种情报表明，在北起芬兰、南到黑海的广大地区，苏联都已经受到德国的巨大威胁。在当代所有国家领导人中，从来没有人像他一样能得到那么多的高级情报。

就在三个月前，英国首相丘吉尔对斯大林面临的危险发出了警告，他在4月3日给苏联领导人的信中写道：

首相致斯塔福德·克瑞普先生(当时英国驻莫斯科的大使)，以下内容请务必亲自转出：

　　"我从可靠的消息渠道得知……德军正从罗马尼亚调集 5 个装甲师到波兰南部……请您对以上消息保持警惕。"很奇怪的是，苏联外务委员会委员莫洛托夫从克瑞普先生那里得到这个消息后，直到 3 周后，也就是 4 月 22 日才把它交给了斯大林。

　　丘吉尔信中所说的可靠消息渠道指的是阿绰。它截获并破译了数以百计的德军情报，这些情报都表明，德国正在集结大批的军队到苏联边界。

　　斯大林从自己的观点嘲笑了丘吉尔的警报，因为，在两年前即 1939 年 8 月 23 日，苏联和德国签署了《苏德互不侵犯条约》。斯大林确信，丘吉尔在离间苏德两国的关系。

　　不久，来自世界各地的各种支持丘吉尔的情报大量涌进了克里姆林宫。这些情报中有一份来自日本的里察德·苏尔哥，名义上他是德国《法兰克福邮报》驻远东的记者，实际上他是苏联的间谍。

　　在日本，苏尔哥和德国驻日本的使节尤根·奥特将军建立了良好的私人关系，而奥特将军与德国的高层军官保持着密切的联系，经常能够得到最机密的情报。奥特经常将这些情报毫无保留地讲给老朋友苏尔哥听，他认为，苏尔哥是一个忠实的德国人。

　　于是，在 1941 年 5 月 19 日，苏尔哥这个情报老手向克里姆林宫发出了以下消息：德国已经聚集了150个师(比实际数量仅仅少3个师)，分为3个方面军部署在苏联边境。两周以后，苏尔哥又向莫斯科发出了德军使苏联屈服的详尽计划。几天以后，这个德国记者又得到了德军进攻的确切日期：1941年6月22日。

从瑞士传到莫斯科的消息更让人担忧。瑞士的苏联间谍头目是罗德夫·罗斯勒，他是一个德国的流亡者，以在罗森拉开一家书店为名进行间谍活动，他和他的手下利用在日内瓦和洛桑的秘密电台向莫斯科传递情报。德国的情报机构称之为"红色三重奏"。

在6月14日和接下来的16、17和18日，这些电台向莫斯科传递了详尽的高级情报，这些情报都是由罗斯勒收集整理的，他的化名是露西。这个被莫斯科称为"三个音乐家"的组织不仅提供了德军"巴巴罗萨"计划的情况，其中包括三个方面军(北部、中部和南部)坦克的精确数量，而且提供了进攻的日期。他们还发出了德军的详细目标甚至集团军的高级将领的姓名。在露西发完长长的情报，然后瘫倒在床上时，从莫斯科回来的答复仅仅是简短的一句："明白，完毕。"从其他线索也可以知道，德军大量集结在苏联边境，准备发起进攻。6月18日，一个德军逃亡者溜过苏联边界，向苏联汇报说德军将于22日发动进攻，但是斯大林又一次拒绝相信他。

这期间，还有一些奇怪的事困扰着苏联的情报机构。就在进攻发生前的两个月，尽管柏林认为莫斯科是盟国，24架德国侦察机还是越过苏德边界进入苏联领空。其中一架飞机坠落了，苏联人发现飞机残骸里有高质量的照相机，里面的胶卷能够证明他们飞行的首要任务就是航拍边界线附近的苏联军事设施。

更重要的是，经济活动也能证明希特勒确实想进攻苏联：与苏联签订合同的德国公司在6月10日前突然停止了向苏联供货。

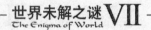

现在，"巴巴罗萨"计划的 D- 日马上就要到来。在波兰边境的德国大军已经做好了充分的准备，他们希望在拿破仑 1812 年失败的地方获得胜利。

远在美国华盛顿，美国国务卿考代尔·霍尔召见了苏联驻美国大使康斯坦丁·犹曼斯基。国务卿对大使说，他们已经从驻在欧洲的使节那里得知，德军将要进攻苏联。

最后，丘吉尔告诫斯大林说，他们从无可怀疑的渠道（指的是阿绰）得知，德军将在 6 月 21 日对苏联发动进攻。

"如果希特勒进攻那个地狱（指苏联），我就可以找一些借口来对付国会的那帮魔鬼了。"丘吉尔对他的私人秘书说。

在进攻当天的黎明时分，有一种怪异的安静。突然，数以千计的德国大炮发出了震耳欲聋的呼啸声，炮弹越过了长达 2000 英里的边界线，倾泻在苏联的国土上。300 万德军士兵冲过了边界线。苏联人彻底惊呆了。

两小时以后，早上 6 点钟，德国驻莫斯科的大使考恩特·弗瑞克·冯·舒林伯格拿着希特勒的宣战书来到苏联外务委员莫洛托夫的办公室。这时候，德军已经深入苏联境内了。这封宣战书现摘录如下：

近期情况毫无疑问地表明，苏联军队对第三帝国进行了军事挑衅……苏联军队有意地侵害了第三帝国的主权，并且破坏了《苏德互不侵犯条约》……

有鉴于此，元首已经命令德军对此类事件采取任何必要的措施。

莫洛托夫脸色苍白，一言不发地拿过了文件，静静地撕碎它并将它扔在地上。然后，他摁响铃叫来私人秘书，"让这个人滚，从后门滚出去！"莫洛托夫咆哮道。

纳粹进攻的速度让人吃惊，数以百计的苏联飞机被炸毁在了飞机场，大量的苏联士兵迷迷糊糊就作了俘虏。战争的第一天，作为苏联中部重镇的布勒斯特就沦陷了。狂乱的苏联军队指挥官在电台上相互询问："我们受到了进攻，我们该怎么办？"

"进攻？谁在进攻？"

"该死的德国人。"

"你肯定是脑袋出问题了！为什么用明码发送这样的消息——你想挑起一场战争吗？"

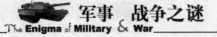
"巴巴罗萨"行动取得了空前的成功。在战争的初始阶段，有300万苏联士兵死亡、受伤或被俘。2.2万只枪支、1.8万辆坦克、1.4万架飞机被毁坏或被缴获。

6月21日的早上，伦敦的丘吉尔得到了德军进攻苏联的消息。因为事先有准备，丘吉尔连眼睛都没有眨一下。

一向精明的斯大林为什么会被希特勒算计了呢？其实，他所获得的高级情报相互之间都是不关联的，如丘吉尔、里察德·苏尔哥、罗斯勒以及考代尔·霍尔。实际上，苏尔哥和罗斯勒根本就互不知晓。

难道在苏联的高级领导人里有德国的同情者或德国间谍？为什么外务委员会委员莫洛托夫4月3日收到丘吉尔的信后，搁置了3个星期才交给斯大林呢？从飞机残骸上发现的胶卷最后怎么样处置了？

所有这些问题都不会有答案了，惟一能够确定的是斯大林被自大迷惑了眼睛。

二战时期的德国潜艇

德国海军的"狼群战术"之谜

纳粹德国海军元帅邓尼茨

"猛虎怕群狼"。嗜血成性的狼群令自然界里所有的庞然大物不寒而栗。在它们的轮番围攻下，即使百兽之王也难以幸免于难。邓尼茨（1891年—1980年，法西斯战犯，纳粹德国海军元帅，第二次世界大战时期曾任海军总司令、总统兼武装部队最高统帅）之所以被称为"狼头"，就是因为他首创了海战的"狼群战术"，并在二战伊始，以"狼群战术"称霸大西洋，致使盟军商船遭受巨大损失，后勤补给线遭到严重破坏。邓尼茨也因为"狼群战术"的成功而成为希特勒最得力的干将之一。他的职务一路攀升，先后升为舰艇司令、海军司令，最后还

希特勒、邓尼茨在检阅德国潜艇

被指定为元首的接班人。"狼群战术"与古德里安的"闪电战"并称为纳粹德国军队的海陆两大"法宝"。

邓尼茨出生在普鲁士的一个贵族家庭。他19岁加入德国海军，从此开始了长达35年的海上冒险生涯。1914年，第一次世界大战爆发，邓尼茨时任轻巡洋舰"布雷斯劳"号上的一名尉官。1916年，邓尼茨被调往潜艇部队。虽然是第一次接触潜艇，但他立即迷上了这种新型海战武器，并由此踏上了他辉煌的海军事业起点。

希特勒出任德国总理后即开始重整军备活动，邓尼茨极为赞成，成为纳粹党的狂热拥护者。1935年，希特勒在磨刀霍霍准备战争，德国潜艇部队重新组建，邓尼茨担任了这支以一战时著名的潜艇英雄威丁根命名的潜艇支队的支队长。

这只头狼不仅战术头脑敏锐，而且具有远见卓识的战略眼光。他把狼群的作用提高到战略高度，认识到：德国欲重新崛起，迟早要与英国发生冲突，而欲战胜英国，则海军的强大是最重要的因素；英国面对着德国的港湾，恰好在德国进入大西洋的航路附近，如同一条栅栏，既能控制德国舰队的出海，也可控制大西洋的战线，加上德国海军在大西洋无基地，一旦军舰被击中，无法就近修复，所以海军发展的重点不是水面舰艇，而应是能够克服上述不利条件的潜艇；英国是

邓尼茨在讲解他的军事观点和狼群战术

二战时期正在执行"狼群战术"战斗任务的德国潜艇

个岛国,许多重要的工业原料和战争物资都必须通过大西洋输入国内,德国可以用潜艇对英国商船实施袭击战和吨位战,切断其海上运输线,迫使英国屈服。因此,潜艇是实现德国海军战略的最有效的作战武器。

"你们见过狼群吗?见过狼群厮咬的情景吗?"阿尔卑斯山的森林中狼多的是,酷爱打猎的邓尼茨是见惯了,也许他就是从这里得到的启迪。而对台下这批德国潜艇部队的新成员,邓尼茨不乏耐心。"他们的潜艇必须结成群,以群对群,才能打破英国人的护航体制。"这时,邓尼茨已开始将筹划多年的潜艇"狼群战术"投入训练。

邓尼茨总结第一次世界大战潜艇作战的经验教训,采纳德国王牌潜艇艇长克雷契马的建议,在海上开始演练"狼群战术",主要内容为:事先将若干潜艇组成"狼群"在敌船队的航道上垂直展开,由具有经验或资深的潜艇艇长担任群长,负责具体指挥"狼群"的协同作战;"狼群"平行搜索敌船队,艇与艇间隔15海里~20海里,"狼群"正面搜索宽度300海里~400海里;任何一艘潜艇发现敌船队后,立即报告岸上指挥所,并命令艇群迅速航行至船队前方,白天在视距以外跟踪,夜间以水上状态逐次实施鱼雷攻击,对掉队的单艘舰船也可进行炮击;天亮前停止攻击,脱离船队至视距以外,日落后再次接近攻击。

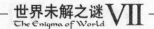

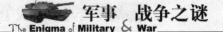
　　1939年9月1日，纳粹德国入侵波兰，第二次世界大战全面爆发。9月3日，英国对德国宣战，在海上则对德实行封锁。然而，英国政府宣战的话音未落，邓尼茨的U-30号潜艇即大开杀戒，把英国客轮"雅典娜"号送入了海底。1938年9月，英国"雅典娜"号客轮悠闲地行驶在大西洋上，船上的旅客正沉浸在平静而安逸的旅行中。突然，他们听到了几声巨响，并感到了强烈震荡。一刹那间，客轮上油烟滚滚，海水涌进了船舱。几分钟后，"雅典娜"号客轮开始下沉并最终葬身海底。此后几年，盟国的大型运输船队屡有同样遭遇，而罪魁祸首正是德国海军的"狼群战术"。

　　由于指挥得当，邓尼茨的潜艇给盟军大西洋海上交通线带来浩劫。1941年4月至12月，共击沉盟军325艘运输船，总吨位约158万吨。美国参战后，德国潜艇的活动范围又扩展到美国海岸及加勒比海一带。1942年，德国潜艇每月击沉盟军商船近97艘，总吨位达52万多吨。整个战争期间，德国潜艇部队共击沉盟军运输船、商船2828艘，总吨位达14687231吨，击沉击伤盟军军舰115艘，给同盟国特别是英国造成极大的困难。英国海军惊恐地认为："邓尼茨炸沉我们的商船是在慢慢地绞死我们，……他是自荷兰勒伊特以来，英国最危险的敌人。"

　　"战争中惟独使我真正害怕的是德国潜艇的威胁。"英国首相丘吉尔在第二次世界大战胜利后这么写道。的确，战争中卡在大西洋航线上的死亡绞索——德国潜艇的"狼群战术"几乎要把大英帝国的咽喉勒断。

　　然而，邓尼茨同样被眼前的胜利禁锢了头脑，醉心于自己的战术而忽视了再创新，导致德国海军的战术在多年的海战中如出一辙。面对德国"狼群"的肆虐，盟军则专门组织力量来研究对付"狼群战术"的有效战法，美英盟国积极努力，新的反潜手段不断出现。除已立下了殊功的音响探测器外，还发明了专门搜索潜望镜的机载雷达，大功率的按照灯，被称为"雪花"的高效长时间

被击败的"狼群"比它们的主人更为顽固

照明弹，潜艇赖以隐蔽的夜幕逐渐失效。1943年后，美国强大的经济、军事潜力开始发挥决定性作用，大量的护航舰船下水服役，特别是利用商船改装了近百艘专用的护航航空母舰，立体反潜代替了平面反潜。而邓尼茨无视盟军侦察预警能力的提高，依然在大西洋上集结庞大的潜艇群，打算彻底切断盟军在大西洋上的运输线。

1943年5月，邓尼茨赖以成名的"狼群"终于遭到毁灭性打击——他的王牌潜艇在一个月内被击沉30多艘。1945年5月8日，邓尼茨签署文件，宣布德国无条件投降。他本人于22日被盟军俘虏，判处10年徒刑。1956年，邓尼茨刑满出狱，赋闲在家，直到1980年病逝。值得一提的是，在邓尼茨宣布投降时，由他一手调教指挥的德国潜艇部队却拒绝放下武器。随着总部下达的一道代号"彩虹"的暗语命令，尚存的220多艘德国潜艇在世界各地全都凿艇自沉。这是"狼群"的最后一次疯狂，同时"狼群战术"宣告失败。

二战以后，军事家们重新研究了"狼群战术"，认为从纯军事的角度来看，它仍是未来潜艇"以小吃大"的战术之一，但其攻击的隐蔽性需要进一步提高，"狼群"的规模也应当缩小。现代海战理论也仍然把潜艇视为对付航母等庞然大物的"撒手锏"。而现代潜艇作战的一些先进理论，如深海封锁、机动攻击、联合攻击等都还或多或少地受到了"狼群战术"思想的影响。

希特勒副手、纳粹战犯赫斯之谜

他曾是希特勒的忠实助手，早年追随希特勒，为纳粹党在德国的兴起立下了汗马功劳，在二战中也曾叱咤一时，不可一世。他就是德国纳粹党的第二号人物——鲁道夫·沃尔特·理查德·赫斯。鲁道夫·赫斯1894年出生在埃及亚历山大港。第一次世界大战时，他是一名飞行员。1917年，他在前线司令部碰到传令兵阿道夫·希特勒。六年后，希特勒因慕尼黑啤酒馆暴动而被囚于兰德斯堡监狱，对希特勒佩服得五体投地的赫斯，特意从奥地利回来和希特勒一起吃官司。在狱中，希特勒口授、赫斯记录整理，写成了一部日后给人类带来巨大灾难的书：《我的奋斗》。从此希特勒视赫斯为心腹，自1923年纳粹党发轫起，赫斯就是希特勒的私人秘书，1932年任纳粹党中央政治委员会主席，同年当选国会纳粹党议员。1933年4月，被希特勒委为纳粹党副领袖，积极支持希特勒扩军备战。1939年9月1日，纳粹德国进攻波兰后，赫斯又被指定为希特勒的继承人。

1941年5月10日下午，47岁的纳粹德国二号人物鲁道夫·赫斯与妻子伊尔莎匆匆告别，之后单独驾驶战斗机飞往苏格兰。当晚，飞机坠毁在苏格兰，赫斯伞降在汉密尔顿公爵住宅区所在的格拉斯哥附近。首相丘吉尔先后安排内阁成员西蒙、比弗布鲁克以及汉密尔顿公爵等人去会见赫斯，并向美国总统罗斯福作了通报。赫斯对汉密尔顿公爵说，他"肩负着一项人道的使命"，他说，"德国并不想打败英国，而是希望停止战争。""解决的办法是，英国应该让德国在欧洲自由行动，而德国让英国在英帝国范围内完全自由行动。"丘吉尔战时内阁未予理睬，并把他投入了监狱。纳粹政权垮台后，赫斯被移交纽伦堡国际军事法庭，以"准备和进行侵略战争罪"被判处无期徒刑。

赫斯为什么有此惊人之举？半个世纪以来一直是个谜。有的说他是神经错乱，有的说是因失宠而出走，有的说飞往英国的是假赫斯。那么真相如何呢？

赫斯在狱中度过他90岁生日之际，他的儿子沃尔夫·赫斯出版了《我的父亲鲁道夫·赫斯》一书，他的解释是：其父亲确是携带了一份详细的"和平计划"飞英的。希特勒对赫斯说，一旦"和平计划"失败，柏林就宣布赫斯犯了神经错乱症。这场闹剧既然是希特勒亲自导演的，作为忠实门徒的赫斯当然要逼真地演下去。在长达217天的纽伦堡国际法庭审判过程中，赫斯时而假装丧失记忆，时而装疯卖傻，甚至和戈林等昔日的纳粹战友面对面时，他也坚持说不认识他们。盟国组织十名医生共同对他进行检查，得出结论："没有正当理由说他精神错乱"。因此纽伦堡国际法庭说，"如果不能受审，他可能再也不能到法庭来，而且很快与其他被告分开"。赫斯大吃一惊，站起来说道："庭长先生，从今以后，我的记忆力对外界将恢复正常。"他承认自己有意愚弄了律师和医生们。

而赫斯的妻子伊尔沙·赫斯认为丈夫的行为纯粹是自主行事，"可以肯定的是……我知道我的丈夫有清醒的头脑，自由的意向，没有被委派或事先请示过希特勒。他是自愿作出牺牲的，他那失去平静的思想中除了和平外别无其他。"德国两位历史学家亨里克·艾伯勒和马蒂亚斯·乌尔根据前苏联对希特勒的私人副官和贴身男仆的审讯记录写出的新书《希特勒秘密档案》中，也认为希特勒对赫斯出走一事事先一无所知。

希特勒的副手赫斯

近年的一些研究认为，赫斯的出走是中了英国人的"圈套"。由于包括希特勒在内的纳粹高官一直对占星术、玄学有着浓厚的兴趣，而赫斯对占星术更是深信不疑，所以英国反间谍机关苏格兰场决定通过占星术对赫斯施加影响，并最终促成了他的出走。苏格兰场早已掌握了赫斯想通过汉密尔顿公爵影响英国国王，使两国缔结和约的企图。他们密切关注着赫斯的老师兼占星家豪斯霍夫尔、赫斯的"神秘和占星事务顾问"施特拉特豪斯等人的动态，并预测赫斯在听取占星师的预言后，将要采取什么行动。不久，苏格兰场开始抛出一些赫斯应该与汉密尔顿取得联系的含含糊糊的暗示，他们相信，赫斯的占星师也许能够感觉到这一信息。苏格兰场的占星师依照德国占星家的预测方法得出结论：1941 年 5 月 10 日，6 颗行星将在金牛星座与月球相聚，这次罕见的行星会合，将是达成一切愿望的"黄道吉日"。果然，赫斯钻入了英国人的圈套。1946年，纽伦堡国际军事法庭裁定赫斯犯有"准备和进行侵略战争罪"，判处其无期徒刑。

尽管上述说法似乎都有确凿的证据，但也都存在不少难以自圆其说的漏洞，人们要想知道此事的真相，还要等到 2017 年，那时英国才会解密有关赫斯的历史档案。

另一个关于赫斯的谜团就是他的死亡之谜。赫斯于 1987 年 8 月 17 日在西柏林斯潘道监狱突然死去。然而他的死亡却成了人们不得其解的谜：西欧国家围绕赫斯之死究竟是自杀还是他杀，是假赫斯还是真赫斯的问题曾引起很大的争论。

英国前军医、历史学家休·托马斯在 1989 年出版的新书《赫斯：两起谋杀案的故事》中披露，赫斯是因同一起推翻丘吉尔首相的阴谋有牵连而被暗杀的。

赫斯之子沃尔夫·吕迪格尔·赫斯于 1988年 5 月则说他的父亲是被害的。

1987 年 8 月 17 日，英国驻西柏林军事当局宣布，鲁道夫·赫斯当日下午在西柏林的英国陆军军医院死去。据说那一天赫斯被扶到院里凉亭中休息，后来监护人因事离去，等他们过了一会儿回来时，发现赫斯脖子上缠着一段电线。赫斯当即被送往医院抢救，但已经死去。英国陆军医院解剖了赫斯的尸体，确定赫斯是窒息而死。后来有消息说发现了他留给家人的条子，从而证明赫斯是自杀。不过有人对此提出疑问。西方新闻界为此闹腾了一阵子，后来不了了之。在重重疑团中，赫斯的尸体于 1987 年 8 月交给其家属，运回家乡埋葬。

事后，赫斯儿子、律师赛德尔说英国有人在掩盖赫斯之死的真相。

验尸时赛德尔在场。他认为有充分证据证明赫斯是他杀，因为被人勒死和自尽吊死的痕迹是完全不同的。

托马斯则提出了更加扑朔迷离的说法，说这次的死者是冒名顶替的假赫斯，真赫斯早在1941年5月到英国履行其所谓的秘密和平使命途中就被暗杀了。他的《赫斯：两起谋杀案的故事》中的第一起谋杀案写的就是谋杀赫斯的情况。赫斯被暗杀后，希姆莱选派了一个和赫斯长得极像的人，英国当局便把他当作真赫斯关押起来。托马斯说，1987年死的正是这个赫斯。

赫斯的儿子沃尔夫·吕迪格尔·赫斯却不同意托马斯的说法，他说1987年死去的赫斯是他的父亲，而且是他杀。所谓父亲给他留的条子是伪造的。盟国的一个外交官把托马斯的说法斥之为"纯属胡说八道"。

近些年来，由于经费等方面的原因，西方盟国一直要求释放赫斯，但苏联认为赫斯罪恶累累，应该终生监禁。据说，苏联于1987年曾表示不反对释放赫斯，于是有人害怕他说出在英国的一些上层联络人，进而暴露一起试图推翻丘吉尔首相的阴谋。所以策划了暗杀计划，用电线勒死他。

赫斯死了，留下的悬案迄今未了，围绕赫斯之死而引起的又一轮争论，将会得出什么样的结局呢，人们只能拭目以待。

纳粹杀人魔王海德里希失踪之谜

纳粹杀人魔王海德里希

如果只说海德里希这个名字，可能许多德国年轻人都有点陌生，但如果提起他的绰号"盖世太保弥勒"的话，那么相信任何只要了解二次世界大战纳粹政权皮毛的人都会觉得如雷贯耳，因为这个名字太可怕太有名了。

50年来，纳粹德国盖世太保头目、纳粹大屠杀元凶、国际战犯法庭第 7 号通缉犯海德里希·弥勒的下落被全世界的历史学家公认为二次世界大战最神秘的谜团之一，因为他活不见人，死不见尸。

海德里希是德国纳粹党党卫队的重要成员之一，地位仅次于希姆莱；由于行事残酷，而被称为"金发的野兽"、"铁石心肠的人"与"纳粹的斩首官"。1904 年，海德里希出生在一个音乐世家，他的父亲是一家音乐专科学校的校长。然而谁也想不到，在这样优越的家境和良好的音乐氛围下，海德里希却成长为双手沾满无数人鲜血的纳粹爪牙，一个真正的杀人魔王。

1931 年，海德里希通过自己的女友介绍，结识了纳粹党卫队头目希姆莱，并投入其魔下，自此开始平步青云。1931 年 12 月，海德里希出任党卫队一级突击队中队长，1932 年 7 月当上了保安处长，1933 年 3 月任区队长。由于当时希特勒刚刚上台不久，急需打击异己，树立威信，因此，海德里希控制的保安处穷凶极恶，到处追踪希特勒的政敌并加以清除。他手段残忍，深得希特勒的赏识，被希特勒昵称为"铁石心肠的男人"。海德里希也迅速成为党卫队的第二

号人物，并直接掌管第三帝国最神秘的机构——帝国保安部。

海德里希誓死忠于希特勒

令人吃惊的是，海德里希虽然具有犹太血统，却是极端反犹狂，希特勒的灭绝犹太人计划的雏形就来自于海德里希的一次演讲。1941年7月3日，希特勒亲自下令要海德里希主管清洗犹太人的任务。根据希特勒的命令，海德里希疯狂地制定出杀人的具体措施，其中包括集体屠杀、毒气室、火化炉、饿死或让沉重的劳役累死等惨无人道的法西斯行径，使数以百万犹太人死于屠刀之下。

1944年7月20日，反纳粹勇士、德国军官施道芬堡在"狼穴"开会时将一枚炸弹放在希特勒的脚边，试图将其当场炸死。然而，希特勒却奇迹般地逃过一劫。海德里希奉命对这起试图谋杀希特勒的事件进行调查，结果包括赫赫有名的纳粹陆军元帅隆美尔、德国前参谋总长贝克将军、柏林警察部队总司令冯－赫尔道夫伯爵在内的4000余人均遭海德里希下令处决。

海德里希任何时候都表示，他誓死忠于希特勒。1945年4月30日，也就是在希特勒龟缩在地堡里自杀的同一天，海德里希向柏林城内的纳粹冲锋队发布了最后一道命令："誓死保卫柏林，直至最后一个人，最后一颗子弹！"随后，

海德里希是党卫队的第二号人物，并直接掌管第三帝国最神秘的机构——帝国保安部

他向希特勒以及其他人告别说，他要突出柏林，组织德国境内其他部队前来救"元首"和大家，然后就转身溜出地堡。海德里希这一走就再也没有任何的音信。

战争结束后，这个双手沾满鲜血的盖世太保头目的下落自然成为全世界关注的焦点。然而，海德里希就像是从地球上蒸发了一样。在接下来

海德里希与部下卡尔佛朗克走上台阶

的50年间，有关海德里希最终下落的说法逐渐集中成为五种。

第一种说法是，离开希特勒的"鹰巢"地堡后登上了一辆装甲车，准备溜之大吉，但在突出柏林的途中与盟军坦克部队迎头相撞，结果被一通炮火送上了西天。持这种说法的多是德国的一些历史学家。1963年，甚至有人宣称发现了海德里希的坟墓，里面还有海德里希本人尸骨。然而，当科学家们对从坟墓里取出的头盖骨进行科学检验后发现，这个头盖骨的主人比海德里希死时要年轻15至30岁，显然不是海德里希。

第二种说法是，海德里希其实早在希特勒自杀前两天就杀死了自己的妻子和3个孩子，然后自杀身亡。

第三种说法是，海德里希落入了美国人的手里，成为冷战的工具！据部分英美的媒体报道称海德里希没有死，而是落入美国人手中，甚至成了美国人对付前苏联的特工，成为冷战工具。

第四种说法是，海德里希乔装改扮成功溜出了盟军的搜捕队，换一假名编一个新身份，溜到了中东的埃及，或者到南美继续干他的纳粹秘密勾当，从此过上隐名埋姓的生活。此后，先后有人声称在东德、瑞士、阿根廷、巴西、巴拉圭、大马士革、新汉普郡，甚至华盛顿看到过他！持这种说法的人多是民间人士。

第五种说法比较耐人寻味，说海德里希离开柏林总理府地堡后落入了前苏联红

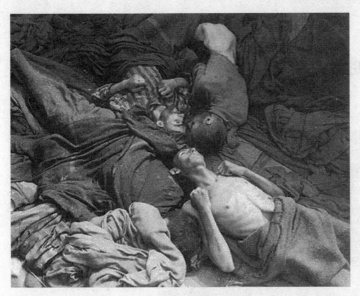

他们都是海德里希盖世太保集中营中被饿死、毒死的犹太人

军的手里，他用情报换得一条生路，前苏联情报部门给他一个新的生活，从此在前苏联国内过上平静的生活。还有的人说，海德里希参加了前苏联情报机构后，甚至一度还被派到捷克斯洛伐克执行间谍任务，持这种说法的多是美国情报界和司法部的人士。美国司法部特别调查办公室甚至别有用心地说，要想解开海德里希最终命运的谜团还得看前苏联人的绝密档案。

也许，海德里希的命运将永远是一个不解的历史之谜。

佛朗哥为何不参加第二次世界大战

1975年，82岁的唐·佛朗西斯科·佛朗哥·巴蒙德死了。他是西班牙法西斯政权的独裁者，统治时间最长的一个法西斯暴君，也是法西斯独裁者中惟一寿终正寝之人。

1892年12月，佛朗哥生于西班牙科伦那省的费罗尔，是军人世家出身。他的父亲是海军军官，其弟兄莱蒙是西班牙空军中首屈一指的人才。1907年，佛朗哥的父母把他送入托莱多一所著名的陆军学校读书。毕业后任陆军少尉，被派到摩洛哥任职。在一次战斗中，一颗子弹穿进他的胃部和肺部。1912年，20岁的佛朗哥擢升为上尉，23岁又升为少校，30岁升为中校，32岁为升为将军，成为欧洲当时最年轻的中将。1920年以后，佛朗哥先后曾以西班牙驻摩洛哥海外军团代理司令和总司令的身份，镇压了1924年里夫部族的民族大起义。1926年，佛朗哥曾到法国军事学院学习。回国后在萨拉戈萨地方陆军学院任院长。1935年，任右翼政府的陆军参谋长。1936年7月，驻摩洛哥的圣胡尔霍将军，领导发动了对西班牙共和国的叛乱。后来圣胡尔霍坐飞机在由葡萄牙到西班牙的途中机毁人亡，佛朗哥利用这一意外的机会，登上叛军魁首的宝座。从此，在西班牙开始了佛朗哥的独裁统治。10月，他宣布自己为国家元首和叛军最高统帅。令人百思不得其解的是，他统治下的西班牙是惟一没有参加第二次世界大战的法西斯国家。他曾经宣称：在一个受尽苦难和蹂躏的欧洲中，西班牙是一块快乐的绿洲。这是"国家主义运动"的成绩。

1939年，在欧洲，战争已如上弦之箭，一触即发。佛朗哥却告诉墨索里尼，他准备竭力使欧洲相信发动一场全面的战争是毫无意义的。9月1日，德军进攻波兰，战争爆发。3日，英、法对德宣战。同一天，佛朗哥公开呼吁使战争局部化。他声称，愿意和其他国家一起来商讨结束一场有可能导致"亚洲式的野蛮残暴"的战争。4日西班牙就宣布了"中立"。西班牙为何没有参加第二次世界大战？佛朗哥是有"维护和平"的善意，还是有先见之明，知道德、意必遭失败呢？否则，作为欧洲三大法西斯国家之一，且又和德、意在刚刚结束的西班牙内战中结成了非同寻常的关系，西班牙为什么不和德、意同步而却独树一帜呢。

有人说，佛朗哥不参战是因为同盟国的拉拢和利诱。西班牙在第二次世界大战中有很重要的战略地位，一旦加入轴心国作战，直布罗陀海峡肯定会被法西斯势力控制，大西洋与地中海的航路中断，后果不堪设想。为此，1940年3月，英国同意向西班牙提供200万英镑的贷款；1941年初，美国又以红十字会的名义援助西班牙价值150万美元的食品和药物。随后，罗斯福又设法让国会同意放松美国商人向西班牙输出石油的控制。所以佛朗哥权衡利弊，决定不参战。这种说法遭到许多人的反对。有人认为，德、意向佛朗哥抛出的诱饵更有诱惑力，意大利曾宣布把西班牙的债款从70亿里拉减少到50亿里拉。希特勒也表示，若佛朗哥参战，他可指望得到梦寐以求的直布罗陀海峡，并在战后分赃时大捞一笔。所以佛朗哥如果惟利是图的话，是不会拒绝参战的。

还有一种说法认为，佛朗哥不参战的原因是他反对的国家只有苏联，因为苏联是支持西班牙国内左翼力量的后台。佛朗哥强调，西班牙始终坚持抵制苏俄的一贯立场，但并不等同于参加轴心国一方作战。但是也有反对意见说，从佛朗哥与各国的交往分析，他是一个讲求实际的人，不会因为反对苏联而放弃参战可能带来的利益。

还有人从西班牙国内形势着眼，认为佛朗哥不参战是因为国内的经济、政治危机。当时，西班牙内战刚刚结束，国民经济濒于停滞状态，食品严重不足，灾荒频繁，人心浮动。必要的进口工业材料和设备供给不足，黄金、外汇储备十分短缺。政治方面，共和派、君主派右翼集团和左翼集团依然保有不可忽视的社会力量和影响。长枪党内部酝酿着的种种不和、猜忌、争斗又削弱了党的独裁统治能力。所以佛朗哥首先要解决的问题是发展国民经济，稳定政治局势，确保独裁统

唐·佛朗西斯科·佛朗哥·巴蒙德

治。但是这种说法的可攻击之处在于，国内危机并非不参战的可靠理由，解决上述危机的快捷有效的办法，也许就是通过对外战争来转嫁危机。

还有一个为人所忽略的疑点是：希特勒为什么会能容忍佛朗哥的种种"背叛"而不对西班牙开战？从战略需要而言，德军急需穿越西班牙攻占直布罗陀和北非的丹吉尔以便将地中海置于自己手中。这可以说是事关成败的一步棋。奇怪的是，当佛朗哥表示，西班牙对任何入侵企图都将加以抵抗时，德国停止了行动。同年 6 月 14 日，西班牙出兵占领国际共管的丹吉尔，随即向希特勒提交了一份西班牙参加轴心国的条件，其中包括对直布罗陀、法属摩洛哥和阿尔及利亚的奥兰省的领土要求。在部分要求得到承认后，德西双方议定共同对直布罗陀采取军事行动。可是，当德军做好一切准备，而且供给了西班牙作战所需重武器并通知明年 1 月开始行动的时候，佛朗哥明确表示西班牙目前还不能参战。尽管希特勒表示，战后一定满足西班牙的要求，但佛朗哥仍然拒不参战。德国便停止了这一战略行动。人所共知，德军当时在欧洲几乎是如入无人之境，只要战争需要，不管是中立国与否一概入侵，而对西班牙的这一"不轨"行为，怎么会一反常态。变得如此宽宏大量了呢？

佛朗哥究竟是出于什么动机，在关键时刻出人意料地没有参加世界大战呢？种种说法似乎都不能使答案明朗化，这仍然是一个未解之谜。

纳粹屠杀犹太人之谜

纳粹德国屠杀犹太人是德国历史上最黑暗的一页。在第二次世界大战期间纳粹德国变本加厉，从排犹转向屠犹，在居住有全欧一半犹太人的波兰、立陶宛和乌克兰等地设置了许多犹太区和集中营。

1941年6月，德军入侵苏联后，他们最早在侵占的苏联领土上开始灭绝犹太种族的行动。从1941年夏至1943年2月，有360多万犹太人被杀。1942年，纳粹官员在柏林附近的万湖开会，确定把能抓到的1100万欧洲犹太人全部消灭。灭绝行动主要在波兰的卢布林、奥斯威辛等集中营进行。纳粹把欧洲占领区的

犹太人一批批运到这个死亡集中营，送到伪装成浴室的毒气室杀死，然后焚尸灭迹。在整个第二次世界大战期间，据纳粹德国负责屠杀犹太人的主要官员艾希曼估计，被杀的犹太人有600万。纽伦堡国际军事法庭起诉书上的数字是570万。在战争结束时，波兰的325万犹太人只剩下12万，被流放和屠杀的著名学者、艺术家和文化人士不计其数。

600万人，大约相当于今天以色列的全国人口，同时也是二战期间遭到纳粹屠杀的犹太人口数量。德军屠杀犹太人是根据纳粹的种族仇视政策和希特勒政府的直接命令有计划有系统的屠杀。整个过程是有序的流水线作业，他们在屠杀中甚至有明确的纪律：一旦发现有士兵虐待强奸犹太人的情况立刻枪毙。而且，在审判的时候，仍有部分德国人并不认为对犹太人的做法是错误的，对屠杀的行为供认不讳，脸上毫无羞愧之色。

为什么有着高度文化和技术发展水平的德国竟会出现如此令人发指的野蛮行为？长久以来。人们给出了不同的说法。

有人说是希特勒的母亲生病时曾经找来一位犹太医生为其诊断，其母死后，希特勒怪罪于该犹太医生，怀疑他没有"尽力"，甚至于蓄意加害，进而把这种怨恨扩大到所有犹太人身上；另一说法是希特勒小时候替人擦皮鞋，被一位傲慢的中年犹太男子在屁股上踢了一脚，这件事在幼小的希特勒心里留下了阴影；还有一种更荒谬的说法是希特勒染上了性病，而传播者为犹太人。如果用以上小故事来解释600万条的性命，似乎太感性。事实上，纳粹对犹太人的屠杀，并不是希特勒个人一时冲动的结果，而是有着深刻的社会历史原因。

被毒死的犹太人

首先反犹有深刻的历史原因。在西方文化中，自古存在着一种排犹的情绪，犹太人被说成是：出卖耶稣的人、投机商人、不洁的人。犹太人是分布于西亚巴勒斯坦地区的游牧民族，原为古代闪族的一支，曾建立古以色列国及犹太王国，后为罗马帝国所灭。由于不甘被奴役，数十万人民惨遭杀害，其余人口则被迫离开家园，四处迁徙，散居世界各地。在中世纪的西欧，土地被人们视为最珍贵的财富，商业则是人们鄙视的行业。犹太人没有自己的国家和土地，到处迁徙，只能靠经商维持生计。他们迁到西欧后，遭到当地封建主的歧视。

其次，犹太人在西欧遭到仇视还有宗教上的原因。基督教经典《圣经》中的《旧约全书》，原是犹太教的经典，两教之间有着密切的历史渊源。基督教教义认为，耶稣的12门徒之一犹大出卖了耶稣，是犹太人将耶稣钉死在十字架上，这就造成基督徒在情感上仇视犹太人。

在欧洲，尤以德国的反犹情绪最为严重。德意志民族和犹太民族都有很强的民族自豪感和使命感，犹太人自称"上帝的选民"，而德国人则领导了欧洲长达数世纪，德意志国王建立的"神圣罗马帝国"（962年—1806年）的历代皇帝成了整个基督教世界的世俗元首。在普遍信仰基督耶稣、反犹的大环境下，德国统治者认为自己肩负着领导欧洲各君主国反对犹太教的任务。这种宗教感情的社会化，又逐渐衍化成一种普遍厌恶犹太人的社会心态，从中世纪到近代，一直在德国恶性蔓延。

公元13至15世纪，德国经济经历了一个巨大的发展阶段，但德国新兴资产阶级同那些经商致富的新兴的犹太人资本家产生了利益冲突，厄运再次降临到犹太人的头上。现实利益的冲突加上宗教信仰的差异，迫使大批犹太人被赶往东欧及美洲各国。这种反对犹太人的意识，在德国一直"遗传"到现代。

希特勒在《我的奋斗》中说道："我们必须知道，人类生存的最高目的，并不在维持一个国家或是一个政府，而是在保存其民族的特性……怯懦民族，在这个世界上是不配生存的……我于是憎恨着维也纳的人种的驳杂，我更憎恨着捷克人、波兰人、匈牙利人、罗沙尼亚人、塞尔维亚人、克罗特人的聚集在一处。最讨厌而憎恨的，便是到处可遇到的寄生的犹太人……"

同时，政治目的也引发大屠杀的重要原因。19世纪中叶，德国的反犹开始有了明确的政治目的。德国的政客们发现，面对当时的经济衰退，把犹太人定为罪魁祸首可以有效地消弭反对政权的声浪。当时在德国内部，民族主义思潮盛行，原有的宗教情绪在现实

囚禁在犹太人集中营里的孩子

利益冲突的激化下，使人们本来已有的反犹情绪更加激烈，从而加剧了对犹太人的仇视。

以希特勒为首的纳粹党打着当时在德国流行的民族主义和社会主义两块招牌，宣扬德意志民族是优秀民族，把犹太民族视为劣等民族。为了蛊惑人心，欺骗德国广大民众，希特勒对这种种族歧视理论从两个方面进行了周密的包装。一是按照他自己的社会逻辑，断章取义地摘取前人论述人口问题中的某些词句，拼凑成一个种族优劣的理论，为把犹太人打入劣等人种制造理论依据。二是利

用早就深植于德国人民心中的反犹意识和宗教情结，大肆鼓吹"犹太瘟疫"的谬论。希特勒将此理论蓄意"嫁接"后，它就不是一般意义上的种族歧视了。希特勒利用历史上宗教的因素，为其灭绝犹太人创设了广泛的社会基础，使这一理论更加具有煽动性。纳粹党还利用当时德国群众痛恨《凡尔赛和约》的心理，煽动复仇主义情绪，并把这种情绪转移到犹太人身上。正因为如此，希特勒一上台，便顺利推行了一整套疯狂的反犹灭犹政策，造成人类历史上一个民族屠杀另一个民族的罕见浩劫。

正如一些历史学家指出的，德国纳粹屠杀犹太人的罪行，是"德国虚伪的政治家为其侵略战争对民众进行系统的政治愚弄和教化的结果"。

在这场规模空前的大屠杀背后，我们看到了千年来的历史渊源，看到了犹太教与基督教的宗教纠葛，看到了野心家的政治借口，其实，还有一个主要原因——经济。

犹太人善于经商，从事金融业，当时德国很多大公司、工厂甚至铁路都是犹太人经营或者拥有，因而生活比较富裕。如19世纪的犹太人罗思柴尔德家族对欧洲的经济有着举足轻重的影响。伦敦的罗思柴尔德在英国废除奴隶制后，拿出2000万英镑补偿奴隶主的损失。维也纳的罗思柴尔德帮助奥地利建造铁路。

而一次大战后，德国成为战败国。20世纪20年代末30年代初世界经济危机中，德国受到严重打击，国力渐衰。深刻的经济危机不仅激化了国内的阶级矛盾，而且刺激了垄断资产阶级对外扩张的野心。"德意志民族必须从掠夺的土地和生产空间中寻找出路"，希特勒的这一争霸世界的主张，得到了德国垄断资产阶级的拥护和支持。然而，实施建立一个德意志民族的日耳曼帝国的罪恶计划需要巨额资金提供财力保证。在国力衰落的情况下，希特勒把手伸向富有的犹太人就成为必然。在法国他们控制了北方铁路。纳粹据此宣称：犹太人爱财如命，他们牟利的"天性"腐蚀了日耳曼民族勇敢、诚实的美德，正是由于犹太人的霸占，德国工业没有得到复兴与发展。于是，纳粹鼓励德国人占有犹太人的财产。就这样，纳粹迅速地占有了大量财富，希特勒自己就掠夺了犹太人的印刷厂和企业而成为富豪，也为国家军事化准备了物质条件。另一方面，纳粹不仅缺钱，还缺劳动力，希特勒怕在德国这样传统观念浓厚的国家发动妇女进入工厂会导致广泛的反战情绪，因此，始终不敢大量发动妇女，令德国的战时劳动力极其缺乏。显然，犹太人又是解决这一问题的捷径，因此，像奥斯威辛这样的集中营，首先并不足一个杀人工厂，而是一个奴隶工厂。

　　在宗教、历史、政治、经济等一系列原因的驱使下，犹太人遭到了纳粹德国的血腥屠杀。

　　近年来的一些研究显示：希特勒本人就是有四分之一血统的犹太人，祖父是犹太人，与女佣私通生下希特勒的父亲，这样希特勒就具有四分之一的犹太血统。不管这些报道真实与否，希特勒是否是犹太人，纳粹德国在第二次世界大战中的屠杀犹太人的行径仍是令人发指的。

日美中途岛海战之谜

中途岛海战是 1942 年 6 月，日、美海军在中途岛附近海域进行的海战，是二战史上一个以少胜多的著名战例，也是太平洋战争的重要转折点。

1942 年夏初，美国还没有完全从珍珠港事件中振作起来，日本海军的联合舰队又在东太平洋游弋，寻觅下一个攻击目标。惊魂未定的美国人知道，必须想尽一切办法夺取下一场海战的胜利，否则将丧失在太平洋上的制海和制空权，陷于极端被动的地位。为此，关键的问题是要搞清日本下一个攻击目标是哪里？

1942 年 4 月 18 日美军杜利特尔航空队空袭东京后，日本认为威胁来自中途岛，遂决心实施中途岛—阿留申群岛战役。日军企图夺取中途岛，迫使美军退守夏威夷及美国西海岸；诱歼美国太平洋舰队，以保障日本本土的安全。战役的主突方向是中途岛，阿留申群岛为次要方向。5 月 5 日，日军大本营下令攻占中途岛和阿留申群岛西部岛屿。日本联合舰队为实施这次战役，动用舰艇包括

运输舰、辅助舰在内共 200 余艘,其中航空母舰 8 艘(舰载机 400 多架)、战列舰 11 艘、巡洋舰 23 艘、驱逐舰 56 艘、潜艇 24 艘。其主力编队辖中途岛进攻编队和第 1 机动编队;北方编队辖第 2 机动编队和阿留申进攻编队;另外,还编有先遣(潜艇)部队和岸基航空部队,由联合舰队总司令山本五十六海军上将统一指挥。26 日—29 日,各编队先后由本土启航,预定于 6 月 4 日对中途岛发起进攻。

中途岛位于太平洋中部,由周长 24 公里的环礁组成,陆地面积约 4.7 平方公里,该岛距美国旧金山和日本横滨均相距 2800 海里,处于亚洲和北美之间的太平洋航线的中途,故名中途岛。中途岛是北美和亚洲之间的海上和空中交通要冲,其特殊的地理位置决定了它战略地位的重要性。另外它距珍珠港 1135 海里,是美国在中太平洋地区的重要军事基地和交通枢纽,也是美军在夏威夷的门户和前哨阵地。中途岛一旦失守,唇亡齿寒,美太平洋舰队的大本营珍珠港也将不保。

5 月中旬,通过无线电技术侦察手段,美国发现在日本可能用于对美实施攻击的舰艇中间传递的密码电报里,经常出现两个英文字母——"AF"。美国的情报人员判断,这两个字母有可能是地名的代号。据此,他们进一步研究,认为"A"和"F"有可能是中途岛位置的两个座标。为了确证"AF"是否指的就是中途岛,美海军杰出的密码破译专家罗彻福特中校想出一计,让中途岛守备司令用早已被日军破解

的密码向总部发一份"本岛淡水蒸馏设备发生故障，请上级立即派人前来修理"
的电报。然后，他们就严密地侦控日本海军的无线电通信信号。不出所料，两
天以后，日本海军在电报中出现"AF""淡水蒸馏设备发生故障"、"请准备提
供淡水"等字样。一切清楚了，日本准备攻击的目标是中途岛，而且行动时间
在即。后来，他们又侦获到日本海军特别陆战队的一名副官发给通信部门的一
份电报，说"6月5日以后，本部队的邮件请寄往AF"。这就说明，攻击的具体
时间有可能是6月4日。接着，他们又从日本海军电台活动的各种情况分析出，
日本有可能用于攻击中途岛的舰艇和飞机的实力以及武器装备的种类和型号等。
就这样，美国人把日本人的作战企图基本摸清楚了。美太平洋战区总司令C.W.
尼米兹海军上将调集航空母舰3艘(舰载机230多架)及其他作战舰艇约40多艘，
组成第16特混舰队(R.A.斯普鲁恩斯少将指挥)和第17特混舰队(F.J.弗莱彻少
将指挥)，在中途岛东北海域展开，隐蔽待机。同时，19艘潜艇部署在中途岛附
近海域，监视日舰行动。

6月3日，日本海军中将细萱戎子郎率北方编队(航空母舰2艘、舰载机82架、
其他作战舰艇29艘)对阿留申群岛的荷兰港发起突击。4日凌晨，海军中将南云
忠一率第1机动编队(航空母舰4艘、舰载机260多架、其他作战舰艇17艘)进至

中途岛西北 240 海里海域，4 时 30 分派出第 1 波飞机 108 架飞往中途岛。岛上美军发出警报，飞机升空迎敌，展开激战。日军轰炸机袭击机场，炸毁部分地面设施。由于岛上防御加强，机场跑道未被摧毁。其间，南云的机动编队多次受到美岸基飞机的侦察、袭扰和攻击。南云遂决定再次攻击中途岛。7 时 15 分，美岸基鱼雷机结束攻击，南云却下令已挂上鱼雷准备攻击美舰的第 2 波飞机改装炸弹攻击中途岛。7 时 28 分，日侦察机报告发现美国舰队。此时，在中途岛东北海域待机的美特混舰队正向日机动编队接近，并已派出第 1、第 2 波飞机 200 多架。

8 时 20 分，日侦察机报告美舰队似有 1 艘航空母舰。南云于是命令攻击中途岛的第 1 波飞机和担任空中战斗巡逻任务的战斗机返航，随后率舰队北驶，以免遭到袭击，并重新部署对敌舰队的攻击。约 9 时 20 分—10 时 26 分，正当日军第 2 波飞机卸下炸弹重挂鱼雷的混乱之际，美舰载鱼雷机和俯冲轰炸机连续攻击南云的航空母舰。日方虽有部分战斗机临空迎战，但为时已晚。结果，日军损失航空母舰 4 艘（"赤城"号、"加贺"号、"苍龙"号、"飞龙"号）、重巡洋舰 1 艘、飞机 285 架，人员 3500 名；美军损失航空母舰 1 艘（"约克敦"号）、驱逐舰 1 艘、飞机约 150 架，人员 307 名。鉴于第 1 机动编队损失惨重，山本于 5 日下令停止中途岛作战，率联合舰队西撤。美军乘势追击，于 6 日派舰载机 3 次出击，又击沉日军重巡洋舰 1 艘，击伤巡洋舰、驱逐舰数艘。

事后，美太平洋舰队司令尼米兹上将兴奋地说："中途岛的胜利实质上是情报的胜利。"在总部举行庆功会时，他派自己的专车去接密码破译专家罗彻福特，并称赞说："中途岛的功劳，应归功于这位中校。"40 年后，人们仍没有忘记他，里根总统亲自为这位早已死去的英雄授勋，并对他的业绩大加赞扬，甚至说他："改写了美国在二次大战的历史。"

中途岛大海战也被称作是"太平洋上的斯大林格勒战役"，是日本从优势走向失败的转折点。它改变了太平洋地区日美航空母舰实力对比。日军仅剩重型航空母舰 1 艘、轻型航空母舰 4 艘，并损失大量飞行员。从此，日本丧失了在太平洋战场上的制空权和制海权，战局出现有利于盟军的转折。

山本死后，曾有人说过他其实并不赞成攻打中途岛。那些突袭中途岛的方案，都是海军总部的一些高参们提出来的，然后，他们把计划说成是山本的意图。历史到底是什么样子，我们不得而知。曾在偷袭珍珠港问题上坚持己见、不顾众人的反对的山本，为什么会在中途岛战役上那么顺从呢？据山本身边的工作人员回忆，山本五十六在出发前，曾经写信给他的情妇说："现在已经到了关键时刻。"至于中途岛海战，他在信中却含糊其词地说："我对它并不抱多大的期望。"这同他在部下面前那种信心十足的劲头形成鲜明的对照。

在中途岛海战中，还有几点让我们迷惑不解：一贯非常注意搜集敌人情报并对自己信息严加保密的山本，为什么把这次战争前的准备工作做的那样差呢？首先，山本没有派间谍去了解美军和中途岛的具体情况，如果他曾经通过情报部门事先知道了中途岛已经战备升级，那么必可以由此判断出尼米兹已经获悉日军的预谋，那么，中途岛海战的战败也许就可以因此而避免了。第二，到底是什么原因使诡计多端的日军在此次战争前没有更换情报密码呢？是由于时间太紧吗？还是其他什么原因？我们不得而知。

诺曼底登陆之谜

法国西北部海滨是著名的旅游胜地。你若到那里观光，定能看到风景旖旎的海滩，波涛汹涌的英吉利海峡，同时也一定不会错过诺曼底海滩上的 6600 座坟冢。那些长眠于此的英烈们，伴随着阵阵海涛的拍岸声，像是在不停地诉说 60 年前发生的那英勇悲壮的一幕。

1944 年 6 月 6 日凌晨，美英盟军的 2390 架运输机和 846 架滑翔机，从英国南部 20 个机场起飞，载着 3 个伞兵空降师向南疾飞，准备在法国诺曼底海岸后边的重要地区着陆，从而拉开了著名的"诺曼底登陆"的序幕。

其实早在 1942 年 8 月，英军曾对德国占领的法国海岸地区进行过一次规模不大的袭击。不过登陆军损失惨重。但这次失败对 1944 年诺曼底登陆提供了宝贵的经验和教训。

德黑兰会议后，经英美磋商，艾森豪威尔将军被任命为执行"霸王"计划的盟军最高

诺曼底登陆战役中最高统帅美国将军艾森豪威尔

统帅，统一指挥盟军在法国北部诺曼底登陆战役。英国泰德空军上将担任副统帅，美国史密斯将军为参谋长，英军地面部队司令是蒙哥马利，美军地面部队司令是布莱德雷。英国的拉姆齐海军上将为海军总司令，利—马洛里为空军总司令。

盟军参加诺曼底登陆战役的陆海空三军总兵力 287 万多人，其中美军 153 万多人；各类飞机 13000 多架；各种舰艇连同运输舰只船舶共达 6000 多艘。

德军统帅部为了防止盟军在法国北部登陆，强迫50万外籍劳工修建了所谓"大西洋壁垒"防御工程，六英尺厚的混凝土碉堡林立。

盟军为了保证登陆成功，在海峡下面铺设了一条输油管以供登陆部队使用。在离开海岸的两个地点建成两个由70条大船构成的人造港，为此需要设计和完成几百个由37万立方米混凝土和300吨钢材制造的大浮箱同时沉入海内作防波堤。盟军具备了迅速运送30个师的能力，其中10个师可在登陆日一天内运到。对登陆的月光、潮汐、日出的时间作了周密计算。

为了迷惑敌人，盟军故意在英吉利海峡最狭窄部分制造出准备进攻的假象，使敌人摸不着主攻方向。

经过全面、充分的准备之后，盟军统帅决定在6月5日出其不意地发动诺曼底登陆战役。然而6月初风浪巨大，在6月3日和4日两天中，气象预测是如

此的不利，所以他决定把攻击行动顺延了24小时，即6月6日。

但是，这是一次十足的军事冒险行动。英吉利海峡宽达100多海里，海上情况变幻莫测。横渡海峡后，能否成功登陆还须取决于一些自然条件：拂晓后40分钟潮水正好涨到一半，这时乘强击艇的先头部队和水陆两栖坦克登陆最为有利，因为此时战舰和飞机可以在最短时间内摧毁德国的海防工事，另外，在满潮前几个小时内必须有月光，以便空运部队能够辨明方向和目标。而基本符合三军作战要求的日子在6月上旬只有5、6、7三日。

诺曼底登陆，也有许多对盟军有利的条件。当时德国潜水艇已经基本被肃清，盟国空军已经赢得了制空权；由于法国抵抗组织的破坏，法国北部已经成为"无铁路区"。另外，德国对盟军可能从什么地点登陆，也捉摸不清。盟军最高司令部采取了一系列迷惑德军的措施。其蒙骗计划的代号为"坚毅"。如在紧

靠法国北部的多佛尔地区进行军事演习和假集结，发出大量电讯，故意让美军名将巴顿在英国肯特郡惹人注目的地方抛头露面，以使德军统帅部误以为盟军渡海作战的司令部和军队集结在多佛尔地区。此外，盟军还利用两面间谍和中立国家的电台提供和散布大量假情报等等。这些措施使伦斯德和隆美尔对盟军将在加莱海峡沿岸登陆信以为真，将 B 集团军群主力第 15 集团军部署在加莱海峡沿岸，而驻守在诺曼底及附近地区的仅有第 7 集团军的 6 个步兵师，兵力不到 9 万人，且装备的重武器很少。实际上，英国的大小运输舰只正向南安普敦集结；在发起进攻前，他们还由皇家空军四处散发锡箔片。这些随风飘扬的"金属干扰带"造成一支舰队向东驶去的假象，使德国仅存的几个海岸雷达站上当受骗。

盟军最后确定了发起进攻的日期——6 月 5 日，代号为"D 日"。

美国著名将军艾森豪威尔和德国名将隆美尔，分别是诺曼底登陆战役中双方最高统帅。据有人事后研究，两人在战前的行动有着惊人的相似之处，但在登陆打响时，双方迥然相异的举动直接影响了这场战争……

在诺曼底登陆战前夕，两人的举动出现了明显的不同，从而也对这场史无前例的登陆产生了重要的影响。艾森豪威尔原将登陆作战的日期定在 6 月 5 日，但由于得知这一天有暴风雨，所以在 6 月 4 日黎明召开的一次会议上，他决定把登陆日期至少推迟一天。与此同时，隆美尔却决定动身前往黑尔林根，参加妻子 6 月 6 日的生日庆祝。动身之时，天正下着蒙蒙细雨，他确信盟军不会在此时登陆；如果他们真的行动，甚至走不出海滩。经过一天的颠簸，他终于在傍晚之前赶到黑尔林根。他陪同妻子在暮色中一起散了步，还让她试了专门为她买的新鞋。

而就在这一天的晚上，艾森豪威尔在索斯威克的一个餐厅中得知了新的天气预报；倾盆大雨将会在黎明前停止，6 月 5 日—6 日夜间乌云虽有妨碍，但轰炸机和战斗机可以作战。这的确是一个令人振奋的消息。在经过短暂而激烈的思考之后，艾森豪威尔把目光转向参谋长史密斯："你认为怎么样？" 参谋长史密斯说："这是一场赌博，但这可能是一场最好的赌博。"地面部队司令蒙哥马利更是坚定地说："依我说，干！"只有空军司令马洛里认为气象条件低于所能接受的最低限度而持延后意见。艾森豪威尔沉思片刻，终于下定决心，斩钉截铁地说："好，让我们干！"随后的 30 秒钟之内，餐厅中的各级指挥员纷纷奔向岗位。此时，隆美尔正同他的妻子在一起，他特地为妻子采集了野花。过分的自信使这只"沙漠之狐"丧失了应有的警惕。

6 月 5 日夜，艾森豪威尔一声令下，联合舰队起锚登程。次日破晓，盟军轰炸机已经开始在德军海防阵地狂轰滥炸。与此同时，英美的三个空降师部队悄然降落在德军防线背后。诺曼底登陆战役打响之时，德军并没有按照预定计划进行有效的反击。他们没想到坦克居然会从海面直接游过来，没想到登陆艇上会发出密集的炮火，更没想到装甲车不仅能够扫雷，还能抵近射击，摧毁他们的炮兵阵地和据点。德军大炮原来的设计是对付在满潮时登陆的军队，而盟军在半潮时却上了岸；由于德军钢筋水泥工事修得太厚，炮口竟无法旋转。结果，盟军很快抢滩成功。

在接下来的历时两个多月的战斗中，盟军以巨大代价击溃了德国部署在法国的军事力量。据说，当初艾森豪威尔在下令进攻时由于不能断定最后的胜利，还预写了这样的发言稿："我们的登陆已经失败，我已将部队撤回。我在此时此地作出发动进攻的决定，是根据国家能够得到的最可靠的情报作出的。我们的军队非常勇敢和尽职。要说有什么责任和缺点的话，全是我一个人的。"幸运的是，这份发言稿没有派上用场，否则，第二次世界大战的历史将会重新改写。当年那些勇敢的不怕牺牲的参加诺曼底登陆的英雄们是个传奇，但是 60 多年过去了，在那次战役中，究竟有多少人牺牲了仍然是一个迷。

长期以来，历史学家和军事学家都对诺曼底登陆战给予很高的评价，认为，诺曼底登陆开辟了欧洲第二战场，是迅速打败法西斯德国的有力举措，亦是让德国法西斯彻底转入失败的关键一战。正是由于诺曼底登陆，使得德军处于英美盟军与苏军的东西夹击之中，加速了纳粹德国的灭亡。甚至有人认为，若英国在开辟第二战场的态度上积极些，诺曼底登陆早就可以实现了，那样的话，德国的失败就会大大提前，盟军及苏联的损失就会减到更少。

另外一些持相反观点的人认为，"D 日"计划根本没有必要实施。当时，法国与德国国内都有一些反纳粹的地下组织，特别是德国的"黑色管弦乐队"。他们反对希特勒，认为自己的祖国正走向毁灭；主张消灭希特勒，并向盟军提供了大量的可靠情报，甚至包括德军作战命令以及德军的反盟军登陆的作战计划。但是，他们反对即将到来的诺曼底登陆作战，认为没有必要，认为只要盟军与他们合作，除掉希特勒，清除法西斯分子，就可以实现和平。但遗憾的是，盟军并没有听取他们的建议。

战争赌徒山本五十六丧命之谜

1884 年 4 月 4 日，日本长冈市武士高野贞吉家的第六个儿子呱呱坠地了。因为这一年高野贞吉 56 岁，所以给儿子取名为"高野五十六"（即山本五十六）。1901 年 11 月山本进入江田岛海军军官学校，成绩非常优异，但后来认为学习好不能出人头地，开始崇扬武士精神。1907 年 8 月 5 日入海军炮术学校，授海军中尉衔，结业后转入海军水雷学校。1914 年 12 月入海军大学，晋升海军少佐。1916 年 12 月海军大学毕业。1919

年至 1921 年以外交官身份赴美留学、就读美国哈佛大学。其间晋升海军中佐军中职位；1923 年晋升海军大佐；1925 年出任日本驻美大使馆海军武官；1928 年巡洋舰"五十铃"舰长，后调任航空母舰"赤城"号舰长；1930 年任海军航空本部技术处处长；1934 年授海军中将衔；1935 年 12 月任海军航空本部部长；1939 年 8 月任日本联合舰队司令长官；1940 年授海军大将衔；1943 年 4 月 18 日坐着双引擎轰炸机在去前线视察途中，遭美军伏击毙命，命丧布干维尔岛，追授山本大勋位、元帅称号。关于山本的死，一直是一个历史学家们关注的谜。

高野五十六

山本五十六是怎么死的？是飞机故障，还是遭到暗杀？ 一直到 1979 年，当时亲手击落山本座机的美国空军上校托马斯·兰菲尔发表了回忆录，才披露了山本之死的真相。原来，当美军获知 4 月 18 日上午 9 点 45 分山本五十六要飞抵布干维尔岛的卡伊里机场，便组织了 16 架洛克希德闪电式战斗机在半途截击。山本和他的参谋部乘着 2 架轰炸机，由 6 架零式战斗机护航。山本办事一向非常准时。那天，他的飞机准时起飞，落进了美军的伏击圈，遭到突然袭击。山本座机被击中坠毁，在座机残骸中山本依然被皮带缚在座椅上，头部中弹，仍挺着胸，握着佩刀，但垂下了头。

山本的尸首被找到时，是在离其座机残骸的10米处发现的，在他的身旁还倒卧着军医高田六郎。山本还被皮带绑在座椅上，左手握着军刀，右手套着白色手套覆于左手上。山本看上去十分安然，这让人难以理解。因此也就传出了很多关于山本之死的各种说法。说法一：飞机坠地后，山本根本没有死，他是走出机体后自刎的；说法二：当搜寻的人员向山本走去时，他还猛然睁开眼睛看了看周围的一切才安然死去；说法三：飞机坠地后，只有高田一人有意识，他惟恐山本的遗骸烧焦，才把他从机舱里拖了出来，并让他手握军刀，保持威严的姿态。不久后，高田自己也断气了。

在日本，山本一直被认为是"英雄"、"军神"，被称为日本"海军之花"，他不仅是海军大将和联合船队司令官，更是日军的精神领袖，还是偷袭珍珠港的策划者和指挥者。正因为这样，他成了美军的眼中钉、肉中刺。

山本的行踪是极端机密的，为什么会被美军知道呢？此事发生得并非偶然，这是美军精心策划的一场复仇行动。因为偷袭珍珠港事件一直是美军的奇耻大辱，对一手策划偷袭的山本五十六自然是恨之入骨，一直寻找机会进行报复。山本被击毙关键在于美军破译了日军的密码。

1943年4月13日，山本五十六在太平洋东南亚战场，决定4月18日用一天的时间到前线基地视察，鼓舞官兵士气。视察通知本打算派人交送各基地，但是日军通讯官表示日军在4月1日刚刚启用了极难破译的五位乱码，相信美国人一定不能破译，于是傍晚向各基地发出了电报

通知。但是日本人不知道，同年春天，在瓜达卡纳尔群岛附近海域，载有日军一种新型密码资料的潜艇被美舰追赶触礁。艇上的部分资料被美军获得。美军利用所获得的这部分资料，迅速掌握了破译这种新型密码的钥匙。

电报刚一发出就被美军截获，并送到珍珠港的战争情报总部，美军破译专家通宵解读，在 4 月 14 日清晨便将这无人能破的五位乱码全部译出。面对这份如此详细的行程表，美国人惊呆了，这不也正是山本五十六的死亡时间表嘛！他们心里暗自叫道："山本五十六，你这个让美国人恨之入骨的家伙，这次死定了！"与山本多次交手的美军上将尼米兹深知山本的个性，他向来遵守时间，因此电报中安排的行程定是分秒不差。

但是美军内部对此举棋不定，原因有三：第一，美军深知山本是日本军界出类拔萃的人物，是日本少壮派军官和士兵崇拜的对象，在日本除了日本天皇，恐怕山本在日本的影响就是最大的了，一旦美军击落山本，那就可能震撼日本海军甚至日本全国，而以日本人的心理，后果就很难预料了；第二，一旦对山本进行伏击，就说明美军已经破译了密码，这样一来，也等于暴露了美军自己的机密；第三，是尼米兹所担心的，山本一死，日军会不会找到更能干的联合舰队司令长官。

山本五十六座机的残骸

不过最后他们还是抛开一切顾虑将拦截计划报上了总统的午餐会。时任总统罗斯福在午餐会上断然决定：击落山本座机，干掉日本这个杰出的指挥官。在场的首脑们给这次计划起了一个代号——"复仇"。

之后，经过严密计划，山本的性命就被结束在了南太平洋布干维尔岛上空。山本死了，这本是大快人心的喜讯，应当尽快公布才是。但美军从情报战的长远需要考虑，不让日军怀疑此次事件是美军破译山本行动计划电报所致，以免更换密码，断绝美军宝贵的情报来源，所以只把这次战斗当成一次偶然的空中遭遇战，对山本之死佯装不知。美军还把击落山本的美军飞行员立即送回国，直到战争结束才公开他的战功。

密电码，是属于核心机密。为什么密电码如此重要呢？这是因为电报是现代最常用的远距离通讯技术。电报的无线电波是短波，通过大气电离层的反射而传到遥远的地方，我方能收到，敌方也能收到。然而，电报的内容只许我方知道，不能让敌方知道，怎么办呢？那就是采用密电码。这样，敌人即使截获了电波，也无法获知其中的内容，犹如"文盲"看书，目不识丁。但是，一旦密码被敌方破获，就能译出电报的内容，造成严重泄密。美军到底是如何破译的密码至今未公开，成了一个永远的秘密。

当时是谁亲手击中山本五十六的座机，并当场击毙山本，一直是个争论不休的话题。

当事人是托马斯·兰菲尔和里克斯·巴尔博，二战期间隶属驻扎在瓜达尔卡纳尔岛的美国空军P—38战斗机中队。1943年4月18日，他俩奉命一起起飞前去攻击从巴布亚新几内亚的拉包尔飞往布干维尔岛的山本五十六座机。

根据各种流传的说法，首先向山本五十六乘坐的"贝蒂"号轰炸机开火的是巴尔博，而兰菲尔声称他也开了火。由于当时的P—38战斗机上没有空中照相枪（飞机射击时与机枪同步工作拍摄射击结果），所以两人的陈词就无从考证。因此等到真相大白于天下时，时间已经过去了几年，究竟是谁首先开火就更难说清楚了。目前兰菲尔已去世，居住在俄勒冈州坦利波尼的巴尔博也79岁了，他在回忆起往事时不无遗憾地说："如果我们在击落山本五十六后马上将事情全过程晓之天下，那就不会反目成仇。我和兰菲尔战时关系非常好，他信心十足地认为是他先开了火，只不过他做得有点过分了些。"

据非官方的战后军事史料记载，当时兰菲尔和巴尔博因各自击落一架轰炸机（一架系山本五十六乘坐，另一架由他的参谋乘坐）而分别获得一枚勋章。此外，巴尔博还因为协同击落了第三架轰炸机而与其他人分享了另一枚勋章。但是，当日本军事史料最后证实，当时运载山本五十六一行只有两架轰炸机而不是三架时，美国空军马上裁定巴尔博和兰菲尔只能分享一枚勋章，以示共同击落了山本五十六的座机。在此之后，巴尔博的昔日战友向空军提起上诉，要求改变裁决，向巴尔博授予全奖。事情最后一直闹到美国空军参谋长唐纳德·赖斯那儿，结果他在1992年再次拒绝更改记录。于是巴尔博又向一家联邦法庭上诉，结果上诉法院维持原判，巴尔博败诉。

《攻击山本五十六》一书的作者、得克萨斯大学（达拉斯）杜立德图书馆馆长卡罗尔·格莱尼斯说："史料记录必须有权威性，对于这些二战老兵来说，重要的是该给的奖一定得给。"但是，美国空军并不愿意接受该协会的调查结果。位于华盛顿州的博林空军基地的空军史料专家卡吉尔·霍尔说，"史料记载多半不会有任何偏见。"看来，争论还得继续下去。不管是谁干的，伏击山本五十六确实是美国的一次大胜。

后人总结山本一生的罪行主要有：1937 年，海军军令部秘密制定对华作战方案，日海军陆战队在上海制造事端；1940 年 9 月 23 日日军入侵法属印度支那北部。发动对东南亚的进攻；1941 年 12 月 8 日偷袭珍珠港，太平洋战争爆发；同一天，日军对菲律宾、关岛、威克岛、马来亚、香港等地发动进攻。

由于山本五十六战死在了大战正酣的战场上，他逃过了世界人民的审判，但即使没有审判，作为太平洋战争的直接发动者，他的手上也沾满的无数无辜人民的鲜血，是一个名副其实的"甲级战犯"。

意大利法西斯独裁者墨索里尼死亡之谜

　　1883 年 7 月 29 日，在弗利省一个铁匠家庭，一个婴儿降生了，一个雷电击中了哈普斯堡皇室位于维也纳的美泉宫上的双头鹰标志并把它掀翻到了地上。一个匈牙利的狂热分子后来断言，这一事件似乎预示着这个婴儿的降生以及他日后对国家产生的重要影响。这个婴儿被取名为贝尼托·阿米卡尔·安德烈亚·墨索里尼。

　　墨索里尼是意大利法西斯独裁者，国家法西斯党党魁，首相（1883 年—1945年），第二次世界大战主要战犯。他自幼受布朗基主义和国家主义思想影响，早年当过新闻记者、社会党党员。1900 年加入社会党，热衷于进行无政府主义和反对教权的宣传。1912　年任社会党机关报《前进报》主编。1913 年成为社会党领导人之一。第一次世界大战爆发后，因鼓动意大利参战被社会党开除。1915年入伍参战。1919 年 3 月 23 日墨索里尼建立"战斗的法西斯"党。1921 年成立"国家法西斯党"。　1922 年发动"进军罗马"政变，建立了法西斯独裁统治。

1928 年强行终止议会制度，建立法西斯独裁统治，对内取缔其他一切政党和群众团体，镇压共产党和进步人士；对外煽动民族沙文主义，推行军国主义侵略扩张政策，把意大利人民置于国家高压下。1935 年 10 月派兵入侵埃塞俄比亚。1936 年 5月宣布将埃塞俄比亚并入意大利。同年 7 月伙同德国武装干涉西班牙内战，向西班牙叛军提供武器装备，帮助弗朗西斯科·佛郎哥取得西班牙政权，并在政治、军事上积极与阿道夫·希特勒领导的纳粹德国进行合作。10 月与德国结成柏林－罗马轴心。1936 年 11 月加入《反共产

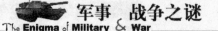

国际协定》。1939年4月侵占阿尔巴尼亚。1940年5月任战时统帅部最高统帅。同年6月10日对英、法宣战，出兵法国南部，并向英属索马里、肯尼亚、苏丹和埃及发动进攻，企图建立地中海帝国。10月派兵入侵希腊。1941年4月出兵配合德军进攻南斯拉夫。6月22日对苏宣战并派兵配合德军进攻。1943年7月10日，盟军在西西里登陆。此时，意大利国内人民反法西斯运动也逐渐高涨，墨索里尼被国王解除职务并加以逮捕。同年9月12日，德国伞兵救出墨索里尼，并在意大利北部建立傀儡政权。1945年，法西斯阵营战败，4月27日，墨索里

尼化装潜逃去瑞士的路上被游击队从一辆卡车上抓获。1945年4月28日被意大利游击队处决。墨索里尼从一个满怀希望的乡下人，成为周围地区本阶层第一人，此后得到令人眩目的地位，最后以应得的死亡而结束。

有关墨索里尼之死的说法充满各种传奇色彩和争议。官方历史资料都说他是在1945年4月在科莫湖附近被处死的。当时，墨索里尼认为有被盟军和游击队生擒的危险，为逃避正义的制裁，他正化装成德国士兵准备逃走，但在科莫湖边的小镇栋戈被意大利共产党逮捕，与他一同被捕的还有他的情妇克拉雷蒂·佩塔西。他是在被捕后的第二天被执行枪决的。执行完枪决后，墨索里尼的尸体被运到了米兰的洛雷托广场。墨索里尼和他的情妇以及一些追随者的尸体被倒挂在一座车库的大梁上。愤怒的人群将满腔怒火都发泄在了这些尸体上。那些血迹斑斑的尸体最后都被掩埋了。

但到底是谁杀了墨索里尼，当时确是秘密。后来，意共披露说，执行枪决的人是沃尔特·奥迪西奥，当时他是意共的指挥官，后来成为议会助理。但对于官方这一说法，许多人都持怀疑态度，有些记者开始调查枪决真相。有些人甚至声称，枪决墨索里尼的其实是意共领导人路易·吉隆戈。此后，关于墨索

墨索里尼的和他的情妇以及一些追随者的尸体被运到了米兰的洛雷托广场,被倒挂在一座车库的大梁上。愤怒的人群将满腔怒火都发泄在了这些尸体上。

里尼之死的传闻越传越离谱。

不过英国《泰晤士报》8月28日援引一份最新的调查报告指出,送墨索里尼归西的不是意大利人,而是由英国秘密特工带领的一支二人小组,而且下达处决墨索里尼指令的不是别人,正是二战时期英国赫赫有名的战时首相邱吉尔!报道称:官方资料透露的关于墨索里尼被处决的过程都是经过了伪装。实际上墨索里尼等人是在28日上午11点,而不是在下午4点被处决的。而且他也不是死在意大利游击队员的手里,而是死在了绰号为"约翰上尉"的英国特别行动特工罗伯特·马卡罗内,以及他手下绰号为"格拉科莫"的意大利游击队员席格诺·洛纳蒂两人手里。

对于上述说法,历史研究学者克里斯托弗·伍兹提出了自己的质疑。他表示,是米兰的意大利抵抗组织,特别是左翼政党组织,是决定在盟军抵达之前先处决墨索里尼的。

另外,关于墨索里尼

墨索里尼和其情妇

死后尸骨的下落，也一直是个让人不解的谜。1946年4月22日，是世界各国庆祝法西斯战争胜利一周年的前夜，米兰圣维托雷监狱发生叛乱，当晚，安放在米兰穆索科区墓地一处无名坟墓里的墨索里尼的尸体突然消失了。墨索里尼尸体安放地点一直是保密的，但是仅仅在他死后一年，这位法西斯独裁者的尸体就被偷走了！

很快就被证实，墨索里尼的尸体是被法西斯分子偷走的。墨索里尼的尸体被盗走后，尸体的去向曾出现过很多种不同的猜测：被带到罗马？流失国外？在墨索里尼的出生地？虽然这些说法在一段时间内没有一个得到证实。但事实是，墨索里尼生前曾被众人吹捧的身体不论对于他的支持者还是对于他的反对者来说都是一个强有力的象征。对于法西斯主义者来说，墨索里尼的尸体应该得到尊重和保护。但是对那些深受法西斯之害的人来说，墨索里尼身体成为罪恶的象征，他们需要做的就是将愤怒发泄在这具尸体上。

四个月后，意大利人终于在米兰郊外一个小镇的箱子里找到了被盗走的墨索里尼的尸骨。在接下来的16个星期里，墨索里尼的尸体一直被移来移去，一会儿被放在一

个修道院，不久又被移进一座别墅里，很快又被放到一个女修道院里。1957年，也就是墨索里尼死后12年，他的尸体终于被运到他的出生地埃米利亚的普雷达皮奥下葬。可关于他的尸骨的故事并没有到此结束。1966年3月，美国一名外交人员来到普雷达皮奥。这名外交官带来一个皮包，里面除一个小容器外，还装有一个黄色信封。容器里装的是墨索里尼大脑的其中一部分，这是美国人在1945年时取出用于做"实验"的，信封里则有一张小纸条，上面写着：墨索里尼，大脑切片。后来，墨索里尼的这部分大脑被装进一个盒子里，放在了他的坟墓上。在被处死21年后，墨索里尼的尸骨终于集中了起来，但是他的尸骨真的已经完全汇集到一起了吗？这将是个永远留下的谜。

是什么原因摧毁了希特勒的原子弹美梦

1945 年 7 月，美国成功地进行了世界上首次核爆炸。以原子弹为主体的核武器掌握在爱好和平的人们手中可以对野心家和好战分子起到巨大的威慑作用，而一旦落入邪恶势力手中就会像打开潘多拉的盒子使灾难降临人间，所以从这个意义上说，原子弹被美国率先制造也是世界反法西斯人民与法西斯德国激烈较量后取得的划时代的胜利。

回顾历史，早在第二次世界大战爆发前，德国就在物理学领域遥遥领先，特别是在核物理研究方面拥有象海森堡、盖革、博特和在放射化学上有象哈恩这样优秀人才；当时德国最先在实验室里分离出铀235，并首先发现核裂变和具有强大的化学工业，并占有着很好的铀资源。究竟是什么原因使当时强大的纳粹德国未能造出原子弹呢？

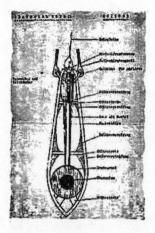

根据以往的说法，汇聚了顶级科学精英的希特勒"铀俱乐部"之所以迟迟没有研制出原子弹，是因为诺贝尔物理学奖得主、量子力学之父维尔纳·海森堡的故意拖延。当时，德国科学家内部的思想混乱和失误。部分参加德国核研究的人是很消极的，并没有全心全意投入研究工作，大多数科学家都是带着像海森堡那样的复杂心情参加核研究的。他们故意避开了对原子弹的研究，转而研究反应堆和回旋加速器，这是使德国原子弹研制工作没有突破的一个重要原因。而在德国战败后，被盟军俘获的著名物理学家冯·魏茨泽克在听说美国用原子弹轰炸广岛后，

对其他人说："我之所以没有制成，首先是因为我们中的大部分人并不真正想搞，……如果我们希望德国获胜，我们不会造不出来。"但是，最新挖掘出的史料显示，海森堡其实并没有这个意图。1941年，正当希特勒趾高气昂、四处侵略之时，德国物理学家海森堡到丹麦做了一次"文化"之旅。他登门拜访了好友兼导师、丹麦物理学家尼尔斯·玻尔。在与玻尔的交谈中，海森堡没有表现出任何为纳粹工作而产生的道德困惑，他也没有表示可能会想办法阻碍纳粹的核研究。据《星期日泰晤士报》报道，新发现的资料包括玻尔写给海森堡但一直没有寄出

的一封信。在这封信里，玻尔回忆了他和海森堡1941年的那次会面，当时，海森堡曾警告他的导师说，希特勒已经成立了一个"铀俱乐部"专门研究原子弹。他对玻尔说，战争可能会由核武器的出现而结束，而他正是在从事核武器的研究。

美、德两国科学家及学者的看法如下：首先纳粹对犹太科学家的迫害，使大量优秀科学家逃离德国，导致核研究方面的人才匮乏，同时也成全了美国的核计划。1933年，希特勒上台后，哥廷根的4个物理和数学研究所的所长中有3个离职，爱因斯坦等科学家也离开了柏林。这一年共有20位诺贝尔奖金获得者辞职而去，其中包括11位物理学家。在战争前夕，有40%的大学教授失去了职务，这些职务大多落到了不学无术的纳粹分子手里。对于研制原子弹这样大规模和复杂的科学研究，一支有志献身于研究，精力旺盛，反应灵敏的年轻研究队伍是必不可少的，但德国恰恰缺少这样一支队伍。第二，纳粹对核研究的组织工作不得力。希特勒将科学研究和人的品德对立起来，他强调："德国教育需要的是个人为团体的牺牲精神，而不是由科学助长起来的物质利己主义。"尽管德国邮电部长奥尼索格在1940年就对希特勒讲过原子弹，斯皮尔在1942年又向他汇报过，但至今没有发现任何记载希特勒在这个问题上曾采取行动的文件。1942年以前，希特勒完全把赌注押在闪击战上，认定战争会很快结束，认为不需花费大力气去研制尚无把握的新式武器，没有原子弹照样可以取胜。纳粹头目们还从发动战争的实用需要出发，一开始就把研制火箭武器放在首要地位，仅从1937年到1940年，德国陆军在发展大型火箭方面就花费了5.5亿马克，而德国军备部长施佩尔批准

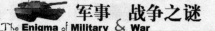
给予"铀计划"的经费，只有100多万马克。这与美国的"曼哈顿工程"相比，还不到千分之一。第三，德国人对原子弹的研究发生了偏差。制造原子弹离不开反应堆，有了反应堆才能摸清形成大量核裂变的规律，而制造反应堆必须有能够使中子裂变速度变慢的物质，即减速剂。德国科学家最初找到了两种控制中子裂变的物质，一是重水，二是石墨。德国科学家开始采用的反应堆是石墨沸水堆，石墨有减慢中子的作用。德国科学家提出需要100块长3米、宽0.6米的石墨片进行深入的研究。生产任务交给了位于拉齐步日的一家工厂，由于石墨片的规格特殊，数量大，加上紧迫的交货期限，引起了总工艺师埃尔温·施密特的猜测，他断定这是用于军事目的，于是，他设法使生产出来的石墨片中含有二氧化铁、钙和硫等杂质。布雷格不知其中缘由，他用这些含杂质的石墨片进行试验，结果屡试屡败，最后不得不怀疑是自己的理论或计算出了问题，布雷格只得另从其他途径寻找新的减速剂，原已接近制造原子弹的日期便大大推迟了。而著名物理学家费米在美国芝加哥设计的用石墨作减速剂的原子反应堆，却于1942年12月2日试验成功，打开了可控核裂变的大门，为美国制造原子弹铺平了道路。正如美国原子弹之父奥本海默在1954年为《纽约时报》著文所说的那样："本来布雷格教授是会比美国早两年造出原子弹的，只是由于他的一个差错，才使得人类免遭一场全面的浩劫。"

　　另外一种与众不同的看法是英国科学家提出的，他们认为是英国特工对挪威重水工厂的破坏使得德国的原子弹研制计划几乎陷入了停滞。重水由氘和氧化合而成，天然水中的重水含量只有六千分之一左右。德国重水的主要来源是被占领的挪威的"努尔斯克"重水工厂，它是当时世界上最大的重水生产工厂。英国突击队和当地挪威的地下抵抗组织联合起来，欲图摧毁这个重水工厂。第一次突击以失败告终，但是德军在抓获了这些突击队员后，未经审判就把他们处决了，但并没有提高警惕，有效地加强对工厂的保护，以至工厂最后被完全摧毁。后来，重水的供应一直卡着德国核研究的脖子。1942年，德国全部的科研计划归戈林管理，一批科研人员也从前线返回实验室，但在这一年虽然有2500万马克的科研经费没有用完，却没有对急需资金的核研究提供更多的帮助，以后，重水工厂和铀工厂相继遭到破坏，加上前线告急，德国的工业再也负担不起核反应堆的建造和原子弹的研制任务了。

希特勒"最后部队"真的存在吗

　　1945 年，随着希特勒的自杀，第三帝国宣告瓦解。树倒猢狲散，百万德国军队一夜之间土崩瓦解。然而，就在世界反法西斯人民为这一胜利欢欣鼓舞，爱好和平和自由的人们都坚决抵制纳粹的死灰复燃的同时，国际著名记者落合信彦报道说，希特勒的 25 万"最后部队"至今还在世界上几个神秘的地区活动着。这真是一个耸人听闻的消息。人们对这个消息普遍感到震惊，到底是果有其事？还是信口雌黄？

　　最初透露这个消息的是一位不知名的犹太记者。他说，在南美的一个隐秘

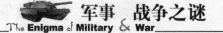
的角落，秘居着大批纳粹余孽及其后代，他们在那里复制了一个与第三帝国一模一样的德国社会。那里也有集中营，许多无辜的印第安人和犹太人被关押在里面；那里的医院

供一些风烛残年的纳粹头子疗养，包括担任过希特勒秘书的马尔岑·鲍曼也曾在此疗养过。更加骇人听闻的是，纳粹暴徒们用集中营里的俘虏进行惨绝人寰的活体试验，包括人体解剖。

人们对此说法表示怀疑，许多人认为这可能是子虚乌有的事。落合信彦对此起初也是将信将疑，他带着心中的疑团进行了长达 5 年的调查，最后宣布确有其事。落合信彦根据他所查阅的纳粹德国当年的居民登记册，发现了一个不可思议的事实：除去战争死亡、正常死亡和战俘的人数，有 25 万德国人不知去向。在德国幅员有限的国土上，不可能有藏匿 25 万人的地方。带着心中的震惊，落合信彦坚持不懈地调查，最后得出结论：不仅在南美，在世界的许多地区甚至在南极散居着一支希特勒的"最后部队"，总人数有 25 万之多。

落合信彦还查阅了大量纳粹档案，发现希特勒在 1945 年盟军大反攻初期曾不止一次淡到"最后部队"。希特勒说："在这场战争中，没有胜利者，也没有失败者，有的只是死亡者和生存者。但是，世界上的'最后部队'却是德国人。""不久的将来，东(苏联)西(美国)双方决一雌雄的日子一定会到来。到了那时，能最终对这场战争起决定性作用的角色不是别人，正是我们德意志人的'最后部队'。"

1945 年，邓尼茨代表德国海军司令部宣布："德国的潜艇部队已在世界上的某个角落建立了一个当今世界上的天堂，那是个牢不可破的堡垒。"堡垒建在什么地方，邓尼茨没有透露。

落合信彦说，早在 1938 年希特勒就密令进行南极探险。德国探险队在南极拍摄了数千幅航空照片，在那里发现了像阿尔卑斯山一样的崇山峻岭，山上没有积雪。在南极内陆部分发现有不冻湖，人类完全可以在那里生存。落合信彦认为，希特勒的南极秘密探险具有明显的军事目的，他很可能在南极内陆的纵深地区为他的"最后部队"建屯了一处"新德意志"堡垒。

落合信彦还指出，1945年4月底，约25万人的"最后部队"在挪威海港陆续登舰，并由一支庞大的护航舰队运送至各地的堡垒。除南极大陆外，其它堡垒大多分布在南美丛林深处。落合信彦还说，他还亲眼见到，一座"最后部队"的堡垒，这座堡垒坐落在茂密的原始热带雨林里，苍茫的原野和起伏不平的丘陵成为它天然的遮蔽物，令它几乎与世隔绝。很难被人发现。而其内部风格布置令人仿佛回到了欧洲，马路宽阔，德国造的汽车川流不息，街道两旁是面包铺、电影院、汽车修理厂等。纳粹分子和他们的后代在这里生活。

落合信彦的描述是那么具体真实，他还披露，这支"最后部队"正在研究最新武器，期待有一日两个大国正面交锋时，自己能作为一种平衡力量重新问世，进而继承希特勒的衣钵，卷土重来，重建第三帝国。

在南极，在南美，真有希特勒25万最后部队吗？许多人对落合信彦的说法提出了质疑。1945年4月30日下午，希特勒在地下室自杀，整个德国处于盟军的严密包围之中，所谓25万"最后部队"怎么可能在5月2日集体逃亡？即使逃亡出去了，25万"最后部队"维系生存的军饷从何而来？兵员如何补充？在与世隔绝的热带雨林中怎么可能建造现代化的城市，在冰天雪地的南极，人类怎么可能自我封闭式地长期生存？还有建筑堡垒研制武器云云，更是天外奇谈。半个多世纪以来，世界各国的南极科考队员在南极活动，为什么没有发现"最后部队"的蛛丝马迹，这样看来，希特勒25万"最后部队"的说法更像是一部让人听来难以置信的天方夜谭。

美国在日本投掷原子弹之谜

美军飞机在轰炸后拍摄的广岛照片

原子弹的横空出世无异于毁灭性打击的突然降临。1945年美国在日本的广岛和长崎投放原子弹就是见证。

1945年8月6日凌晨2时40分，美国飞行员驾驶着被命名为"依诺阿盖依"号的轰炸机滑出了跑道，升空。从现在起，用丘吉尔事后的话来说，"依诺阿盖依"号上装了一个"愤怒的基督"，再过几个小时，他就要降临人世了。

7时，天空一片晴朗。7时30分，为投弹做准备。

8时35分，伴随"依诺阿盖依"号的两架轰炸机迅速离开。

9时整，"依诺阿盖依"号机组人员戴上了厚厚的墨镜，这是为了防止强光灼伤眼睛。

9时16分，原子弹被投出弹舱。这一天，全广岛的钟表都停止在9时16分。

原子弹在离地面600米处爆炸。在闪光、声波和蘑菇状烟云之后，火海和浓烟笼罩了全城，在方圆14平方公里内有6万幢房屋被摧毁，广岛30万居民中有将近一半遭致死亡。

杜鲁门是在奥古斯塔巡洋舰上听到这个消息的。他当时很振奋。

　　8月9日，美国在长崎市第二次投下了原子弹，有7万多人遭致死亡。

　　美国在向日本投掷原子弹之前，德国法西斯已经投降，日本也已显露败象。在这种情况下，还要不要使用原子弹，当时美国国内有两种意见：一种认为，常规炸弹就能结束战争，不必使用原子弹。例如，艾森豪威尔将军和陆军部长史汀生都认为，日本已经失败了，投放原子弹"完全没有必要"，还会"引起世界舆论的谴责"。

　　而杜鲁门总统却主张使用原子弹，他认为这是结束战争的一种上佳的手段。趁在苏联对日宣战之前使用，也有利于战后与苏联的抗衡。而且，在投放原子弹后的第二天，杜鲁门就发表声明，要日本接受提出的条件，早日投降，否则的话，日本只会自取灭亡。另外，前总统罗斯福早在1944年秋就曾和英国首相丘吉尔签定过一项将对日本使用原子弹，直至其投降的备忘录。

　　为了找一个向日本投掷原子弹的正当理由，杜鲁门决定，7月26日向日本发出一个最后通牒：必须执行波茨坦公告，无条件投降，否则，"日本本土全将毁灭"。由于日本对美国的最后通牒不予理睬，美国便对日本使用了原子弹。

　　那么，原子弹投向哪些目标呢？为此，华盛顿专门成立了一个目标委员会。他们认为，投掷目标应具有相当完整的军事设施，可以充分显示毁灭性破坏的效果，能起到巨大的震慑作用。起初，有人主张将第一颗原子弹投向日本首都东京，这个建议很快便否决了，因为东京已在美国空军大规模的轰炸中化为一片废墟，

美军飞机在轰炸前拍摄的广岛照片

美国在日本投掷原子弹

失去了投掷原子弹的意义。后来，目标委员会选定了17座侯选城市，以后又缩减到5座，而其中的京都和广岛被定为AA级目标，横滨和小仓被定为A级目标，新泻为B级目标。负责制造原子弹的格罗夫斯将军主张将原子颗投向京都，他认为，"从心理角度讲，京都是日本的文化中心，京都人更能理解这种武器的重大意义。"他的这一主张遭到陆军部长史汀生的坚决反对。史汀生认为，京都是日本的文化圣地，毁掉了它，"日本人将永远不会原谅美国"。为此，史汀生还找了马歇尔，并找了杜鲁门总统，最后才决定放过京都，最终把目标锁定了广岛。其实，真正使京都幸免于难的功臣应是中国著名建筑学家梁思成。早在1944年夏，梁思成就和他的学生及助手拟定了一份建议书，指出日本的古都和古寺是全人类的共同财富，建议美军在军用地图上将它们标示出来，作为保护对象免予轰炸。美国接受了梁思成的建议，并请梁思成的助手帮助在军用地图上做了标志。战后，日本人得知这一情况后，曾在《朝日新闻》上以大字标题把梁思成等中国学者奉为"古都的恩人"。

广岛是日本的第七大城市，未曾遭受美国大规模的轰炸。广岛还与美国有些特殊关系，自1899年以来，曾有大量广岛居民移居美国，很多广岛居民在美国有亲戚关系。还有传言说，美国新总统杜鲁门有个姑妈在广岛，因此，广岛市民做梦也没想到，美国会把原子弹扔到他们头上。

至于投向长崎的原子弹，则事出偶然。当初选定的投掷目标并没有长崎，后来放弃了京都，才又补上这个长崎。第二次原子弹的投掷目标原本也不是长崎，而是小仓。当 8 月 9 日，携带原子弹的飞机飞到小仓上空时，发现小仓在一片烟雾的笼罩之中，飞机在其上空转了三圈，用了 45 分钟，也无法找到投掷目标。这时美国面临两种选择，要么将原子弹扔进大海飞回基地，要么飞到长崎投下原子弹，然后返回到冲绳岛上的另一个着陆点。他们选择了后者。当美军飞机飞到长崎时，飞行员发现长崎的上空也布满了厚厚的云层，正当他们着急怎么办时，突然发现云层中出现了一道缝隙，于是，原子弹就从这条云层的缝隙中被投了下去，长崎因此成为了世界上第二个遭到原子颗轰炸的城市。

如此具有杀伤力的武器，美国为什么在日本投掷原子弹呢？

有观点认为当年杜鲁门决定投原子弹意在对付苏联。德国《世界报》8 月 1 日刊登一篇署名文章说，很长时间以来就有人猜测，美国在已经从破译的密电报中获悉日本准备投降的情况下，仍于 1945 年 8 月 6 日向广岛和长崎投放了原子弹的真实用意……文章题为《广岛为何被烧毁？》，摘要如下：向日本城市投掷原子弹是结束太平洋战争的合法手段吗？60 年后人们对此仍然争论不休。特别是左翼人士几十年来一直批评对日本使用大规模杀伤性武器。许多观点认为，那时的美国同今天一样，致力于征服世界。但是，广岛和长崎真是美国泯灭人性的证明吗？

杜鲁门终生都在为他的决定辩护：投掷原子弹结束了对日战争，并因此拯救了"成千上万名美国士

美军飞机在轰炸前拍摄的广岛照片

兵"。杜鲁门以及这种观点的辩护者有时还声称，投放原子弹使多达 50 万名美国士兵以及更多日本人幸免于战争之难。

很长时间以来就有人猜测，投掷原子弹与其说是为了给日本政府，不如说是为了给约瑟夫·斯大林留下深刻印象。实际上，美国和苏联之间可预见的冲突在杜鲁门的考量中起了决定作用。这位美国总统在 1945 年 7 月 25 日的日记中写道："不是希特勒或者斯大林那伙人研制出了这种炸弹，这真是世界的

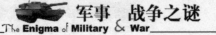

福气。"

如果人们关注档案记载，就会对杜鲁门为何决定投掷原子弹作出合理的解释。这位总统已经很清楚原子弹有多大的破坏力。他打算不惜一切代价避免美国发生更多损失。军事手段会导致多少日本人死亡对他来说则是无所谓的——毕竟日本偷袭过珍珠港。某种程度上的种族主义也在杜鲁门心中起了作用。

同时，这位外交政策上经验不足、但策略上老练的总统预感到，同斯大林的冲突不可避免。他希望，通过展示美国的优势来避免不久之后同苏联的冲突升级。因此，在1945年7月，对日本使用原子弹已经如箭在弦，也许只有日本政府亲自投降才能打破这一自动机制。

但有人认为这种说法站不住脚的。理由是：当时美国虽对苏联怀有戒心，但在任何文件中都未见到后来历史学家所分析的那种对苏战略。事实正好相反，在原子弹研究过程中，美国首脑人物一有机会就讨论这种可能性，即向苏联提供原子弹情报，建立国际管理体制。在1945年决定对日使用原子弹的会议上，马歇尔甚至主张邀请苏联科学家参观即将进行的原子弹试验。此事因有人担心"斯大林把机密泄露给日本"而作罢。

究其最终目的，美国为什么在日本投掷原子弹呢？根据所查阅的资料证明，在原子弹研究初期，美国就已确定对日本使用原子弹，并把它当作一种"巨大的实验"。美国还曾计划把这种未有充分把握的原子弹用来轰炸集合在特鲁克群岛的日本舰队，以避免万一原子弹不爆炸后泄露机密。随着原子弹试验成功，他们坚持要用原子弹进行攻击，目标选择在人口集中，没有遭到普通轰炸的城市，以便科学家同行观测原子弹的功能，检测其威力。这是原因之一。

其次，美研究原子弹共花费20亿美元，相当于整个第二次世界大战期间美国用于生产弹药的全部费用。而原子弹的研究是在极度保密的情况下进行的。全国只有4位领导人参预，以致议会和政府长期来围绕巨大军费去向问题不断发生争吵。如果花费如此巨额的经费制成的原子弹不能发挥任何效力，议会肯定要作出强烈反应。因此，记者们认为，议会强大的压力也是使政府最终决定使用原子弹的原因之一。

投向日本的第三颗原子弹失踪之谜

1945年8月6日，美国空军在日本广岛投下第一颗原子弹。

1945年8月9日，对于日本的长崎来说，这是一个和8月6日的广岛一样的黑色日子。但是对于美苏长达近半个世纪的核对抗来说，8月9日这一天充满了难解之谜。因为人们一直试图弄明白，这一天在日本的长崎，美国是投下了一颗原子弹呢，还是两颗？如果是两颗，那么第3颗原子弹到哪里去了？

随着时光的流逝，美国原子弹研究的秘密逐步被世人所了解。最有权威性的材料，莫过于美国原子弹研制和生产的组织者、美国退役陆军中将格罗夫斯的回忆录。

格罗夫斯在他的回忆录中明确写道："美国从一开始就准备了3颗原子弹。为投掷这3颗原子弹，美国航空兵专门准备了7架飞机。"

在轰炸广岛之后，美国积极地进行了轰炸下一个目标的准备工作。

8月9日凌晨3时49分，美国提尼安空军基地的跑道上，夜航灯突然亮了起来，两架B—29轰炸机和两家侦察机，从跑道上飞快地掠过，在一阵巨大的轰鸣声中，消失在夜空之中。

两架轰炸机向小仓飞去，到达小仓上空的时候，天空中阴云翻

投掷原子弹的机组人员起飞前合影

滚，烟雾迷漫，用肉眼根本看不到目标。机长威内斯驾驶飞机，从小仓上空一连3次飞过，用了45分钟，还是没有找到目标。恶劣的天气挽救了这个城市成千上万人的生命。

飞机只好飞向第3目标——长崎。长崎上空同样是云雾重重。但这次飞机是不可能带着核弹返回的，于是临时决定采用雷达轰炸。当飞机做好了投弹准备时，空中云雾突然散开了，天空中出现了一个晴朗的大口子，飞行员透过这个大口子，看到了山谷中的一条跑道，于是果断地把核弹投了下去………

投掷原子弹的飞机以机长母亲的名字命名

事后，美国战略轰炸局估计，约有3.5万人死亡，6万人受伤。

对于这次轰炸，有关方面一直保持沉默，没有作过任何说明和解释，只有格罗夫斯在事后听到伤亡人数时说："这个数字比我们原来估计的要少得多。"这证明美方原来估计的数字，是两颗原子弹同时爆炸的死亡数字，而事实上只爆炸了一颗。

美国在长崎投下的是两颗原子弹，当时日本长崎的防空报告准确地记录下了这一情况。

后来公开的日本长崎知事致防空总本部长官、九州地方总监、西部军管区参谋长的报告如下：

一、本日10时50分，B—29两架，自熊本县天草方向北进，经岛原半岛西部橘湾上空入侵长崎市上空，11时2分投下附有降落伞的新型炸弹两枚。

二、上述炸弹断定为攻击广岛类型的小型炸弹，估计虽发生相当多的负伤人员，但比之广岛被害程度极轻，很少发生死亡与房屋倒塌的事情。

由于爆炸的这颗原子弹，偏离目标约2000米，所以另一颗未爆炸的原子弹，并没有受到损害。接到报告后日本大本营立即派人，将这颗没有爆炸的原子弹严密看管起来。

美国在长期是否投掷了两枚原子弹，那枚未爆炸的的原子弹是如何处置的，这一点至今仍然是个谜。

女汉奸川岛芳子死刑之谜

北平宣外第一监狱。3 月的清晨还很寒峭，一个着灰色囚衣、橄榄色毛料西装裤的女囚，被拉到了狱墙的一角。她 40 岁出头，脸部浮肿，上牙已脱落，长期浪荡的生活已毁了她的健康与容貌，但她白皙的皮肤、黝黑的大眼睛和纤小的手，还残留着当年的美。行刑官令她面壁而立，问："是否要留遗嘱？"女人用男人那样粗硕的嗓音说："我想给常年照顾我的养父川岛浪速留封信。"她站着写完了信。行刑官核对了姓名，宣布她的上诉被驳回，并宣读了死刑执行书。行刑官令其跪下。一声枪响，子弹从两眉之间穿出。她左眼圆睁，右眼紧闭，满脸的血污已不能辨认。这个女人就是臭名昭著的川岛芳子。这名中国清末皇族的公主，却靠出卖祖国为生，骑在祖国人民的头上作威作福。最后，她的下场是被枪决，但许多人却说她并没有死。

　　川岛芳子，原名叫显纾、金碧辉，中国清末皇族肃新王善耆的第 14 个女儿，生于 1906 年。她 6 岁时给策划"满蒙独立"的日本人川岛浪速做养女，取名为东珍。第二年随其养母赴日本，起名川岛良子，因日语中良与芳同音，久而久之人们便称她为川岛芳子。

　　1927 年川岛芳子由日本关东军参谋长斋藤弥平太与炸死张作霖的主谋河本大作参谋做媒，在旅顺与蒙古王公巴布扎布的儿子甘珠尔扎布结婚。这是一桩典型的政治婚姻。但婚后川岛芳子发现，丈夫甘珠尔扎布性格懦弱，也没有领袖才能，和他的结合并不会给自己带来多大帮助，于是在和丈夫生活了 3 年后，川岛芳子离开了他。之后，她又从东京偷偷跑回上海，过着放荡的生活。不久，她结识了日本陆军特务机关田中隆吉少佐。从此，川岛芳子便开始了其出卖中国的特务活动。以后又勾引上了日军华北军司令多田骏大将，当上了拥有3000人马的"安国司令"，在中国人民头上作威作福。这个女间谍变化无常，时而男装丽人；时而全副武装，前呼后拥，俨然不可一世的司令；时而成了穿着华丽无比、满身珠宝，肩上蹲着一只小猴的贵妇人；时而成了舞厅里的伴舞女郎；时而又摇身一变，成了国民党要人的私人秘书兼情人。总之，她无所不为，吃喝赌博、吸毒、玩弄男人。她的养父、干爹及和她共事的男人实际上都是她的情夫，她的间谍活动总是与她过着荒淫无耻的生活搅混在一起。

1945年8月15日，日本投降之后，全国人民要求严惩汉奸。10月10日，几名手持短枪的国民党政府宪兵，在北京九条胡同34号逮捕了川岛芳子，给她带上了手铐，头上蒙上了黑布，随后被押往位于北平北城的民国第一监狱，也就是原来的日本占领军陆军监狱。在狱中审讯时，川岛芳子态度傲慢，拒不承认自己有罪，在给已经回到日本的秘书小方八郎的信中她这样写到："因为我想复辟清王朝，并与日本合作，才被说成汉奸的。不过，我倒是想问问，到底谁应该审判谁？"

1947年10月8日下午2时，在北平地方法院大法庭，民国政府对川岛芳子进行了第一次公审。由于公众的好奇心太过强烈，法院门外看热闹的人熙熙攘攘，挤得水泄不通，法院内旁听的人也特别多，连大门前的石狮子都挤倒了，致使法庭无法控制秩序，只得将公审改期。10月15日，在北平地方法院后花园开设的露天临时法庭上，对川岛芳子进行了第二次公审。法警把身穿黄色毛衣、身材矮胖的川岛芳子押上了被告席，她神情茫然。她的律师千方百计在年龄和双重国籍两个问题上搞名堂，但这些都是徒劳的。经当局调查，川岛芳子是一个中国人，她同日本军宪要人来往密切：在"一·二八"事变时，在上海化装为男人，进行间谍活动；在"九一八"事变时，同关东军来往频繁，组织了"东安游击队"及"安国军"，欺压百姓；还参与将溥仪接出天津，建立满洲国的阴谋活动。根据国际间谍处罚条令第四条第一款，于1947年10月22日川岛芳子进行了宣判。先前还神色愉快的川岛芳子，当听到了对她的判决后，面容陡变，眼泪盈眶。法庭的判决是这样的："金璧辉通谋敌国，图谋反抗本国，处以死刑，剥夺公权终身，全部财产除酌留家属必需生活费外全部没收。"

　　枪决川岛芳子的日期被定在了 1948 年 3 月 25 日上午 6 点 45 分。当记者到达后，监狱大门却紧紧关闭，除了允许两名美联社的记者进入外，其他的记者全被拒之门外……

　　大门关上后，行刑便开始了。川岛芳子提出了两个要求，第一是写一封家信，第二是洗个澡，换换衣服。典狱长说写家书可以，洗澡不行，时间不允许。随后，典狱长给川岛芳子拿来了纸和笔，她就站着写下了几页纸，是一封写给

他养父川岛浪速的信。写完信后，行刑者便对她举起了枪。

　　枪响过后，监狱的大门突然大开，在外等候多时的记者们蜂拥而入。记者们在地上看到了一具刚被执行了死刑的女尸，有记者后来描述到："该尸头南脚北，弹由后脑射入，由鼻梁骨上射出，头发蓬乱，满脸血污，已不能辨认。"后来尸体被火化处理。

　　记者们认为，枪决选择在监狱内秘密进行，并且违背诺言，不让记者观看行刑过程实在可疑，再加上尸体已经面目全非，根本无法判断是否是川岛芳子，因此很难相信川岛芳子真的死了。所以，当时对川岛芳子的枪决真相传说纷纷，闹得满城风雨。传闻最多的是一位名叫刘凤玲的女犯做了川岛芳子死刑的替身，其代价是 10 根金条。这件事的经过是这样：因犯刘凤玲在监狱里得了重病，医生诊断没有治好的希望。监狱官员便找了刘凤玲的妈妈，说要其女儿为某个身份很高的人作枪决的替身，如答应可换来 10 根金条，若不答应，母女二人性命难保，母亲就边哭边答应了。但当时只领了 4 根金条为定钱，剩余的待执行死刑后去取。当刘母按约定的日期领金条时，就再也没有回来。女囚刘凤玲的妹妹刘凤贞便向当局要母亲，并向报界公开揭露了此事的始末。还有人说：川岛在进行间谍活动时，暴露身份被捕，是汪精卫找了个替身放了她。

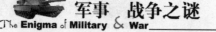

1972年，日本一位研究川岛芳子的专家、东京大学渡边龙策教授就川岛芳子之死还提出了一系列质疑：为什么最为关键的行刑场面搞得如此神秘？无视惯例，把新闻记者都赶出了现场？为什么将被处决者的脸部弄得那么多血污和泥土，以致难于辨认人的面目，为什么单单选择看不清人的面孔的时间行刑？渡边龙策教授还提及：川岛芳子的哥哥金宪立说川岛芳子已到了蒙古，后来北去苏联；还有人说川岛芳子已去美国。但证据都不充分。

但宁波大学历史系教授谭朝炎，其父曾作为民国政府派出的宪兵观察员经历了审判、枪决川岛芳子的全过程。据谭朝炎介绍，其父当时听到这个消息感到很惊奇，认为这个是空穴来风，无中生有。整个过程谭父一直作为观察员在场，在前面的审讯和公审过程中，他对川岛芳子已经很熟悉了，不会搞不清楚这个是不是川岛芳子本人，对川岛芳子的行刑是确凿无疑的，就是她本人。

川岛芳子天生丽质，但不幸的是误入歧途，最终以卖国、投敌、汉奸罪被钉在历史的耻辱簿上。尽管近半个世纪快要过去了，川岛之死仍是一个谜团。

"胡志明小道"之谜

世界上有这样一条网状的道路，它横跨东经105-108度，上下从北纬21度直至11度，它连接着几国边界的道路系统，它和老挝及柬埔寨有1000公里的边界平行。这个网状的系统长度是边界的13倍。其中最远的路径是从越南广平省出穆嘉关进入老挝，绕过17度线，沿长山山脉，再由老挝进入柬埔寨的磅湛省潜入越南南方的西宁省。它是由数千里曲折蜿蜒的山路和丛林掩蔽的战争动脉。说到这里，我想，许多人都会猜出来，对，它就是"胡志明小道"。

越南抗美救国期间，由越共领导的北方武装力量为深入敌后开展游击战、打击美国侵略者和南越的傀儡军队，曾在老挝和柬埔寨境内的丛林中开辟了一条军用运输线。它穿过茂盛了热带雨林，蜿蜒在崇山峻岭之中。

在越南战争期间，"胡志明小道"成为胡志明部队秘密支援南方游击队作战的最重要通道，号称"北约生命线"。对侵越美军乃至国际上的许多军事专家，这条补给线是一个无法用正常观念解释的 "战场之谜"，美军称其为"大动脉"。事实上，美军一直没有搞清"胡志明小道"到底有多少条路。军事历史学家普拉多斯分析说，"胡志明小道"应该有5条主路、29条支路，还有捷径和"旁门

胡志明

左道",总长近 2 万公里。

尽管胡志明本人已于 1969 年 9 月 4 日去世,但以他名字命名的这些小道仍然是供应北越军队物资的命脉,也是最令美军尴尬和头痛的秘密通道。美国侵略者无法容忍源源不断的物资通过"胡志明小道"运往越南共产党人的手中。而 1965 年,陷入越南战争中的美国军队伤亡人数已攀升为 7200 多人。美国认为,要想取得战争的胜利,切断"胡志明小道"是惟一办法。为此,尼克松曾经以对国内封锁消息为代价用 B-52 型轰炸机对这些小道进行了长达一年多共 3630 多次的轰炸,但最终还是不能奏效,反而弄得自己狼狈不堪。五角大楼也曾经用计算机系统研究了整个胡志明小道的网状构成,包括每个交叉路口和溪谷,他们使用了当时所有可以使用的高科技手段:空投特种部队,向美军基地提供交通运输情况,指示轰炸目标;在交通线上设置地雷,还有人迹嗅探器、声音传感器;为了毁灭丛林植被,还大量地喷洒化学脱叶剂,但是"胡志明小道"不但照样畅通无阻,运输量还越来越大。

西方的军事家之所以对于"胡志明小道"感到迷惑不解,是因为他们不大

印巴战争之谜

印巴战争是印度和巴基斯坦自1947年分治以来发生的三次战争。

第一、第二次印巴战争是因克什米尔的归属问题而发生的。克什米尔，又名查漠和克什米尔，面积21万平方公里，人口约500万，居民中70%是穆斯林，20%信印度教。1947年印巴分治的蒙巴顿方案规定：穆斯林占多数的地域应划归巴基斯坦，但同时规定，克什米尔可以自由加入印度或巴基斯坦，或者保持中立。巴基斯坦主张克什米尔归属应按投票原则，由克什米尔人民自决。而印度利用在分治时控制的克什米尔议会通过决议，宣布克什米尔归属印度，1947年10月印巴双方为此发生了大规模的武装冲突。

1948年8月联合国印巴问题委员会通过了分段解决印巴克什米尔纠纷问题决议。1949年1月5日该委员会又通过了公民投票问题的决议。次日印巴双方根据决议实行停火。7月印巴双方关于停火线问题达成协议，停火线是按照当时实际兵力部署来划分，印度占全面积的3/5，人口约占3/4，巴基斯坦控制的地

区约占全面积的 2/5，人口约占 1/4。随后印度在其辖区内建立了克什米尔邦，巴基斯坦则在其控制区内建立了自由克什米尔政府，双方形成了对峙局面。1953 年 8 月 17 日～20 日，印巴政府总理在新德里举行会谈，会后发表联合公报，公报表示克什米尔争端应遵照该邦人民的意愿加以解决，而确定人民愿望的最实际办法是举行公正无私的公民投票。印巴双方于 1959 年 10 月～1960 年 1 月、1960 年底至 1963 年 5 月进行过多次磋商，但克什米尔的归属问题并未解决，1965 年印巴围绕克什米尔问题形势又趋紧张，9 月 6 日第二次印巴战争爆发、印军越过边境线进攻巴基斯坦。联合国安理会召开紧急会议，讨论印巴冲突问题，要求双方停火。9 月 22 日印巴宣布停火，印度将军队撤出巴基斯坦。1966 年 1 月 4 日～10 日印巴政府首脑在塔什干举行会晤，签署了《塔什干宣言》，宣告第二次印巴战争的结束，但克什米尔的归属问题并未解决。

　　第三次印巴战争是因东巴基斯坦问题而爆发。1947 年印巴分治时，巴基斯坦由西巴基斯坦和东巴基斯坦两部分组成，中间隔着印度，相距很远。东巴原为印度孟加拉省的一部分。20 多年来，巴基斯坦军队、政府成员大多是西巴人，引起东巴人的不满。1966 年成立了以拉赫曼为主席的人民联盟要求巴基斯坦实行联邦制，东巴享受"充分自治"和经济独立，1970 年 12 月 7 日，巴基斯坦举行全国大选，人民联盟获得了国民议会中的多数席位。1971 年 2 月 21 日拉赫曼与总统叶海亚举行会谈，要求东巴"充分自治"，遭到拒绝。3 月 6 日拉赫曼宣布接管东巴全部行政权力。3月25日叶海亚总统颁布军事管制条例，逮捕拉赫曼等人民联盟的主要成员，激起了东巴人民的强烈反对，大批东巴基斯坦的孟加拉人逃往印度。动荡的巴基斯坦局势为印度干涉巴基斯坦国内事务提供了机会。3月31日印度议会通过支持东巴分裂分子的决议，印度政府以所谓"东巴难民问题"为入侵巴基斯坦寻找借口。自1971年4月起印度武装部队不断侵入巴基斯坦、袭击边防哨所，且侵犯巴领空。11月21日印军对东巴发动了大规模的进攻，12月3日，印军又向西巴发动进攻。12月16日印军攻占达卡。东巴基斯坦全军覆灭，次日印度总理英·甘地宣布西线印军将于17日22点30分停火。第二天巴基斯坦总统叶海亚宣布接受印度停火建议，并命令巴军停火。12

月20日布托替代叶海亚就任总统和军事管制首席执行官，随后宣布将同东巴基斯坦真正的领导人举行会谈。1972年1月3日布托宣布无条件释放拉赫曼，1月10日拉赫曼回到达卡，正式成立孟加拉国，从此东巴脱离巴基斯坦，成为独立的国家，拉赫曼成为该国的第一位总统。

岁月悠悠，1971年的印巴战争已经过去近35年之久了。那次战争虽然已经从许多人的记忆中渐渐淡忘，然而，许多疑问仍在一些专家人员的脑海里萦绕。

史学界，争论最激烈的要数第三次印巴战争开始的时间问题。第三次印巴战争是一次海陆空三军作战的立体化战争，然而，战争究竟从哪天算起，印度和巴基斯坦各执一词。

印度方面认为，1971年12月3日天一黑，巴基斯坦军队就对印度西部的军用机场发动了先发制人的空中打击，因此，战争应该从这天开始算起。然而，巴基斯坦方面认为，印度军队早在11月21日就向杰索尔的巴军阵地发动了袭击，因此，第3次印巴战争应从11月21日算起。

印度专家乔希在研究中发现，印度所说的12月3日为战争开始日的情况是不准确的。其实，印度海军早在12月3日前就为大规模作战进行准备了。12月1日夜，印度海军唯一的"维克兰特"航母作战群突然接到密令，要求开赴吉大港准备作战。经过一番准备，这支航母作战群于12月2日晚10时开始向巴基斯

坦军事目标秘密靠近。这个时候，巴基斯坦航空兵还没有开始对印军实施空中打击。

　　印军航母作战群经过巧妙的伪装，于12月3日晚顺利抵达离巴基斯坦卡拉奇港只有210海里的水域，开始为大规模偷袭之战作准备。12月4日凌晨2时，天空还是灰蒙蒙的，印军航母作战群终于拉开了大规模军事作战的序幕。

　　乔希还发现，印度陆军早在12月3日前就已开始大规模作战了。在东巴（现为孟加拉国），战火于11月初就开始燃起，于11月中旬开始扩大到东巴更多的地方。12月4日，印军开始了猛攻。在猛攻正式开始前，印度陆军已在作战中阵亡了大约600名陆军官兵。

　　看来，要想确定第三次印巴战争开始的时间问题，历史学家还要做出进一步的努力。

美国"黑衣女谍"被击落之谜

"黑衣女谍"是美国U－2高空侦察机的代称。是美国空军从1956年开始装备U-2高空战略侦察机，主要用于执行战略、战役和战术侦察等军事任务和搜索失踪船只与飞机以及收集地热能资料等非军事任务，它是历史上鼎鼎大名的间谍飞机。在20世纪50年代末60年代初，U－2飞机曾经肆无忌惮地飞行在前苏联的领空上，进行各种侦察活动。尽管前苏联当局十分恼怒，但在初期却拿U－2飞机没有办法，因为U－2在当时来说飞得实在太高了(2万多米)，高射炮打不着，战斗机又跟不上。

然而，正当美国洋洋得意之际，1960年5月1日，在斯维尔德洛夫市上空，一架U－2飞机被前苏联空军击落，飞行员弗朗西斯·鲍尔斯被生俘，飞机上所有的侦察设备基本上完好无损地保存了下来，被作为了间谍活动的罪证。这件在当时轰动一时的大事使美国颜面扫地，也使前苏联和美国的关系更加紧张。然而，U－2飞机究竟是怎样被击落的呢？前苏联在当时尚未拥有2万米以上升限的歼击机，而地空导弹的射程也够不着。这在当时是一个不解之迷，如今依然是众说纷纭。

一般的说法是U－2飞机是被米格－19所击落，而当天的确有两架米格－19飞机奉命起飞拦截，然而米格－19飞机的升限在17500米到18500米之间，是怎样够着的呢？也有的说U－2飞机是被前苏联的防空导弹部队所击落，并且还误伤了自己的一架飞机。然而据西方情报部门分析，苏联当时的地空导弹射程根本不够。据U－2飞机的驾驶员弗朗西斯·鲍尔斯回忆当时飞机坠落得情况时说，伴随着一道橙黄色的闪光，他只听到一声震耳欲聋的爆炸声，然后机头便向下

栽去，他似乎觉得飞机的机翼和尾部脱落了，而飞机究竟是怎样，却不得而知。然后他便被弹射了出去。

还有一种说法是，U-2飞机被击落是前苏联间谍机构克格勃的杰作。前苏联对于U-2的多次间谍飞行十分头痛，克里姆林宫下了一道死命令给克格勃。于是，一个名叫穆罕默德·嘉兹尼·汗的间谍偷偷进入了U－2飞机所在的巴基斯坦某美军空军基地。不久，他假冒一名因病不能上班的清洁工混进了机场。为了能接近飞机，他又将机场空军食堂的一名服务员给收买了，最后他打听到U－2飞机近期将作一次远程侦察的巡航。穆罕默德在接下来的几个晚上，用红外望远镜在停机坪附近窥探，终于找出了美军防范中的漏洞。这天，穆罕默德开始实施预定计划。时近凌晨2点，一群在外胡作非为的美军士兵前来换岗，他们像平常一样在飞机右舷兴致勃勃地谈笑风生，吹嘘他们刚才在外寻欢作乐的趣事。这时，已潜伏多时的穆罕默德抓住了这个机会，迅速地避开了士兵的视线，神不知鬼不觉地钻进了飞机驾驶舱。很快找到了仪表上高度仪的外罩，然后飞快拧下右上角的一颗螺丝钉，随即换上了一颗自己携带的不同一般的螺丝钉。原来，这是一颗磁性极强的螺丝钉，由苏联克格勃特别研制，当飞机上升到几千米高空后，这颗螺丝钉产生的强大磁力场将高度仪的指针吸引过去，而显示出已达到2万米高度的数字。美国人考虑到了对该机资料的保密措施，也想到苏联会用新型导弹对飞机进行拦截，却没有想到克格勃会用违背常规思维的不寻常方式下手，把用炮火轰击、飞机拦截都得不到的U－2型高空侦察机给击落了。

另外一种更为神奇的说法是UFO导致了U-2飞机坠毁，前苏联只不过是碰巧捡了一个天大的便宜。有报道表明，在U-2飞机被击落前后，前苏联斯维尔德洛夫市附近曾发生过几次UFO目击事件，说不定也真是"天外来客"帮了前苏联的大忙。

美国间谍船被袭之谜

1967年6月8日，一艘神秘船只不顾保密规则，用明码电报向美国海军第6舰队呼救。美军指挥中心马上命令正在附近游弋的"美洲"号航母紧急起飞4架A-4"天鹰"攻击机，另一艘美国"萨拉托加"号航母也接到命令，立即起飞4架A-1攻击机前去营救。"一艘美国军用船只在地中海遭鱼雷攻击，攻击者'极可能是苏军'。"美国总统约翰逊听到这个消息不禁大惊失色，立即下令美军在地中海的海空所有打击力量进入最高战备状态，核战部队也进入"攻击阵位"。察觉异常的苏联派驻地中海的舰队迅速作出反应，紧急进入战备状态。两艘水下值勤的核攻击潜艇启动了导弹准备程序，随时准备对付美国战舰发起的攻击。就在美苏剑拔弩张、一触即发的危急时刻，真相终于明了，攻击神秘船只的不是苏军，而是以色列。这神秘船只名为"自由"号，由"胜利"号货轮改装而成，长138.7米。"自由"号虽自称为民间机构，实际却是一艘间谍船，船上280人除水手外，全部都是搞情报的老手。

这天，在西奈半岛海岸以北约40公里的地中海上空，以色列王牌飞行员斯佩科特正带领着一队"幻影"战斗机在高空巡逻。他的任务是拦截可能来袭的埃及战机。目光锐利的斯佩科特很快发现了"自由"号。他立即降低高度。"我试图看清船上悬挂的国旗，但在我掠过它上空时，它居然施放了大量烟幕，这让我更加怀疑！"斯佩科特回忆道。"这是一艘埃及的军用舰只，马上攻击！马上攻击！"正在这时，无线电里传来了空军指挥中心的命令。斯佩科特率先向着船艉俯冲下去，用30毫米机关炮瞄准"自由"号的驾驶台和上层甲板猛烈扫射，然后又紧贴桅杆拉起。几秒钟后，斯佩科特带领小队又折了回来。这次它

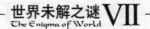

们投下的是火箭弹。"自由"号立刻被橘黄色的火球和滚滚浓烟严严地裹挟起来。以色列的 3 艘鱼雷快艇也赶来凑热闹。鱼雷艇用信号灯向"自由"号发出"你是何船"的询问，但"自由"号的信号灯已被摧毁，根本无法回应。情急之下，以色列鱼雷艇艇长赶紧翻阅阿拉伯海军舰船图册，发现该船与埃及的一艘运马船"埃尔·古赛尔"号十分相似，本着"宁可错杀一万，不可漏过一个"的原则，下令向可疑船发射鱼雷。被鱼雷击中的"自由"号右舷船体被扯开一个大洞，弹着点正好是信号情报设备舱。以色列鱼雷艇发射完鱼雷后还不过瘾，又在离船 30 多米处用 40 毫米机关炮不断地向"自由"号扫射。一枚穿甲弹穿过海图舱进入驾驶舱，最后打在年轻舵手的脖子上。舵手当即身亡。

身负重伤的船长看着严重受损的"自由"号，不得不下令弃船。然而，船员刚把 3 个救生筏放下水，以色列的一艘鱼雷艇便开了回来，将 2 个救生筏击沉并抢走了另 1 个。3 艘鱼雷艇带着那个抢走的救生筏向军港驶去。这个时候，鱼雷艇艇长才发现事情不妙，立即向以色列海军司令部汇报"误炸了美军船只"。接下来的事让"自由"号的幸存者感觉很诧异。华盛顿高层下达命令，不允许他们透露袭击事件的任何细节，否则军法处置。这个事件已经过去了 30 多年，但它至今仍留给人们很多疑团。据说那天晴空万里，即使斯佩科特没能看清"自由"号上高高飘扬的美国国旗，但以色列的空军指挥中心为何也会没看清，错把它当成埃及舰只并下达了攻击命令呢？难道以色列是为了防止情报外泄而故意为之？恐怕只有以色列最清楚。或许美国也明白，但为了避免引起众怒，也只有哑巴吃黄连，打掉牙往肚子里咽了。美军甚至下令尽快将"自由"号炸沉！不过五角大楼有高级军官指出，这样做难免会把事件越搞越大。美军这才让第 6 舰队把四处起火、几近沉没的"自由"号拖进了修理厂。

猪湾事件之谜

　　1959 年 1 月卡斯特罗领导古巴人民推翻了美国长期扶植的巴蒂斯塔政府，建立新的革命政权。从那之后，卡斯特罗就成为美国的头号敌人。美国政府担心距离美国海岸只有 100 多公里的古巴将成为前苏联人威胁美国的滩头堡，一直企图颠覆卡斯特罗领导的古巴新政权。从 1960 年起，美国就开始在美国的佛罗里达州和多米尼加、危地马拉、洪都拉斯秘密训练古巴流亡分子，随时准备登陆古巴，推翻卡斯特罗政权的计划。1961 年初，训练完毕的美国雇佣军被编成代号为"2506"突击旅，下辖 4 个步兵营、一个摩托化营、一个空降营、一个重炮营和几个装甲分队。为了支援雇佣军入侵古巴，美国派遣了 8 架 C－54 运输机、14 架 B—26 轰炸机、10 艘登陆舰艇。五角大楼还派了几艘潜水艇前往古巴沿海侦察地形，物色登陆地点。1961 年 4 月 4 日，当选不久的肯尼迪总统在与五角大楼和中央情报局官员联席会议上，批准了代号为"冥王星"的战役计划。

　　1961 年 4 月 17 日黎明，中情局制定的代号为"猫鼬行动"的入侵活动拉开帷幕。1200 名装备精良的古巴流亡分子从美国迈阿密的中情局秘密训练基地出发，在美国飞机和军舰的直接掩护下，从猪湾的吉隆滩和长滩登陆，向古巴发起了猛烈的攻击，古巴军队和民兵与入侵的美国雇佣军展开了殊死搏斗，当年只有 34 岁的卡斯特罗在吉隆滩附近一座制糖厂临时改成的指挥部坐阵指挥，显得游刃有余。第一天上午，他在电话中问："大家的

士气如何？好！太棒了！"接着他下令："立即返回猪湾，击沉所有船只。""给我英勇地顶住，同志们！非常好！""现在我们真的在战斗了，胜利属于我们！"5 分钟后，他对一名军事领导人下令："你们必须击沉所有船只，冲他们开火！我们要用迫击炮让他们从地球上消失！"不久，他与正在坚守东海岸的弟弟劳尔·卡斯特罗通了电话，对古巴的战斗机大加赞扬："飞机干得太漂亮了，太精彩了！它们开始下蛋了！"。流亡分子的登陆艇因频频触礁而倾覆，美国人许诺的空中支援不见了踪影；反之，古巴政府军的空军击沉或赶跑了流亡分子的补给船，古巴军民经过 72 小时的战斗，全歼了被包围在吉隆滩的美国雇佣军。这就是震惊世界的吉隆滩之战，美国称之为猪湾事件。在这一事件中，共有114名流亡分子被古巴军队击毙，1189 人被俘。这些人在古巴监狱里生活了 18 个月，后来美国同意用价值 530 万美元的粮食和药品把他们换回美国。

　　吉隆滩之战发生的第二天，苏联领导人赫鲁晓夫写信给美国总统肯尼迪，认为这场在古巴发生的"小规模战争"将在全世界引发连锁反应。他紧急呼吁肯尼迪停止对古巴的侵略，并声称，苏联准备向古巴提供反击侵略所需要的一

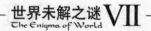

切帮助。肯尼迪政府被迫声称，美国没有支持推翻卡斯特罗的行动。事实上，美国的中央情报局不仅策划了这次颠覆行动，而且损失惨重。肯尼迪总统不得不在美国大众面前公开承认猪湾事件是一件绝不能再发生的错误，然后声称对该事件负全责。这起事件让美国政府大为难堪，美国的大棒政策受到沉重打击，成为世界媒体嘲讽的对象。而这一天恰好是肯尼迪总统上任的第90天。

当年这一事件的主角大概不会想到，40年后他们有机会坐到一起。2001年3月22日上午9点，古巴政坛的"常青树"——卡斯特罗的"坐骑"停在哈瓦那一家五星级宾馆门口。一举一动都受到世界媒体瞩目的卡斯特罗仍然穿着那身世人再熟悉不过的绿军装，大步流星地走进宾馆，径直来到会议室。他绕过了一张大圆桌，坐到了东道主的位置上，与昔日曾多次谋划置他于死地的敌人平心静气地讨论猪湾事件。这次会议由美国史学家、学者组织，为期3天，参加此次会议的除了卡斯特罗和其他古巴官员外，还有4名参加猪湾入侵的古巴流亡分子——"2506旅"的老兵，有2名中情局前官员（其中山姆·哈尔宾是"猫鼬行动"的负责人），还有肯尼迪总统最信任的助手阿瑟·舒莱辛格和理查德·古德温。

据美国与古巴双面的解密档案显示，猪湾事件完全由美国中情局一手策划。中情局为了给干涉古巴事务找到冠冕堂皇的借口，甚至故伎重演，借鉴1954年颠覆危地马拉政府时的经验，有意识地推动古巴与前苏联结盟，"接下来，中情局就有事可干了"。其他国家的解密文件也有令人吃惊的内容。古巴政权也在秘密加强自己的防卫能力。

中情局决定策划一次入侵活动，推翻卡斯特罗政府。1960年3月，美国中央情报局局长艾伦·杜勒斯向白宫递交了一份计划，提出把聚集在佛罗里达的古巴流亡分子组织起来进行训练，并在古巴内部开展秘密活动，以此推翻卡斯特罗政府。艾森豪威尔总统表示同意，并表示美国将对这些反卡斯特罗游击队"援助到底"。

肯尼迪上台后不久，获悉中情局有此项计划，对此也表示支持。杜勒斯向他保证，入侵计划比当年推翻危地马拉政府的计划"前景更好"。

那么，为什么有强大的美国政府支持的入侵行动会失败呢？关于这点，长期以来众说纷纭。在美国国内，有些人把失败归因于中情局犯了轻敌的毛病，对古巴国内会响应入侵的反卡斯特罗政权的人数过分乐观。

被击落的B-26轰炸机残骸

中情局一向做事谨慎，在准备不周的情况下，为何会匆匆策划这次入侵？况且肯尼迪曾在战斗爆发的第二天表示，"我们的克制是有限度的"，"如果必要，就单独行动"，以"保卫自己的安全"。那么肯尼迪政府为何又食言撤回了空中支援，使古巴流亡武装陷于孤立无援的境地？猪湾事件是美国中情局策划的吗？当时的肯尼迪总统是否考虑过派陆战队前去拯救仍在与古巴政府军血战的"2506旅"古巴政府是否知道与猪湾事件相关的中情局准备刺杀卡斯特罗的阴谋？前苏联在此事件中又扮演了什么角色呢？

当年参与指挥古巴军队反击入侵者的费尔南德兹已是77岁、满头白发的老人。他说，虽然美国有些人宁愿相信这次失败的原因是计划不周，也不相信古巴政府的领导能力和古巴军队的勇敢和战斗力，实际上，他们低估了古巴军队的勇敢和火力。他否认前苏联向古巴透露了有关入侵的情报，同时重申，古巴特工当时也没有渗透到流亡分子的训练营。但他承认，流亡分子在猪湾登陆前几小时，古巴政府的确把不少反对派关了起来。

美国一份解密的文件显示，美国中情局有意识地推动古巴与前苏联结盟，目的是为干涉卡斯特罗政府制造借口。古巴的文件也显示，中情局从一开始就不想猪湾登陆成功，而是失败，这样中情局就有理由敦促肯尼迪总统派出军队。英国政府的文件也证明，1959 年英国驻美国大使与当时的中情局局长艾伦·杜勒斯进行过一次会谈。席间杜勒斯请英国不要向古巴出售战斗机，这样，古巴就只能向前苏联靠拢。英国大使写道："当年前苏联向危地马拉运送武器，便给中情局找到了推翻危地马拉政府的借口。如果英国按中情局的要求去做，不向卡斯特罗提供武器，那么，这将直接导致前苏联向古巴提供武器。接下来，中情局就有事可干了。美国于 1989 年解密的中情局文件显示，当时中情局对入侵古巴做了错误的估计，认为如果派流亡分子登陆，会引发古巴国内起义。其他国家的文件也有令人吃惊的内容。一份时间为 1959 年 9 月 28 日的捷克政治局的报告显示，刚刚成立 9 个月的卡斯特罗政府与捷克达成了一份采购先进武器的协议。捷克通过一名瑞士中间人，向古巴运送了 50，000 支口径 9 毫米的机枪和几百万发子弹。而据这位中间人透露，采购这批武器的费用将由美国宗教组织 CARE 提供，而 CARE 是古巴食糖的主要买主。在此之前，CARE 给人的印象是一个从不参与武器交易的组织。

今日的猪湾已经被茂密的红杉树覆盖，碧浪滚滚，景色秀丽，更像一块度假胜地，游客们在海滩上慢慢地品着台克利酒，已经丝毫看不出当年战场的影子了。60 年多年前的那场战斗早已化作梦境一场，留下的是诸多值得进一步探索的谜团。

两伊战争的起因之谜

在两伊战争中肩扛铁锹的萨达姆

两伊战争是发生在伊朗和伊拉克之间的一场长达 8 年的边境战争。战争于 1980 年 9 月 22 日爆发，直至 1988 年 8 月 20 日结束。这场战争有时也被称为"第一次波斯湾战争"（相对于 1990 年—1991 年伊拉克入侵科威特导致的"第二次波斯湾战争"或"海湾战争"而言）。

这场战争进行得十分惨烈。战争双方都常常使用类似于一战中的人海战术攻击。伊拉克使用了包括塔崩毒剂在内的化学武器。尽管伊拉克率先挑起战争和使用化学武器，国际社会对其并没有施加太大的压力。

1982 年 6 月，伊朗发动的一系列反攻夺回了

伊拉克在战争初期占领的土地。伊拉克鉴于可能被彻底打败，向伊朗提出休战的建议。此时，伊朗试图打垮伊拉克政权，因此拒绝了这一建议。这样导致战争又进行了六年。

在此期间，西方海军力量介入该地区，试图保护海湾航道畅通。由此导致伊朗导弹攻击美国斯塔克号护卫舰；以及美国文森斯号巡洋舰击落伊朗民航客机，290名乘客和机组人员丧生。

为避免战争进一步升级，联合国安理会于1987年7月20日一致通过了第598号决议，要求两伊双方立即停火。598号决议通过后，由于两伊积怨已久，在停火问题上立场各异，分歧较大，谁也不愿主动作出让步，因而联合国598号决议迟迟得不到贯彻落实。1988年，是两伊战争出现重大转折的一年。2月—4月，双方使用了数百枚导弹袭击对方的城镇，掀起了一场空前规模的"袭城战"。此后，在相持中，伊拉克渐渐占了上风，4月17日，伊拉克军队对法奥地区的伊朗守军发动了代号为"斋月"的攻势，经过两天激战，于18日下午全部收复被伊朗占领两年之久的法奥地区。外国军事专家评论，这是"两伊战争的转折点"，它"打开了结束两伊战争的大门"，"为两伊通向和平开辟了道路"。伊朗在欲战不能，欲罢不忍的境况下，被迫于1988年7月18日宣布，同意接受联合国安理会598号决议。8月20日，两伊双方实现停火，长达八年的两伊战争终于落下了帷幕。

战争使两个国家都受到惨重损失，经济发展停滞，石油出口减少，死伤人数以百万计。伊拉克因此也积累了大量的债务，仅欠科威特的债务即达140亿美元。

这场战争是第二次世界大战后持续时期较长、损失消耗最大的一场局部战争，仅次于越南战争和朝鲜战争。　两伊战火的蔓延，曾导致美苏两个超级大国

在海湾地区的严重对立，致使海湾局势一度空前紧张，成为国际社会广泛关注的焦点。战争结束时，两国的分界线恢复到了战前的情况。

近八年的战争使两国人民的生命财产和国民经济遭受了巨大的损失。伊朗死伤60多万，伊拉克死伤40多万。无家可归的难民超过300万。两国石油收入锐减和生产设施遭受的破坏损失超过5400多亿美元。估计两伊在这场战争中至少损失9000亿美元。战争使两国经济发展计划至少推迟20至30年。

时至今日，世人对两伊战争都已经有了一个比较客观的认识，但惟独在两伊战争的起因问题上，存在一定的分歧。

1980年4月1日，一名伊朗激进组织成员将一枚手榴弹扔向了在巴格达集会中的伊拉克副总理阿齐兹。9月22日，伊拉克总统萨达姆下令对伊朗军事目标进行"毁灭性打击"，持续八年的两伊战争爆发了。难道战争发生的原因仅仅是因为一颗小小的手榴弹吗？

有人认为领土问题是导致两伊战争的主要原因。这一问题包括两个方面：一是阿拉伯河的边界划分问题；二是波斯湾入口处3个小岛的主权归属问题。阿拉伯河的边界划分问题本来根据萨达姆同伊朗已故国王巴列维1975年签订的《阿尔及尔协议》已经解决了，协议规定构成两国共同边界的阿拉伯河一段以河流主航道中心线划界。但萨达姆签约后一直感到后悔，趁伊朗伊斯兰革命后动乱之机废除了协议。另一问题是1971年伊朗占领了波斯湾入口处的阿布穆沙、大通布和小通布3个小岛，并使之成为可以控制波斯湾出入航道的军事基地。伊朗的行动遭到海湾阿拉伯国家特别是伊拉克的激烈反对。

在1980年到1988年的两伊战争中，肩扛火箭炮的萨达姆

也有学者认为宗教矛盾是导致两伊战争的重要原因。两国虽然同属信奉伊斯兰教的国家，但是，伊朗90%的居民信仰的是伊斯兰教的什叶派，而伊拉克60%的居民也是伊斯兰教的什叶派，但当政者是逊尼派。伊拉克是伊朗的邻国，什叶派穆斯林又占全国人口的半数以上，因此首当其冲。伊朗领袖霍梅尼从1964年起，流亡到伊拉克，1978年被伊拉克当时的第二号领导人萨达姆·侯赛因以煽动当地什叶派叛乱的罪名驱逐到巴黎，为此，双方结下了"一箭之仇"。

还有观点认为两伊战争的主要因素是两国领导人的野心。伊朗宗教领袖霍梅尼试图将他领导的伊斯兰原教旨主义运动推广到整个中东地区。不过由于伊朗革命才成功不久，这方面的尝试还十分有限。对萨达姆而言，他掌权时间不长，正试图使伊拉克获得地区霸权地位。对伊朗战争的成功可以使得伊拉克成为海湾地区的霸主并控制石油贸易。1980 年 9 月 22 日，伊拉克利用伊朗支持的对当时伊拉克外长阿齐兹的刺杀企图为借口，抓住机会发动进攻。战争的起因是由于伊拉克总统萨达姆试图完全控制位于波斯湾西北部的水道。该水道是两个国家重要石油出口通道。美国为萨达姆提供武装并支持其向这一有争议的地区发动进攻，试图以此遏制刚刚通过革命上台并强烈反美的伊朗政权。而在 1975 年，美国国务卿基辛格曾支持伊朗国王对当时在伊拉克控制下的水道发动进攻。

此外，还有观点认为两伊战争的起因与伊拉克和其他阿拉伯国家担心伊朗1979 年二月革命产生的武装政权向周边地区扩散有关。

可见，两伊战争的起因错综复杂，既有长期的领土争端，宗教派系对立，又有民族纠纷和领导者个人恩怨掺杂其中。

海湾战争中伊拉克战机外飞之谜

　　提起海湾战争，人们并不陌生。这场战争爆发于 1991 年 1 月 17 日，到 2 月 28 日以伊拉克战败而告终。从战争史上说，海湾战争是战后一场牵动世界全局的地区有限战争，战争中伊拉克共投入 1 2 0 万兵力、坦克 5600 辆、飞机 774 架、舰艇 60 艘，其中驻科威特 54 万人；而多国部队共 70 万人、坦克 4300 辆、飞机 2000 架、大炮 2300 门、战舰 400 艘、其中美军 50 万

俄罗斯"库尔斯克"号潜艇失事之谜

2000年8月12日，本是极为普通的一天，然而一桩震惊世界的重大事故使这一天被永远地载入史册。当天11时25分左右，在俄罗斯北方巴伦之海域，参加军事演习的俄罗斯北方舰队中，一艘名为"库尔斯克"号（俄海军编号为K－141）的核动力潜艇突然发生爆炸而沉没，等到北方舰队司令部发现"库尔斯克"号核潜艇情况异常，并向出事海域派出救援队时，"库尔斯克"号核潜艇已坠入108米深的巴伦支海底。艇上111名乘员、5名从第7核潜艇师派出的军官和2名柴油机厂的工程师全部罹难。

"库尔斯克"号核潜艇沉海事故聚焦了世界各方的目光。118条生命的消逝令人痛心，而且这次事故笼罩在敏感的核阴影下，潜艇上的24颗巡航导弹中的两颗是否携带有核弹头这个重大问题令人困扰，不仅给制造国带来巨大的军事损失和情报危机，而且还给航运和沉没地的周围环境带来严重隐患。有关"库尔斯克号"爆炸沉没的原因一直众说纷纭。目前流行的有以下几种说法：

与英潜艇相撞说。俄罗斯认为最大的可能性是"库尔斯克"号在演习中撞上了另外一艘船只或舰艇，致使潜艇发生严重损毁而沉没。不过，俄军方表示，"库尔斯克"号出事之时，当地海域除了参加北方舰队演习的船只之外，没有其他船只，民船更是离演习区很远，惟一的可能性就是与同在海底的一艘不明身份的潜艇相撞。据悉，12日俄罗斯海军演习之时有3艘外国潜艇在巴伦支海域游弋，其中两艘为美国潜艇，一艘为英国潜艇。俄罗斯方面认为肇事者可能是英国潜艇，因为俄军方在离"库尔斯克"号事故现场330米远的巴伦支海海底发现了不明潜艇驾驶舱栏杆的残余，并且在"库尔斯克"号失事之后在海面上发现了据认为是英国潜艇的事故浮标。

与美巨型潜艇相撞说。另有消息称，"库尔斯克"号也有可能是与美国的一艘潜艇相撞，因为事故发生之后，俄罗斯海军曾收到无线电通讯，显示一艘美国潜艇要求批准进入挪威的港口，之后便以慢速驶向该港。军事专家们认为，只有美国"俄亥俄"级战略核潜艇可以承受如此剧烈的碰撞。在过去的30年中，俄罗斯海军潜艇在北海和太平洋海域进行军事演习之时曾与外国潜艇发生过11次相撞事故，其中10次为美国潜艇，而此次再次撞上美国潜艇的可能性也是存在的。

恐怖分子引爆鱼雷说。据挪威军方侦察艇证实，"库尔斯克"号失事之时曾听到两声爆炸，其中第二次爆炸十分剧烈，挪威地震网测得的数据表明，这次爆炸相当于2吨梯恩梯(TNT)炸药的当量。通过爆炸声推断"库尔斯克"号潜艇上可能有3到4枚鱼雷发生了爆炸。俄罗斯车臣伊斯兰反叛武装发言人乌都戈夫曾声称，"库尔斯克"号是在一名名叫拉马扎诺夫的达吉斯坦籍水手的破坏下沉没的。然而，这个人名并不在潜艇人员名单之中。在遇难的118名官兵之中，确实有2名达吉斯坦人，他们负责潜艇上新型鱼雷试射的任务。是否他们引爆了鱼雷？俄罗斯司法部门对此已经展开了调查。

碰到二战遗留水雷说。有专家分析，爆炸也有可能与该海域二战时期遗留的水雷有关。在第二次世界大战之时，德军和盟军在该海域布置了众多的水雷，近几年在该海域就发现了十几枚水雷，"库尔斯克"号有可能碰上了一枚水雷而受到重创。

遭到自家潜艇误伤说。还有人分析，"库尔斯克"号也有可能错被另一艘参加演习的俄罗斯舰艇当成了攻击的目标，而遭到了导弹的袭击。这类事故80年代曾发生过一次，前苏联太平洋舰队的一艘军舰曾被另一艘军舰误袭，造成数十人死亡。

究竟何种说法令人信服，关键要看俄罗斯政府能否拿出库艇沉没原因的确凿证据。透过俄方公开披露的各种信息，我们可以勾勒出"库尔斯克"号的黑色 9 小时：2000 年 8 月 12 日爆炸前的一段时间，指挥人员和大部分官兵都集中在第 1、2 隔舱。11 时 28 分，由于鱼雷发生意外，随着一声巨响，艇内发生了能量相当于 100 公斤 TNT 炸药当量的爆炸。瞬时间，第 1、2 隔舱成了一片火海，在发射阵位的乘员全部死亡。11 时 30 分 15 秒，艇内又发生了能量相当于 1000 公斤 TNT 炸药当量的第二次爆炸。爆炸引起的火灾导致艇内温度不断升高，最高时曾达 8000 摄氏度，许多耐高温材料都熔化了。由于爆炸导致潜艇严重变形，艇内各种零部件纷纷脱落。这时，海水也顺着第 1 隔舱被炸出的窟窿涌入艇内。

爆炸发生时，一些官兵正在第 4、5 隔舱里休息。他们还没来得及做任何准备，就遇到了灭顶之灾。一些人在睡梦中死去，一些人虽然戴上了防护面具，但由于通道被堵死，也无法向尾舱撤离。爆炸过后，在第 7、8、9 隔舱里还有 23 名官兵活着，但有人已被烧伤。13 时 15 分，他们冒着浓烟，趟着海水撤到了第 9 隔舱。他们试图打开救生舱盖，但没有成功。这时，他们已意识到"谁都不可能逃出去了"。空气越来越少，海水越升越高。到晚上七八点钟，艇内空气用光了，23 名官兵先后窒息身亡。

俄罗斯政府自事故发生后便致力于核潜艇的打捞工作。2001 年 10 月 22 日，在花费了大约 6500 万美元之后，"库尔斯克"号核潜艇终于在罗斯利亚科沃的浮动船坞上浮出了水面。23 日，俄调查人员首次登上了"库尔斯克"号的残骸，这也是自沉没事件发生后，人们首次进入该潜艇内部。据俄罗斯电视台后来公布的画面显示，库艇的毁坏程度惊人：整个艇身面目全非，舱里堆满了金属碎片和扭曲的机器零件，内部装置所剩无几。为调查核潜艇失事的原因，俄罗斯总检察院成立了由 32 名专家组成的调查组，北方舰队也成立了"库尔斯克"号核潜艇临时乘员组。调查人员在艇身残骸中发现了不少对查明真相有帮助的东西。10 月 29 日，调查人员在"库尔斯克"号第 5 隔舱内发现了潜艇的自动记录

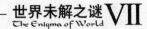

装置，其作用类似飞机上的"黑匣子"，记录着爆炸发生时潜艇主要系统的状况。10月30日，在"库尔斯克"号残骸内又发现了一个遇难船员的留言。另外，俄罗斯调查人员还在27日公布了一盒在潜水艇中发现的录像带。录像带显示，当时一条大缝从船尾开始迅速向指挥塔裂开。潜望镜、线路和设备纷纷坠落，一片狼藉。

但是上述一切打捞工作都是在保护军事机密的前提下运作的，"库尔斯克"号核潜艇失事的真正原因也许将因为涉及军事机密而永远不会查清。

伊拉克战争之谜

　　海湾战争后，联合国第687号决议规定，派遣武器核查小组进驻巴格达。美国企图利用核查小组牵制伊拉克，但核查小组一再受挫，美对伊的政策开始转变。9·11恐怖袭击事件爆发后，美国对世界恐怖主义保持高度警惕，并把伊拉克看作是继阿富汗塔利班和基地组织后全球反恐怖战争的打击对象。在联合国核查小组再次对伊进行调查而未发现其拥有核武器和化学武器的情况下，美军以清除伊大规模杀伤性武器为名，发动了旨在推翻萨达姆政权的战争。

　　2003年2月20日，美国在海湾地区集结海、陆、空军部队近20万人，英军也有4万余人调向这里。美英联军将部队部署在伊拉克周围的沙特、巴林、阿曼、埃及、土耳其等国，并控制了各战略通道。沙特是对伊作战的一线基地。

　　一直与美国对抗的萨达姆也做好了战争准备，除部署在边疆地区的部队外，他还以巴格达为中心构建了严密的防御体系，准备多层阻击和抵抗敌人。

3月20日，美军制定的代号为"斩首行动"的计划开始实施，美F—117隐形轰炸机和导弹对巴格达进行轰炸，拉开了伊拉克战争序幕。在这次空袭中，美军使用"电子炸弹"攻击伊拉克，这种新式武器产生的高能电磁波使伊军及萨达姆卫队拥有的各类电话、无线电通信和电子计算机等电子设备立刻失灵。同时，美军用精确的制导导弹准确地打击伊指挥和控制中心。

为避开美英联军的空军优势和导弹袭击，萨达姆分散兵力，将实力最强的9万共和国卫队、4个特别旅、2个特种部队部署在巴格达周围。并在巴格达周围筑建野战工事，开挖战壕、沟堑，在飞机跑道上放置水泥等障碍物，阻击美英空降部队着陆。

美英联军对伊拉克首都巴格达和其高层领导人的住所等要害部门进行连续三轮的狂轰滥炸。晚21时05分，美英地面部队在战斗机、直升机的掩护下，凭借配备尖端的夜视作战设备，兵分几路对巴格达进行合围，欲以迅雷不及掩耳之势深入巴格达，俘虏或击毙萨达姆。顽强的伊军凭借坚固的防御工事，给美英造成了一定的损失，虽然发射的导弹部分被美国的"爱国者"导弹截击，但同时也有效地阻滞了敌人的攻势。

次日，联军以惊人的速度突进，准备以闪电式进攻，在短时间内赢得战争，萨达姆精心布防和顽强的共和国卫队粉碎了美英的"斩首行动"。

4月4日，战争形势发生急剧变化，美英联军经过一番调整，大批的后续援兵到位，又开始重新发动了大规模进攻。对巴格达西南的萨达姆机场实施争夺。5日，巴格达周围的守兵与敌人进行激烈的短兵相接。6日，联军在巴格达上空进行24小时不间断的空中巡逻，对市内目标继续轰炸，加强对巴格达外围的控制，力图合围。8日，联军连连突破伊军防线，开始从南北两方向向巴格达市区推进。次日，美军进入市中心。11日，美军宣布萨达姆政权垮台，大规模的伊军抵抗行动结束。14日，萨达姆的故乡提克里特布市也被联军所控制。

美英联军控制的伊拉克，局势至今一直动荡不安，虽然美军使用了精确制导武器，但也造成大量平民伤亡，伊拉克依靠"石油换食品"的计划也因战争而中断，伊拉克平民受到饥饿的严重威胁。

虽然伊拉克战争早已结束。然而，战争中逐步暴露出来的种种"战争之谜"，却越来越令人怀疑、深思。

虽然萨达姆已于2003年12月13日在家乡提克里特南郊达瓦尔镇的一个农户的地洞里被美军活捉，但2003年4月8日至9日萨达姆和他多达5000名的忠实部下，在一夜之间全部"蒸发"，无疑是这场战争中最大的"谜"。据欧洲情报部门透露，当夜西方监听到一道命令下达给巴格达伊拉克守军，利用宵禁之

机，停止抵抗，全部"消失"。这显然不是一种指挥系统"失灵"的表现，相反，却是指挥系统依然在运转的证明。那么伊拉克最高当局为什么下令停止抵抗呢？是为了避免一场耻辱的投降？还是以不抵抗换取美军放其一条生路？欧洲从官方、情报界到媒体和舆论，都表示怀疑。美军为了避免巴格达攻坚战造成过多伤亡，而准许萨达姆及其部下逃亡，以换取巴格达放弃抵抗，是此间最为流行的传闻。观察家注意到，在此之前，美国总统布什一直表示要将萨达姆抓获归案。正是在此前后，美国从政府到军方，突然都改口称"萨达姆的命运不重要"、"关键是要改变伊拉克政权"。这一态度的微妙变化，让世界人民都摸不着头脑。

美军攻占巴格达后，推倒萨达姆雕像成为这场战争的一个具有象征性意义的画面。但事后有人怀疑是美军在背后操纵各种"自发"的群体行为。有人说在现场欢呼的人群证明这场战争的"正义性"。然而法国电视一台却对此提出质疑。在对画面进行深入研究后，法国记者发现，在现场指挥推倒雕像的那个伊拉克人，并非一名寻常巴格达市民，而是流亡美国的伊拉克著名反对派领袖阿沙比的一名部下。法国电视台播出了推倒雕像现场拍摄到的画面，与阿沙比飞抵伊拉克后出现在电视中的画面进行了比较，可以清楚地看到同一个人出现在这两个画面上。此人紧随阿沙比，显然是一个重要的反对派人士。而另一个当时在现场的法国记者也报道说，在现场主要的是美国士兵、各国记者等近百人，而真正的巴格达市民并不多。因为，他说，当时各主要街道都还有战斗，没有人敢于出门。这说明，在这场战争中，有许多人们以为是真的"事实"，实际上是一场有人导演、有人演戏的"作秀"。

这场战争的另一个"谜"就是：巴格达巷战为何没有爆发。法国《星期日报》25 日报道说，萨达姆的表兄弟、负责守卫巴格达的共和国特别卫队司令提克里蒂在最后一刻背叛了他。

《星期日报》援引接近前萨达姆政权的一名伊拉克人士的话报道说，提克里蒂早在一年前就秘密同美国中央情报局达成协议，即在美国兵临城下之际，他将以命令共和国特别卫队放下武器为条件换取一家老小的生命安全。

4月8日，即在美军进入巴格达的前一天，美国军方郑重其事地发布了提克里蒂被击毙的消息。但《星期日报》称，提克里蒂当时实际上正以"最秘密的方式"与家人和近 20 名亲信登上了美军一架 C－130 运输机，飞往伊拉克外美军的某个基地。

一名阿拉伯外交官对《星期日报》说，一年前美国中央情报局收买内奸时，"许多装满美元的手提箱在移来荡去"。这名外交官说："出于谨慎，那些接受交易的人只同意在看见美军士兵时叛逃，信号是夺取巴格达机场。"

背叛萨达姆的亲信不止提克里蒂一人。据《星期日报》报道，萨达姆另一位表兄弟拉希德曾向美国人透露伊军部署情况和萨达姆的有关军事命令；而总统府一名高级官员曾于 3 月 19 日夜和 4 月 7 日两次密报萨达姆行踪，导致萨达姆险些被美军精确制导导弹"斩首"。

伊拉克战争过去已近 3 年，它是人类历史上第一次全程媒体直播的战争，全世界的人们都可以通过电视第一时间观看到美国一手导演的近似好莱坞大片的场面，只不过这种场面远比电影要真实和残酷的多。关于这场战争的争论也没有因为萨达姆的被捕而停止过。